Jean-Thierry Le Bougnec
Marie-José Lopes
Robert Menand
Martine Vidal

Avec la participation
d'Annie Berthet et de Béatrix Sampsonis

FORUM
MÉTHODE DE FRANÇAIS 3

H HACHETTE
Français langue étrangère
http://www.fle.hachette-livre.fr

Crédits photographiques :
Ana/M. Borchi : 15d. **AKG** : 62B. **Bridgeman Giraudon** : 14a, 31, 82B, 83, 89B./Archives Charmet : 26, 27./Lauros : 102. **Ciric/**P. Thebauct : 49. **F. Cunillère** : 132F. **Editing/**Arrechea : 156a./G. Atger : 43./J-P. Bajard : 49A./S. Gautier : 119./ J-M. Huron : 95./T. Pasquet : 156d./B. Plossu : 161B./A. Van der Stegen : 64. **G Dagliorti** : 101. **Gamma Presse Images/**G. Bouquillon : 51./P. Siccoli : 93. **Hachette Photothèque** : 78, 80, 82A. **Hémisphères/**S. Frances : 156c./J. Guillemain : 157e./H. Krinitz : 134. **Hoa-Qui** : 133A./C. Vaisse : 135D. **Lucas Schifres** : 37a, b, c ; 52a, b, c, d, e, f, g ; 53h, i ; 80 ; 89A, C ; 104, 105 ; 161A. **Magnum/**H. Gruyaert : 14c. **Marcio Madeira** : 81B. **Max PPP** : 48. **Métis Images/**M. Voyeux : 130, 131. **Photononstop/**Mauritius : 163./R. Mazin : 135B./J-D Sudres : 135C. **Rapho/**A. Agoudjian : 122, 123./R. Doisneau : 62A./M. Gile : 156b./E. Hardy : 13. **Réa** : 69. **Roger-Viollet** : 41. **Rue des Archives/**AGIP : 81A. **E. Sicor** : 76. **SIPA Presse** : 92, 146. **Sunset** : 135./J-M Brunet : 133B. **Vu/**P-O. Deschamps : 30.

Photos de couverture : © Amarante – Photo-Disc

Photos des pages d'ouverture : AP/ SIPA Presse./; **Bridgeman Giraudon**./; **Editing/** G. Atger./; **Métis/** P. Messina./; **Photonica/** H. Bjurling./; **Photononstop/** F. Dunouau./; **Rapho/** J. Hilary/ Gamazo.

Crédits pour les œuvres d'art (tableaux, sculptures)
Massimo Campigli, *Quatre femmes au réveil des oiseaux*, Musée d'Art Moderne de la Ville de Paris, ADAGP, 2002.
Antonio Canova, *Psyché ranimée par le baiser de l'Amour*, 1793, Musée du Louvre, Paris.
Camille Claudel, *Giganti ou Tête de Brigand*, 1885, Musée d'Art Thomas Henry, Cherbourg.
Eugène Delacroix, *La Liberté guidant le peuple le 28 juillet 1830*, 1830, Musée du Louvre, Paris.
Albrecht Dürer, *Hands of an Aposle*, 1508, Graphische Sammlung Albertina, Vienne, Autriche.
French School, *La Carte du Tendre*, 17e s, Bibliothèque Nationale de France, Paris.
Willem Joseph Laquij, *Familienbild*, 1790, Stédtisches Museum Haus Koeboek, Kleve.
Jérôme Mesnager, © ADAGP, Paris 2002.
Juan Miró, *La Complainte des Amants*, 1953, Galerie Nationale d'Art Moderne, Rome, © Successió Miró ADAGP, 2002.
Mexico : Musée national d'anthropologie Pré-classique (v. 600 av. JC.), l'acrobate prov. Tlatilco.
Maurice Quentin de la Tour, *Portrait de Jean Jacques Rousseau*, 1753, Musée Antoine Lecuyer, Saint-Quentin.
Raffaello Sanzio dit **Raphael**, *Madone Sixtine*, 1513-1514, Dresde, Gemaldegalerie, Alte Meister, Allemagne.

Avec les remerciements de l'éditeur à : Agence McCann Erickson p. 147, Armelle et les crayons p. 36, Arte France p. 18, Attac p. 93, 96, BHV p. 116, Élisabeth Bonvarlet, éditions Raoul Breton p. 79, Julian Broad p. 130, Olivia Chabut, Chérie FM p. 147, Patrick Declerk p. 123, EMI Music France p. 79, Encore eux p. 36, Juan Gonzales, Françoise d'Herblay, Emmanuel Lagain, Vanessa Lambert, Laurence Lesbre, Leclerc p. 106, 107, Les chiennes de garde p. 118, Licra p. 120, Mairie de Paris p. 17, 36, Mairie du 14e arrondissement de Paris p. 36, 38, Laurent Marteo, Mercury, un label Universal Music p. 30, Miki Matsushita, Mercedes p. 128, Opéra de Paris p. 10, Radio France p. 29, 95, 122, Olivier Raimbaud, Région Provence-Alpes-Côte d'Azur p. 36, Anne Rieber, RTL p. 27, Roland Sauvage, Éric Soulier, Béatrice Sutter p. 28, Gilles Toussaint, Warner Chapell Music France p. 30.

Pour parler de **Forum 3**, découvrir nos nouveautés, consulter notre catalogue en ligne, contacter nos diffuseurs ou nous écrire, rendez-vous sur Internet :
www.fle.hachette-livre.fr et www.club-forum.com

Intervenants :
Couverture et conception graphique : Amarante
Adaptation graphique et réalisation : O'Leary
Secrétariat d'édition : Claire Dupuis
Correction : Josiane Attucci
Illustrations : Zaü, Thierry Lamouche (pages *Connaître et reconnaître*)
Recherche iconographique : Brigitte Hammond
Cartographie : Hachette Éducation
Photogravure : Nord Compo

ISBN : 2-01-155181-1

© HACHETTE LIVRE 2002, 43, quai de Grenelle, F 75 905 Paris CEDEX 15.

Forum 3 fait suite aux deux premiers niveaux de **Forum** et s'adresse à des étudiants grands adolescents ou adultes de niveau avancé, ayant suivi 250 à 300 heures de cours et qui souhaitent perfectionner leur connaissance de la langue et de la culture françaises.

Forum 3 couvre le niveau B1 (niveau « seuil ») et le début du niveau B2 (niveau « autonomie ») du cadre commun européen de référence pour les langues. La méthode prépare aux examens du DELF 1er degré (unités A3 et A4) et initie à ceux du deuxième degré (unités A5 et A6).

Forum 3 reprend les éléments de réflexion proposés dans le cadre commun européen de référence pour les langues en insistant tout particulièrement sur l'interaction en classe et sur le développement de l'autonomie de l'apprenant. L'objectif de la méthode est double : il s'agit, d'une part, de mieux connaître la France d'aujourd'hui et les comportements des Français à travers de documents authentiques (écrit et audio) et d'autre part, de renforcer la connaissance de la langue en situation. Tout au long de l'ouvrage, l'apprenant fera des hypothèses sur les divers documents proposés à l'écrit et à l'oral (publicités, articles de presse, manifestes, textes littéraires, graphiques, dessins, photos, interviews, micros-trottoirs…), comme sur les points de langue abordés de manière à pouvoir agir et réagir par rapport aux contenus à l'aide d'activités de compréhension. Enfin, fort de compétences et de savoir-faire langagiers acquis, il pourra réaliser des tâches concrètes à l'écrit et à l'oral.

Structure de **Forum 3**

La méthode est composée de douze unités indépendantes les unes des autres, construites autour d'un thème différent. Chaque unité est organisée de la manière suivante :

– quatre doubles pages consacrées à la « découverte », à la compréhension écrite et/ou orale et à la réalisation de tâches à l'écrit ou à l'oral. Chaque double page fonctionne de manière indépendante et permet au professeur de prévoir deux ou trois séquences de cours par double page. C'est aussi l'occasion de faire faire des hypothèses sur la langue et de renvoyer ensuite aux pages *Connaître et reconnaître* ;

– une double page **Connaître et reconnaître** propose un travail de réflexion sur la langue à partir de nouveaux supports et des tableaux grammaticaux à observer, voire à compléter, par l'apprenant ainsi que des activités de systématisation en contexte ;

– une à trois pages **Point DELF** présentent les objectifs de l'unité du DELF, donnent des conseils pour passer l'examen et proposent des activités de type DELF. L'apprenant peut donc vérifier ses acquis au fur et à mesure de son apprentissage.

Les transcriptions des enregistrements sont à la fin de l'ouvrage, excepté la chanson de Barbara qui est intégrée dans son unité (unité 2).

Une carte administrative (p. 8) de la France est jointe.

Grâce à la richesse et à la variété des documents de **Forum 3**, l'apprenant, avec l'aide de son professeur, pourra atteindre une certaine autonomie linguistique et sera en mesure de mieux maîtriser les savoir-être et les savoir-faire en français. Enfin, le nombre limité de rubriques et le fonctionnement par doubles pages permettent une utilisation simple et efficace de l'ouvrage.

Bonne découverte et bon succès à tous avec **Forum 3** !

TABLEAU DES CONTENUS

Carte de la France administrative p. 8

Thèmes	Contenus socioculturels	Objectifs communicatifs	Contenus linguistiques
Unité 1 **LE TEMPS DU PLAISIR** p. 9 à 22	• Le développement des loisirs • La gestion du temps libre • Les voyages d'agrément • L'aide à l'amélioration de la qualité de vie	• Raconter une situation passée et son évolution • Donner différentes précisions d'ordre temporel • Conseiller une personne pour une marche à suivre	• La valeur des temps utilisés pour construire un récit : présent, passé composé, imparfait, plus-que-parfait • Les indicateurs de temps : *dans, dès, il y a, depuis, cela fait… que, au bout de…*
Unité 2 **PARLEZ-MOI D'AMOUR** p. 23 à 34	• Les trucs pour séduire • L'être idéal • Les messages d'amour • Les souvenirs de l'amour	• Parler de l'avenir • Exprimer une promesse, une prédiction, un ordre, des directives • Demander de faire et de ne pas faire • Conseiller une personne sur son comportement	• Présent, futur proche, futur simple, futur antérieur • L'impératif à la forme affirmative et négative • Les doubles pronoms et leur place dans la phrase
Unité 3 **AUX URNES CITOYENS** p. 35 à 46	• Être citoyen aujourd'hui • Impliquer le citoyen dans la vie sociale • Le milieu associatif • La délinquance	• Exprimer des hypothèses, des conditions et leurs conséquences	• Le conditionnel et l'indicatif • Les indéfinis : *ne… personne, nul, tout, chacun, rien, quelqu'un…*
Unité 4 **À CHACUN SA FOI** p. 47 à 60	• La foi en la religion • La foi en la science • La foi dans les superstitions • La foi dans le bonheur	• Exprimer différentes nuances d'opinion et de sentiment (une certitude, un espoir…) • Exprimer une représentation subjective de l'avenir, un doute, une crainte, un souhait	• Le mode indicatif et le mode subjonctif • Le subjonctif présent et le subjonctif passé

TABLEAU DES CONTENUS

Thèmes	Contenus socioculturels	Objectifs communicatifs	Contenus linguistiques
Unité 5 **DE L'ÉCOLE AU TRAVAIL** **p. 61 à 74**	• La philosophie de l'éducation • L'école aujourd'hui • Les 35 heures • Les inégalités et la précarité dans le travail	• Préciser la cause, le moment et la manière d'une action • Exprimer la simultanéité, l'antériorité, la postériorité • Indiquer l'origine d'une action, sa limite	• Le gérondif • Les expressions temporelles : *avant que, après que, dès que, jusqu'à ce que, quand…*
Unité 6 **CULTURE, CULTURES** **p. 75 à 86**	• Les symboles français • Saint-Germain-des-Prés • La liberté de créer et de penser • Aux grandes femmes la patrie reconnaissante	• Raconter des événements passés • Évoquer des souvenirs	• Assurer la progression du récit : présent, passé composé, passé simple • Enrichir le récit : imparfait, plus-que-parfait • Les accords du participe passé • Les marqueurs chronologiques : *d'abord, ensuite, toujours, rarement, tout de suite, autrefois…*
Unité 7 **NOUVELLE DONNE, NOUVEAUX DÉFIS** **p. 87 à 100**	• La mondialisation • La diversité culturelle • La « malbouffe » • Les jeunes Européens et les langues	• Rapporter un discours • Mettre l'accent sur le résultat d'une action • Compresser une information • Mettre en relief un élément du discours • Donner son point de vue	• Style direct, style indirect • La forme passive • La nominalisation • *Ce que, ce qui*
Unité 8 **ÊTRE OU PARAÎTRE** **p. 101 à 114**	• Le corps idéal • L'attachement au soin du corps • Le surpoids dès l'enfance • Les victimes du paraître	• Exprimer un besoin, une nécessité • Faire des recommandations, conseiller • Exprimer la finalité, le but recherché	• Le conditionnel • *Devoir* + infinitif, *il faut* + infinitif, *il faut que* + subjonctif… • La forme impersonnelle : *il faut* + infinitif, *il faut que* + subjonctif… • *Afin de* + infinitif, *de crainte de* + infinitif, *afin que* + subjonctif, *de crainte que…* (ne) + subjonctif, *permettre* • La place des adjectifs

TABLEAU DES CONTENUS

CARTE DE LA FRANCE ADMINISTRATIVE

ÎLE-DE-FRANCE:
petite couronne

ROYAUME-UNI

BELGIQUE

LUXEMBOURG

ALLEMAGNE

SUISSE

ITALIE

ESPAGNE

Manche

océan

Atlantique

mer

Méditerranée

YVELINES
Nanterre
Bobigny
SEINE-
ST-DENIS
HAUTS-
DE-
SEINE
PARIS
Créteil
VAL-DE-MARNE
SEINE-ET-MARNE
ESSONNE

NORD-
PAS-
DE-CALAIS
Lille
PAS-DE-CALAIS
Arras
NORD
SOMME
Amiens
Charleville-
Mézières
HAUTE-
SEINE-MARITIME
Rouen
PICARDIE
AISNE
Laon
ARDENNES
MANCHE
Beauvais
OISE
Châlons-
en-Champagne
MEURTHE-
ET-
MOSELLE
Metz
BAS-RHIN
St-Lô
Caen
CALVADOS
NORMANDIE
VAL-D'OISE
Cergy/Pontoise
MEUSE
Bar-
le-Duc
MARNE
MOSELLE
Nancy
Strasbourg
FINISTÈRE
St-Brieuc
BASSE-
NORMANDIE
Évreux
ÎLE-DE-
Paris
CHAMPAGNE-
LORRAINE
ALSACE
Quimper
CÔTES-D'ARMOR
ILLE-
ET-
VILAINE
ORNE
EURE
Versailles
YVELINES
FRANCE
ESSONNE
Évry
SEINE-
ET-MARNE
Melun
ARDENNE
Troyes
AUBE
Chaumont
HAUTE-
MARNE
VOSGES
Épinal
Colmar
HAUT-RHIN
BRETAGNE
Alençon
Chartres
HAUTE-
SAÔNE
Vesoul
Belfort
MORBIHAN
MAYENNE
Laval
Le Mans
EURE-ET-LOIR
Orléans
LOIRET
Auxerre
YONNE
CÔTE-D'OR
Dijon
FRANCHE-
COMTÉ
Besançon
TERRITOIRE
DE BELFORT
Vannes
LOIRE-
ATLANTIQUE
Nantes
PAYS
Angers
SARTHE
LOIR-
ET-CHER
Blois
CENTRE
NIÈVRE
BOURGOGNE
DOUBS
MAINE-ET-LOIRE
DE LA
Tours
INDRE-ET-
LOIRE
INDRE
Châteauroux
Bourges
CHER
Nevers
SAÔNE-ET-LOIRE
JURA
Lons-
le-Saunier
LOIRE
DEUX-
SÈVRES
VIENNE
Moulins
ALLIER
Mâcon
AIN
Bourg-
en-Bresse
HAUTE-
SAVOIE
Annecy
La Roche-sur-Yon
VENDÉE
POITOU
Niort
Poitiers
CREUSE
Guéret
Clermont-
Ferrand
LOIRE
Lyon
RHÔNE
Chambéry
La Rochelle
CHARENTES
HAUTE-
VIENNE
Limoges
CHARENTE
VIENNE
PUY-DE-DÔME
St-Étienne
RHÔNE-ALPES
SAVOIE
CHARENTE-
MARITIME
Angoulême
LIMOUSIN
CORRÈZE
Tulle
AUVERGNE
CANTAL
HAUTE-LOIRE
Grenoble
ISÈRE
Périgueux
Aurillac
Le Puy-
en-Velay
Valence
ITALIE
Bordeaux
DORDOGNE
LOT
Cahors
Mende
LOZÈRE
Privas
ARDÈCHE
DRÔME
Gap
HAUTES-
ALPES
GIRONDE
LOT-
ET-GARONNE
Agen
TARN-ET-
GARONNE
Montauban
MIDI-
Rodez
AVEYRON
GARD
Nîmes
VAUCLUSE
Avignon
PROVENCE-
ALPES-DE-
Digne-les-Bains
HAUTE-PROVENCE
ALPES-
MARITIMES
AQUITAINE
Mont-de-Marsan
LANDES
GERS
Auch
Toulouse
PYRÉNÉES
TARN
Albi
HÉRAULT
Montpellier
BOUCHES-
DU-RHÔNE
Marseille
VAR
CÔTE D'AZUR
Nice
Toulon
Pau
PYRÉNÉES-
ATLANTIQUES
Tarbes
HAUTE-
GARONNE
AUDE
LANGUEDOC-
ROUSSILLON
Bastia
HAUTE-
CORSE
HAUTES-
PYRÉNÉES
ARIÈGE
Foix
Carcassonne
Perpignan
PYRÉNÉES-ORIENTALES
CORSE
Ajaccio
CORSE-
DU-SUD

100 km

limite de région
limite de département
capitale régionale
préfecture de département

GUADELOUPE
Basse-Terre
20 km

MARTINIQUE
Fort-de-France
20 km

GUYANE
Cayenne
100 km

RÉUNION
Saint-Denis
20 km

unité
1

Le temps
du plaisir

■ **Contenus
socioculturels**
– Le développement
des loisirs
– La gestion du temps
libre
– Les voyages
d'agrément
– L'aide à l'amélioration
de la qualité de vie

■ **Objectifs
communicatifs**
– Raconter une
situation passée et
son évolution
– Donner différentes
précisions d'ordre
temporel
– Conseiller une
personne pour
une marche à suivre

■ **Contenus
linguistiques**
– La valeur des temps
utilisés pour construire
un récit : présent,
passé composé,
imparfait,
plus-que-parfait
– Les indicateurs de
temps : *dans, dès, il y a,
depuis, cela fait... que,
au bout de...*

LE TEMPS DU PLAISIR

Le développement des loisirs

(1) **En quarante ans, les dépenses consacrées aux loisirs ont été multipliées par 6,4. D'après vous, qu'est-ce qui explique cette augmentation ? En groupes, faites des hypothèses.**

(2) **Dites quelles sont vos pratiques de loisirs.**

(3) **Observez le tableau ci-contre et répondez aux questions.**

1 Quelles sont les activités par ordre croissant les plus pratiquées par les Français ?

2 Quelles sont les activités les moins pratiquées ? Pourquoi ?

3 Pensez-vous que la « démocratisation » des loisirs a eu lieu ? Pourquoi ?

4 Proposez trois adjectifs pour qualifier la fréquentation de l'opéra.

5 À votre avis, le taux de fréquentation de l'opéra est-il similaire dans votre pays ?

6 Y a-t-il des différences entre les pratiques culturelles des Français et les vôtres ?

LES SORTIES DES FRANÇAIS
Fréquentation des différentes activités culturelles
(1997, en % des 15 ans et plus)

	Au cours des 12 derniers mois	Déjà, mais pas au cours des 12 derniers mois	Jamais
Opéra	3	16	81
Concert de jazz	7	12	81
Opérette	2	21	77
Concert de rock	9	17	74
Concert classique	9	19	72
Danse professionnelle	8	24	68
Parc d'attractions	11	21	68
Galerie d'art	15	19	66
Music-hall, variétés	10	33	57
Spectacles d'amateur	20	25	55
Danse folklorique	13	33	54
Expositions de peinture ou de sculpture	25	25	50
Théâtre	16	41	43
Cirque	13	54	33
Monument historique	30	41	29
Musée	33	44	23
Brocante (foire, magasin)	54	25	21
Cinéma	49	46	5

Ministère de la Culture et de la Communication, département des études et de la prospective.

Vivez l'opéra

(4) **Observez les documents.**

1 D'après les documents, de combien d'opéras les Parisiens disposent-ils ? Comment s'appellent-ils ?

2 Par quoi sont-ils symbolisés ?

(5) **Décrivez les photos sur le billet : retrouvez-y chaque opéra. Justifiez votre réponse.**

▶ À gauche...
   À droite...

(6) **Observez le billet. Complétez la fiche suivante, puis faites des hypothèses sur la personne qui est allée à ce spectacle (âge, milieu socioculturel...).**

1 Prix du billet en euros : ...

2 Date et heure : ...

3 Lieu : ...

4 Type et nom du spectacle : ...

5 Type de place : ...

🏛 Palais Garnier				Opéra Bastille 🏛	
			juin		
Cosi fan tutte	19h30	1	dim		
		2	lun	Maurice Béjart	
Cosi fan tutte	19h30	3	mar	Les Noces de Figaro	19h30
		4	mer	Maurice Béjart	19h30
		5	jeu	Les Noces de Figaro	19h30
Cosi fan tutte	19h30	6	ven	Maurice Béjart	19h30
		7	sam		19h30
		8	dim		
Cosi fan tutte	19h30	9	lun	Les Noces de Figaro	19h30
		10	mar	Maurice Béjart	19h30
L'Histoire de Manon	19h30	11	mer	Les Noces de Figaro	19h30
Cosi fan tutte	19h30	12	jeu		19h30
L'Histoire de Manon	19h30	13	ven	Maurice Béjart	
		14	sam		19h30
L'Histoire de Manon		15	dim		
L'Histoire de Manon	19h30	16	lun		
L'Histoire de Manon	19h30	17	mar	Maurice Béjart	
L'Histoire de Manon	19h30	18	mer	Les Vêpres siciliennes	19h30
Cosi fan tutte	19h30	19	jeu	Maurice Béjart	19h30
L'Histoire de Manon	19h30	20	ven	Concert James Conlon	
L'Histoire de Manon	19h30	21	sam		20h

Opéra Bastille	Mardi	19/03/2002	19h30	
	Macbeth			62.96 Euro

	Porte	Allée	Rang	Place	
PARTERRE	6	E	28	30	ZKA 721622 0005763

20/06/2001 GA16 2472282
Licence E.S.z° 755460

BEAULIEU

Unité 1

⑦ Lisez le texte et relevez quatre informations sur James Conlon.

Qu'est-ce qui, au petit matin, réunit ces dizaines d'adorateurs sur les marches de l'Opéra Garnier patientant des heures dans l'espoir d'obtenir une place ? (...) Chef d'orchestre permanent de l'Opéra national de Paris depuis 1996, James Conlon, avant chaque lever de rideau, a une image en tête, une seule : celle d'un petit garçon qui vient pour la première fois et à qui il doit transmettre la passion de l'opéra. Passion, le mot est lâché. « Si vous n'aimez pas la passion, alors, l'opéra n'est pas pour vous. » (...) « L'opéra c'est la vie même, il donne accès aux émotions, raconte les grands thèmes de l'humanité. » Histoires d'amour incandescentes[1], tragédies familiales, complots politiques, désir, courage, vanité et trahison, tout est sublime, mais les sentiments sont ceux que nous éprouvons tous. Les *a priori* d'un art désincarné[2], Conlon les réfute : « Le premier plaisir vient du corps, qui vibre au son et au sens du récit. »

Le corps, compagnon irremplaçable de cette alliance incroyable qui réunit la musique, le chant, la prose, le théâtre. Il faut voir James Conlon se mettre à sa place de chef dans la fosse, à mi-chemin entre l'orchestre et la scène, pour comprendre comment la magie opère, ses mains appellent une respiration commune entre la musique et le chant.(...) Au fil des opéras, l'oreille se forme, se veloute, s'agrandit. Pour James Conlon, l'opéra, par sa beauté, « touche la meilleure partie de notre âme et l'élève ». Cet Américain, fils de syndicalistes profondément idéalistes, assume l'adjectif. (...) Et pourtant on reproche souvent, et non sans arguments, l'élitisme de l'art lyrique. Voilà qui fâche Conlon. « Je ne me sens pas une seconde supérieur parce que j'ai dirigé soixante-dix opéras, ma mission est d'ouvrir des portes, simplement. »

Isabelle Maury, *Elle*,
5 novembre 2001.
1. Lumineuses à cause de la chaleur.
2. Sans corps.

⑧ Répondez aux questions suivantes.
1 Quelle est l'ambition de James Conlon ?
2 Quels sont les grands thèmes de l'opéra ?
3 Quel mot pourrait définir l'opéra ?
4 Relevez dans le texte les mots associés au spectacle, à l'art.

Les cinq conseils
d'un spécialiste, James Conlon, pour aborder l'opéra

⑨ Lisez ci-dessous les conseils de James Conlon et dites quels sont pour vous les plus pertinents.

Écouter régulièrement, dans une ambiance calme, de la musique classique à la maison. Bach, Debussy… Avant tout, ce qui vous plaît.

Commencer toujours par des œuvres faciles, les plus populaires, mais qui ne sont pas les moins belles. Vous serez surpris de reconnaître des airs connus. L'opéra est plus démocratisé qu'on ne l'imagine. Parmi les musiciens : Verdi et Mozart. Parmi les opéras : *Rigoletto, Carmen, La Bohème*.

Prendre son temps. Accepter qu'il s'agit d'une initiation et qu'il faut parfois retourner plusieurs fois à l'opéra avant d'être vraiment touché. Mais les coups de foudre ont lieu fréquemment !

Ne pas s'en tenir à un seul compositeur, essayer Wagner, mais aussi les compositeurs russes et les modernes, car on trouve rarement son style du premier coup.

Lire l'histoire avant le début du spectacle, pour saisir les grandes lignes de l'intrigue même si des surtitrages défilent.

Elle, 5 novembre 2001.

Écrit

⑩ À la manière du spécialiste, écrivez à votre tour cinq conseils pour aborder un art ou un sport difficile.

Les 35 heures, c'est un don

① **Lisez le titre ci-dessus et la source du document, puis répondez aux questions suivantes.**

1 D'où vient ce texte ?
2 Comment appelle-t-on ce type de texte ?
3 À votre avis, de quoi parle le texte ?
4 Qui est la personne interviewée ?

② **Lisez le texte et dites si les affirmations suivantes sont vraies ou fausses.**

1 Jean Viard est un homme politique.
2 Il a mené une recherche sur le temps libre.
3 Les résultats de cette étude sont à mettre en relation avec la loi sur les 35 heures.

③ **Lisez à nouveau le texte et choisissez la bonne réponse.**

1 Au cours de sa vie, un Français dort en moyenne :
 a 150 000 heures ;
 b 200 000 heures ;
 c 250 000 heures.
2 Actuellement, la durée de vie au travail est de :
 a 63 000 heures ;
 b 73 000 heures ;
 c 83 000 heures.
3 À qui profite le plus la réduction du temps de travail ?
 a Aux femmes ;
 b Aux hommes ;
 c Aux deux.
4 Le temps libéré par les 35 heures permet :
 a d'avoir de nouvelles activités ;
 b de faire plus tranquillement ce qu'on faisait déjà auparavant ;
 c de faire ses achats le week-end.
5 D'après Jean Viard, pourra-t-on un jour remettre en cause la loi sur les 35 heures en France ?
 a Oui ;
 b Non ;
 c On ne sait pas.
6 À votre avis, Jean Viard est un homme situé politiquement plutôt :
 a à gauche ;
 b à droite ;
 c au centre.

Le Nouvel Observateur – Les Français ont toujours l'impression de passer leur vie au boulot, et pourtant vous démontrez le contraire…

5 Jean Viard – Le rapport que j'ai remis à Élisabeth Guigou s'intéresse à 89 % du temps des Français, c'est-à-dire à leur temps libre. Actuellement, sur une vie moyenne de 700 000 heures, nous sommes éveillés 450 000 heures et nous n'en passons que 63 000 au travail. Le progrès techno-
10 logique a permis de réduire considérablement la durée du labeur depuis deux cents ans. Rendez-vous compte : en 1806, un ouvrier urbain passait 70 % de son temps éveillé à gagner son pain. […] Au début du siècle dernier, les Français ne travaillaient plus que la moitié de leur vie. Et, depuis cinquante ans, le mouvement s'est encore accéléré. […]

15 N. O. – Les 35 heures s'inscrivent donc dans le droit fil de cette évolution ?

J. Viard – Les 35 heures ont popularisé dans la société l'idée qu'il y avait du temps à soi. La première manière dont les gens utilisent leur temps libre, c'est de faire tranquille-
20 ment ce qu'ils faisaient avant. Les femmes continuent donc de consacrer beaucoup de temps aux tâches ménagères, mais elles fuient le stress, les horaires de pointe et la foule. 70 % des gens évitent de faire leurs courses indispensables le samedi après-midi. Les milieux populaires accèdent enfin au
25 week-end « bourgeois », c'est-à-dire sans activités. On a fini, dès le vendredi soir, le ménage et les courses au supermarché. Du coup, cela libère le samedi pour les copains et le dimanche pour la famille.

N. O. – Les hommes en profitent-ils plus que les femmes ?

30 J. Viard – Ce sont les hommes qui ont vraiment gagné du temps libre, même si à la maison ils travaillent un tout petit peu plus. Ils disent qu'ils s'occupent plus de leurs femmes, mais elles ne s'en rendent pas toujours compte. Ils vont toutefois plus souvent chercher leurs enfants à l'école. Le regard
35 sur ces papas a d'ailleurs commencé à changer. Il y a encore quelques années, dans l'esprit des gens, un homme qui attendait ses gosses* à la sortie des classes était forcément au chômage. […]

N. O. – Cette masse de temps libéré marque-t-elle la fin de
40 la « valeur travail » ?

J. Viard – Pas du tout ! Le travail reste une des activités qualifiantes de la vie. Il symbolise toujours le revenu et la dignité.

N. O. – La droite pourra-t-elle revenir sur les 35 heures ?

45 J. Viard – La morale de la droite, c'est de travailler long-temps, surtout pour les hommes. Les 35 heures sont un modèle de souplesse, paritaire, favorable à la famille. Et le problème, c'est que les 35 heures, désormais, pour les Français, c'est un don. Elles leur appartiennent. Ils ne les lâcheront pas.

Jean Viard, sociologue.
Propos recueillis par M. Croissandeau et M. Gilson,
Le Nouvel Observateur, décembre 2001.

* Enfants (*familier*).

④ **Retrouvez dans le texte :**
  1 trois équivalents du mot *travail* ;
  2 des exemples de tâches ménagères ;
  3 dans les deux dernières réponses de J. Viard,
    les mots ou expressions correspondant aux
    définitions suivantes.
    a Absolument pas, nullement.
    b Qui donne de la valeur.
    c Flexibilité.
    d Équitable, égalitaire.

⑤ **Reconstituez la première réponse de J. Viard.**
  1 Faites correspondre les marqueurs chronologiques
    et les informations.
    1 En 1806,
    2 Actuellement,
    3 Au début du siècle,
    4 Depuis deux cents ans,
    5 Depuis cinquante ans,

  a les Français ne travaillaient plus que la moitié
    de leur vie.
  b le progrès technologique a permis de réduire
    considérablement la durée du labeur.
  c un ouvrier urbain passait 70 % de son temps
    éveillé à gagner son pain.
  d sur une vie moyenne de 700 000 heures, nous
    sommes éveillés 450 000 heures et nous n'en
    passons que 63 000 au travail.
  e le mouvement s'est encore accéléré.
  2 Dites quelle(s) information(s) correspond(ent) :
    1 à la situation à un moment précis du passé ;
    2 à la situation actuelle ;
    3 au bilan à ce jour d'une évolution.
  3 Justifiez à chaque fois l'association du marqueur
    chronologique et du temps utilisé.

☞ **CONNAÎTRE ET RECONNAÎTRE** p. 18-19

Le témoignage de Babeth

⑥ **Écoutez une première fois l'interview. Vous noterez
des informations sur cette personne : son
travail, sa situation de famille, son domicile.** ...

⑦ **Écoutez à nouveau l'interview et complétez
ce texte.** ....
  Cette femme travaille en … (à deux sur le même
  poste) avec une collègue. Elle profite de jours de …
  qu'elle consacre à …, …, …, … . Pour les problèmes
  urgents, sa collègue peut la … sur son … portable.

⑧ **Réécoutez le document sonore.** ....
  **En résumé, quels avantages cette femme
  tire-t-elle de sa nouvelle vie, de cette nouvelle
  organisation de son temps ? Quel commentaire
  fait-elle sur les 35 heures ?**

⑨ **Relevez des exemples de marques de l'oralité
et classez-les (au moins en trois catégories).** ...
  ▶ « Euh… » marque une hésitation. « J'ai pas », pour
    la négation à l'oral, omet le « ne »…

⑩ **Trouvez deux équivalents pour chacune de ces
expressions en gardant le même registre de langue.**
    1 Parler de tout et de rien.
    2 Mettre la main au porte-monnaie.

Débats

⑪ **Et vous, pensez-vous que la Réduction du temps
de travail (RTT) soit véritablement un progrès
social par rapport à la vie familiale, au partage
des tâches hommes/femmes, à la vie
professionnelle ? En groupes, comparez votre
opinion sur ce sujet.**

VACANCES

c

a

b

Un voyage de rêve

(1) **En groupes, observez les documents numérotés de a à e. Décrivez ce que vous voyez, puis répondez aux questions suivantes.**

1 À quel pays ces documents vous font-ils penser ?

2 Quelles sont les couleurs dominantes des documents ?

Que vous suggèrent-elles ?

(2) **Faites des hypothèses sur le contenu du texte ci-contre. De quel type de document s'agit-il ?**

(3) **Lisez le texte, puis imaginez l'identité de l'auteur (sexe, âge, situation socioculturelle…). Trouvez vos indices dans le texte.**

Je suis enfin arrivé à l'hôtel après deux heures d'avion, deux heures à l'aéroport et quarante minutes de taxi (il y avait un embouteillage). J'ai eu du mal à me faire comprendre par le chauffeur ; quant au
5 réceptionniste de l'hôtel, je me suis borné à lui montrer mon passeport. J'étais trop fatigué pour essayer de parler italien. J'espère que ça va aller mieux demain. Sinon, je ne pourrai pas beaucoup profiter de Rome ! Maintenant, au lit, j'en ai besoin !

10 Je suis assis sur un banc du Colisée. Je n'avais pas imaginé qu'il était aussi grand. Les Romains devaient avoir de bons yeux pour voir un lion, sans parler du gladiateur[1], car d'où je suis maintenant, ce n'est pas évident. En me promenant dans la ville,
15 je crois comprendre ce que les gladiateurs devaient ressentir dans l'arène. Une Vespa a failli me renverser lorsque je traversais ! Auparavant, j'en avais vu une rouler sur le trottoir. Il fait chaud. Mon amie Charlotte m'a conseillé un restaurant près d'ici. Je
20 vais voir si je peux le trouver.

Je viens de passer deux heures et demie dans la galerie Barberini. J'ai mal aux pieds. C'était très beau, en particulier les Raphaël, mais trop grand. Vers la fin, je ne savais plus ce que je regardais. Je
25 suis en train de manger une espèce de sandwich, un panino. On mange très bien ici, même les sandwichs.

ROMAINES

PENSIONE ★
☏ 4467131 DI RIENZO

d

e   00185 ROMA
Via Principe Amedeo, 79.a – sc. destra int. 2
Vicino alla Stazione Termini

La pizza que j'ai mangée hier soir était beaucoup plus savoureuse que toutes celles que j'ai mangées à Paris. La pâte était croquante et il y avait un vrai goût de tomate et de basilic.   30

Déjà le quatrième jour et il continue à faire chaud. Je me promène en short. Mais tous les Romains sont si bien habillés ! Donc, il n'est pas difficile de repérer les touristes comme moi (certains autochtones nous regardent d'ailleurs avec un peu   35 de dédain). Je me suis rendu à la piazza Navona, la très grande place avec la fontaine du Bernin. J'ai dû manger assis sur les marches de l'église. Je n'avais pas pu trouver une place sur une terrasse. La place est splendide ; je lis qu'elle est bâtie sur   40 un vieux cirque romain, pourtant elle est tout en longueur. Sans doute est-ce un endroit où on faisait des courses de chars[2], comme dans *Ben Hur*. Plus tard, je suis allé, tel Marcello dans *La Dolce Vita*, à la fontaine de Trevi, mais je n'y ai vu aucune   45 beauté en train de se tremper les pieds. Il y avait surtout des touristes. En ce moment, je regarde les gardes suisses à l'entrée du Vatican.

1. *Homme qui combattait dans les jeux de cirque antique.*
2. *Dans l'Antiquité, voiture à deux roues tirée par un ou des chevaux.*

④ **Associez chaque document à un paragraphe du texte et trouvez des intitulés pour chaque paragraphe. Citez le texte pour justifier vos réponses.**
- Paragraphe 1.
- Paragraphe 3.
- Paragraphe 2.
- Paragraphe 4.

⑤ **En groupes, lisez les deux extraits suivants du carnet de voyage.**

1 Dites si chaque sélection forme un tout compréhensible pour le lecteur. Que fait le narrateur ? Quels sont les temps utilisés ?

Sélection 1

Je me suis rendu à la piazza Navona, la très grande place avec la fontaine du Bernin. J'ai dû manger assis sur les marches de l'église. [...] Plus tard, je suis allé, tel Marcello dans *La Dolce Vita*, à la fontaine de Trevi, mais je n'y ai vu aucune beauté en train de se tremper les pieds.

Sélection 2

Déjà le quatrième jour et il continue à faire chaud. Je me promène en short. Mais tous les Romains sont si bien habillés ! Donc, il n'est pas difficile de repérer les touristes comme moi (certains autochtones nous regardent d'ailleurs avec un peu de dédain). [...]. La place [piazza Navona] est splendide ; je lis qu'elle est bâtie sur un vieux cirque romain, pourtant elle est tout en longueur. [...] En ce moment, je regarde les gardes suisses à l'entrée du Vatican.

2 Voici les trois phrases qui n'ont pas été sélectionnées. Dites si ce dernier ensemble de trois phrases forme un tout compréhensible pour le lecteur. Si non, précisez à quelle(s) information(s) du texte on peut le rattacher et quelle précision elles donnent.

Je n'avais pas pu trouver une place sur une terrasse. Sans doute est-ce un endroit où on faisait des courses de chars, comme dans *Ben Hur*. Il y avait surtout des touristes.

☞ CONNAÎTRE ET RECONNAÎTRE p. 18-19

Votre carnet de voyage

Écrit

⑥ **L'ange de Raphaël (document a) est venu visiter votre ville. Il a tenu son carnet de voyage. Rédigez-en un extrait à la manière du touriste de Rome (80 à 100 mots).**

Qualité de vie

"Ensemble, réinventons notre ville"

Les Bureaux des Temps

MAIRIE DE PARIS

a

Les bureaux des temps

① **En groupes, observez le document a et choisissez la bonne réponse. Justifiez votre choix.**
S'agit-il :
1 d'une publicité ?
2 d'un dépliant d'information ?
3 d'un tract ?

② **Retrouvez qui a produit ce document.**

C'est fait pour QUI ?

Pour vous et toutes celles et ceux qui vivent, travaillent, visitent ou se rendent à Paris.

Nous sommes tous acteurs de la ville et avons la possibilité de **l'inventer** autrement, de façon **solidaire**. Cela s'adresse à la mère célibataire qui ne sait pas comment faire garder son enfant pendant son travail en soirée, à la personne âgée qui a besoin d'aide pour faire ses courses, à l'étudiant qui ne trouve plus de mode de transport après 1 h du matin…

Les Bureaux des Temps

COMMENT ça marche ?

Vos besoins et vos attentes sont pris en compte grâce à des études, quartier par quartier.

À l'initiative de **vos élus**, des réunions publiques, auxquelles vous êtes **associés**, seront ensuite organisées dans votre quartier. Au terme de cette concertation, vos élus réalisent la synthèse des demandes d'aménagements qui verront le jour.

b

③ **Lisez le document b.**
1 À qui s'adressent les bureaux des temps ?
2 Quel est le principal objectif des bureaux des temps ?
3 Dans quels domaines les bureaux des temps peuvent-ils agir ?
4 Comment les bureaux des temps fonctionnent-ils ? En quoi s'agit-il de « démocratie participative » ?

④ **Retrouvez dans le texte les mots ou les expressions correspondant à ces définitions.**
1 Le bonheur.
2 Personnes qui représentent les citoyens.
3 Dans l'intérêt commun de tous.
4 Être invité à participer.

VIE ?

Débats

⑤ **Et vous, avez-vous connaissance d'une telle expérience dans votre ville ? Que pensez-vous des bureaux des temps ? D'après vous, peuvent-ils réellement faciliter la vie des citadins ? En groupes, trouvez des arguments pour ou contre, puis comparez vos opinions sur ce sujet.**

C'est QUOI au juste ?

Les Bureaux des Temps sont des réunions d'échanges et de concertation orga-nisées dans votre quartier par vos élus, pour vous et avec vous.

Cette expérience de démocratie participative rassemble, autour des élus, les Parisiennes et les Parisiens, les associations, les responsables et personnels des services publics et privés afin d'imaginer ensemble des solutions qui améliorent la vie quotidienne dans chaque quartier.

Les Bureaux des Temps

POURQUOI ça existe ?

L'objectif est d'adapter Paris à votre propre rythme, en vous permettant de vivre mieux grâce à de nouveaux services et de nouveaux horaires.

Tous ensemble, nous pouvons, en proposant des idées nouvelles pour les transports, le commerce, l'éducation, le sport, la culture, la sécurité, etc., recréer un véritable lien social, facteur de bien-être pour chacun d'entre nous. Cela se pratique avec succès depuis plus de dix ans dans d'autres villes de France et d'Europe.

Pour nous, les Bureaux des Temps, c'est :

"Faire garder mon enfant plus longtemps"

Manoda, serveuse, élève seule sa fille.

"Trouver un bus rapidement après ma gym"

Emilie, infirmière, fait beaucoup de sport.

"Aller au musée en soirée"

Guillaume, étudiant, se passionne pour l'art contemporain.

"Pouvoir faire nos courses près de chez nous"

Jacques et Monique, retraités, sont Parisiens depuis toujours.

"Ensemble, réinventons notre ville"

c

⑥ **Observez les quatre acteurs de la vie parisienne (document c). Décrivez-les, puis répondez aux questions suivantes.**
   1 Pour chacun d'eux, quel problème est évoqué ?
   2 En quoi les bureaux des temps peuvent-ils répondre ou pas à ces problèmes ?

Écrit

⑦ **Vous êtes un des quatre acteurs. Envoyez un e-mail à la mairie de Paris (80 à 100 mots).**
   – Présentez-vous.
   – Exposez votre problème.
   – Faites une proposition pour le résoudre.

| Exp. : | | CC : | |
| Dest. : | bdt@mairiedeparis.fr | CM : | |

Envoyer

| Objet : | |
| Message : | 13 juin... |

Annuler

Messieurs,

Grammaire

① *Viva Cuba !*

Observez la publicité pour la chaîne de télévision franco-allemande Arte puis répondez aux questions suivantes.

1 Quel est le thème de la soirée du 30 décembre ?

2 Que représente le dessin ?

3 Que signifie la phrase : *Ça fait quarante ans que les voisins se plaignent du bruit.* Qui sont les voisins ? À quoi est-il fait allusion ?

4 Réécrivez cette phrase avec *depuis*. Garde-t-elle le même sens ?

Donner différentes précisions d'ordre temporel

• **Pour localiser un moment dans le temps**

– Dates avec – un jour : *Le 14 février…*

— une heure : *À huit heures…*

— une année : *En 1806…*

— un mois : *En juin* (= au mois de juin)…

— une expression indiquant une position temporelle : *Au début du XIXe siècle…*

– Par rapport au moment où l'on parle :

Au début/à la fin de ce siècle/de notre siècle/du siècle dernier/prochain…

• **Pour situer une action, une situation par rapport au moment où l'on parle**

– Action future : *Il part/il va partir/il partira dans deux jours.*

– Action passée : *Il est parti il y a deux jours.*

Ça fait 40 ans que les voisins se plaignent du bruit.

VIVA CUBA !
"Buena Vista Social Club" de Wim Wenders
"Havana" de Sydney Pollack avec Robert Redford
le 30 décembre à 20.45
Les CDs Buena Vista Social Club chez World Circuit/Night & Day

arte
www.arte-tv.com

• **Pour indiquer le point de départ d'une action**

– Dates :

À partir de/dès/dès que + date : *On a fini, **dès** le vendredi soir, le ménage et les courses…*

– Par rapport au moment où l'on parle :

*Désormais/dorénavant/à partir de maintenant/dès maintenant : Les 35 heures, **désormais**, pour les Français, c'est un don.*

• **Pour indiquer l'origine d'une action, d'une situation actuelle qui continue au moment où l'on parle**

– Avec un verbe au présent + *depuis* : *Je travaille 35 heures par semaine **depuis** deux ans.*

– Avec *cela fait… que* : ***Cela fait** deux mois qu'il travaille du lundi au jeudi.*

– Avec *il y a… que* : ***Il y a** deux semaines qu'il est en voyage.*

• **Pour situer une action au terme d'une durée**

– Avec *au bout de* + durée : *Je suis parti **au bout de** deux heures.*

• **Pour préciser les limites d'une action qui dure**

– *De* + heure/date, *jusqu'à* + heure/date : *Je travaille **de** huit heures **jusqu'à** dix-sept heures.*

② On ne peut pas tout avoir !

Antonin retrouve Hyppolyte au club de rollers. Complétez le dialogue avec : *il y a – depuis – dans – ça fait... que – en.*

ANTONIN : Ça fait longtemps que (1) tu travailles dans cette boîte* ?

HYPPOLYTE : Oh, j'y suis entré … (2) 1991, … (3) plus de dix ans.

ANTONIN : Vous êtes passés aux 35 heures ?

HYPPOLYTE : On est aux 35 heures seulement … (4) le début de l'année !

ANTONIN : Ah ? C'est parce que c'est une petite entreprise que les 35 heures ne sont passées qu'au début de l'année ?

HYPPOLYTE : Oui, mais … (5) quelques années, on devrait doubler l'effectif.

ANTONIN : Moi, j'ai commencé à travailler dans ma société … (6) trois ans ; eh ben, … (7) trois ans je n'ai pas été augmenté !

HYPPOLYTE : Oui, mais c'est une grosse boîte, vous êtes aux 35 heures … (8) deux ans déjà.

* Entreprise *(familier)*.

La valeur des temps du récit

• Le **présent** indique :

– une action correspondant au moment précis de l'énonciation : *En ce moment, je **regarde** les gardes suisses à l'entrée du Vatican.*

– une situation actuelle : *Il **continue** à faire chaud.*

• Le **passé composé** indique :

– une action ponctuelle réalisée dans le passé : *Je me **suis rendu** à la piazza Navona.*

• L'**imparfait** indique :

– une situation correspondant à une époque passée : *Est-ce un endroit où on **faisait** des courses de chars...*

– les circonstances d'un événement :
*Une voiture a failli me renverser lorsque je **traversais**.*

• Le **plus-que-parfait** indique :

– une action accomplie et antérieure à un événement ou une situation passés :

*J'ai dû manger assis sur les marches de l'église. Je n'**avais** pas **pu** trouver une place sur une terrasse.*

---

③ Une fin de séjour difficile.

Lors de son retour de voyage de Rome, François a connu bien des aventures. Racontez ce qui lui est arrivé en utilisant ses notes.

Être arrivé à l'aéroport en retard – avion complet – rencontre avec une responsable de la compagnie, stressée et peu sympathique – parce que départ annulé – longues négociations – surprendre au café une femme élégante en train de pleurer – être abordé par celle-ci, triste car vol de son sac à main – départ pour Paris impossible – proposition de partager sa chambre d'hôtel avec la femme élégante – en pleine nuit, porte d'hôtel enfoncée par policiers cherchant la femme élégante – mensonge de celle-ci sur son identité – en réalité, redoutable gangster – soupçons de complicité sur François – explications interminables au commissariat à Rome, ambiance surchauffée – enfin, départ pour Paris le soir même à 21 heures.

④ C'est pourtant clair !

François téléphone à son amie pour la prévenir de son retard. Complétez le dialogue en mettant les verbes à la forme qui convient. Choisissez-les dans la liste proposée. Certains verbes peuvent être employés plusieurs fois.

Commettre – se passer – être – commencer – devoir – dédommager – avoir – dormir – venir – vouloir – rencontrer.

FRANÇOIS : Allô… ! C'est moi. Je suis encore à Rome.

BRIGITTE : Qu'… (1) ? Je … (2) à m'inquiéter.

FRANÇOIS : C'est une longue histoire. J'… (3) plein de problèmes. L'avion … (4) surbooké. On m'… (5) de 90 euros et j' … (6) aller à l'hôtel. Mais entre-temps, j'… (7) une folle qui ne … (8) plus me lâcher.

BRIGITTE : C'est ça !!!

FRANÇOIS : Je te le jure ! C'… (9) incroyable ! La police … (10) l'arrêter dans notre chambre.

BRIGITTE : Dans votre chambre ? ! Vous … (11) ensemble ?

FRANÇOIS : Mais enfin, ce n'est pas ce que tu crois ! Deux jours plus tôt, elle … (12) un vol dans une banque. Nous … (13) partager la chambre parce qu'il n'y … (14) plus de place. Écoute, je n'ai plus de crédit sur ma carte. J'arriverai vers 23 heures, à ce soir.

BRIGITTE : On en reparlera. Salut.

Le temps du plaisir

DELF Unité A3 – Écrit 1
Compréhension et expression écrites
Durée de l'épreuve : quarante-cinq minutes.
Coefficient 1 (noté sur 20).

Objectif : comprendre un document écrit authentique et montrer que vous l'avez compris en répondant, par écrit, à des questions.

▌ **Quelques conseils pour l'épreuve**

• Organisez votre temps : vous disposez de quarante-cinq minutes.
• Observez le document (titre, sous-titre, chapeau, illustrations…) sans faire une lecture linéaire du texte.
• Dégagez l'idée générale du texte et aidez-vous du titre.

• Lisez la totalité du questionnaire et repérez les endroits où vous pouvez trouver des éléments de réponse.
• Répondez avec des phrases courtes et évitez de recopier le texte.
• Ne donnez pas votre avis.
• Gardez un peu de temps pour vous relire !

Répondez aux questions du texte. Vérifiez vos réponses avec la classe et calculez votre score.

1 À votre avis, parmi ces titres, lequel convient le mieux à ce texte ? *(1 point)*
  a Devenir propriétaire, le rêve des Français !
  b Plus on travaille, plus on aime sa maison…
  c Le bricolage, le loisir qui monte.
2 Deux de ces affirmations sont exactes. Lesquelles ? *(2 points)*
  a Le phénomène décrit dans ce texte concerne surtout les habitants de maisons individuelles.
  b Ce phénomène est en constante augmentation depuis ces dernières années.
  c On profite plus de son intérieur quand on habite un appartement.
  d L'habitation est profondément liée à notre propre histoire.
  e C'est à la maison qu'on peut vraiment goûter au plaisir du silence.
  f Le bricolage permet d'échapper aux obligations familiales.
3 La tendance évoquée a deux causes. Lesquelles ? *(2 points)*
  a La maison se veut un refuge contre la violence de la vie quotidienne.
  b Les prix du marché immobilier ont baissé.
  c Les produits touchant à l'amélioration de l'habitat se sont multipliés sur le marché.
  d Les modes de vie sont devenus plus propices à la vie domestique.
  e Les conditions de travail ont changé.
  f Les familles ont tendance à s'agrandir.
4 Quels sont les deux éléments auxquels les Français attachent le plus d'importance en ce qui concerne leur habitat ? *(2 points)*

  a La distance avec leur lieu de travail.
  b L'atmosphère intérieure.
  c La diversité des moyens de transport.
  d La proximité de commerces.
  e L'environnement naturel.
  f L'équipement.
5 « Plus attachés à leur chez-soi, les Français le bichonnent. » Expliquez en quelques mots ce que veut dire l'auteur. *(2 points)*
6 Olivier et Telma bichonnent leur intérieur *(1 point)* :
  a pendant les congés d'été ;
  b tous les week-ends ;
  c durant la semaine.
7 Pour quelle raison ? *(2 points)*
8 Cette situation présente un avantage. Lequel ? *(1 point)*
  a Ils disposent de plus de temps pour réaliser rapidement leurs rêves .
  b Ils peuvent étaler dans le temps les projets et les frais.
  c Ils profitent de l'absence des enfants pris en charge par les grands-parents.
9 Olivier parle d'« ouvrir un chantier ». Expliquez en quelques mots ce qu'il veut dire et donnez un exemple. *(3 points)*
10 Olivier et Telma regrettent leur choix car ils n'ont plus de temps à consacrer à leurs autres loisirs. *(1 point)*
  a Vrai.   **b** Faux.   **c** Le texte ne le dit pas.
11 Parlant de leur maison, ils disent : « Ici, ça n'est pas seulement un lieu où on mange et où on dort. » Quelle idée exprime-t-ils ? *(3 points)*

Unité 1

Locataires ou propriétaires, en maison ou en appartement, les Français n'ont qu'une devise : être à l'aise dans leur intérieur. Selon l'enquête rendue publique hier par l'observatoire Cetelem, 63 % des Français accordent une place plus importante à leur maison qu'à leur travail. Pour deux personnes sur cinq, le domicile a pris une position plus dominante qu'il y a trois ans. « Un lien fusionnel nous unit à notre habitat car il nous parle de notre passé, de nos projets de vie. Il a un rôle clé dans nos rêves », explique Catherine Sainz, directrice des études de l'entreprise.

Pour 91 % des personnes interrogées, la maison est l'espace privilégié du temps consacré à la famille, elle est aussi un refuge contre le stress professionnel pour 68 % d'entre eux. Casaniers, les Français ? « Le repli n'est pas le même qu'il y a vingt ans, poursuit Catherine Sainz. À l'époque, le lieu de vie faisait barrière aux agressions, aujourd'hui il suit les évolutions sociales et technologiques. » La réduction du temps de travail (RTT) a en effet permis de mieux profiter de son chez-soi. Avec les livraisons de repas ou le home cinéma, la maison devient un espace de loisirs pour plus de la moitié des personnes interrogées.

Plus attachés à leur chez-soi, les Français le bichonnent. D'après l'étude, ils sont maintenant 70 % à bricoler. Améliorer son intérieur, décorer sont devenus un plaisir. Ils veulent plus de confort mais recherchent aussi à améliorer l'ambiance par l'éclairage, la sécurité ou la fonctionnalité.

Olivier et Telma sont un bon exemple de cette tendance.

Ils s'offrent, depuis les 35 heures, une nouvelle opportunité d'améliorer leur appartement ; ce sont 37 jours supplémentaires qui sont maintenant consacrés à bonifier le logis, le dada du couple de jeunes copropriétaires.

Comme bon nombre de Français, ils ont saisi l'occasion pour sortir la caisse à outils. « Avant, j'aurais hésité à attaquer le démontage d'un carrelage le week-end, trop bruyant pour les voisins, maintenant, je peux facilement dégager une journée dans la semaine pour ouvrir un chantier. » Et c'est avec parcimonie qu'ils utilisent les journées libérées. « Plutôt que de bloquer une semaine de congés où on serait noyés sous les travaux, on fait les choses par étapes, et par touches en fonction de ces disponibilités, expliquent-ils. Ici, il y a toujours une pièce à terminer mais le rythme nous convient. Les RTT nous permettent aussi d'échelonner les dépenses : pour la salle de bains, on n'a pas prévu de budget, les aménagements se feront au rythme de nos rentrées d'argent. »

Une méthode qui permet de ne pas sacrifier aux autres loisirs que la famille pratique aussi à domicile comme bon nombre de Français : le modélisme pour lui et la peinture pour elle. Une façon de savourer leur « endroit à vivre ». « Ici, ça n'est pas seulement un lieu où on mange et où on dort. Il faut s'y sentir bien pour nous retrouver en famille. Après les grosses journées, on est contents de rentrer ici pour souffler. Même le week-end, quand on n'a pas envie de mettre le nez dehors, on en profite. »

Claire Chantry dans *Le Parisien*, 9 janvier 2002.

Le temps du plaisir

DELF Unité A3 – Écrit 2
Compréhension et expression écrites
Durée de l'épreuve : quarante-cinq minutes.
Coefficient 1 (noté sur 20).

Objectif : rédiger une lettre formelle d'environ 150 mots à partir d'une situation de la vie quotidienne (demande d'informations, lettre de réclamation, lettre de motivation, etc.).

▌ Quelques conseils pour l'épreuve

- Organisez votre temps : vous disposez de quarante-cinq minutes.
- Lisez attentivement la consigne.
- Organisez vos idées à l'aide d'un plan (introduction, développement, conclusion et formule de politesse).
- Choisissez et respectez dans la lettre le ton et le registre de langue adaptés au destinataire et à la situation.
- Respectez la longueur demandée (150 mots).

- Selon le type de lettre, vous devez être capable de poser des questions de manière précise et variée (lettre de demande d'informations), vous devez savoir vous présenter, vous mettre en valeur et montrer votre intérêt pour convaincre (lettre de motivation), vous devez pouvoir décrire, argumenter, protester et réclamer (lettre de réclamation).
- Très important : mettez-vous à la place du rédacteur.

Vous venez d'acheter un ordinateur portable chez un grand distributeur. Malheureusement, l'appareil ne fonctionne pas. Vous avez immédiatement téléphoné au service après-vente du magasin pour expliquer la situation et obtenir une solution, en vain...

Vous écrivez une lettre au responsable du magasin pour :

– exposer précisément la situation et votre problème (en quoi votre appareil ne fonctionne pas...) ;

– vous plaindre du résultat de votre première démarche ;

– faire part de vos exigences et les justifier.

Votre lettre comportera environ 150 mots.

Parlez-moi d'amour

■ **Contenus socioculturels**
– Les trucs pour séduire
– L'être idéal
– Les messages d'amour
– Les souvenirs de l'amour

■ **Objectifs communicatifs**
– Parler de l'avenir
– Exprimer une promesse, une prédiction, un ordre, des directives
– Demander de faire et de ne pas faire
– Conseiller une personne sur son comportement

■ **Contenus linguistiques**
– Présent, futur proche, futur simple, futur antérieur
– L'impératif à la forme affirmative et négative
– Les doubles pronoms et leur place dans la phrase

PARLEZ-MOI D'AMOUR

Rencontres

① **Lisez les petites annonces ci-dessous et relevez les adjectifs utilisés :**
1 pour décrire les femmes ;
2 pour décrire l'homme idéal.

◆ **33 ANS – ELLE EST PLEINE D'ÉNERGIE !**
Absolument ravissante, cette secrétaire de direction est une femme joyeuse, sensible et raffinée. Vous serez émerveillé par son sourire ! Son rêve dans la vie : construire un couple. Elle vous imagine stable, sincère et plein d'humour. Réf. 0905.

◆ **40 ANS – TRÈS FÉMININE.**
Cette passionnée de voyages, discrète, douce et apaisante, adore également danser et cuisiner des petits plats pour les gens qu'elle aime. Elle se sentira en confiance auprès d'un homme fidèle, attentionné et dynamique. Réf. 0906.

◆ **51 ANS – CHEF D'ENTREPRISE.**
Elle a consacré sa vie à son travail. Pleine de tempérament, c'est également une femme passionnante, simple et chaleureuse. Elle attend d'un homme qu'il la surprenne, qu'il soit intelligent et tolérant. Réf. 0907.

---

② **Associez les adjectifs que vous avez relevés dans l'exercice précédent à leur contraire.**
1 Triste.
2 Exubérant(e).
3 Froid(e).
4 Infidèle.
5 Stupide.
6 Laid(e).
7 Indifférent(e).
8 Apathique.
9 Insensible.
10 Hypocrite.
11 Masculin(e).
12 Inintéressant(e).
13 Compliqué(e).
14 Instable.
15 Agressif/agressive.
16 Intolérant(e).
17 Grossier/grossière.
18 Énervant(e).

Les Bidochon

③ **Lisez la bande dessinée ci-contre.**
1 Où se déroule la scène ?
2 En quoi cette scène est-elle amusante ?
3 Quelle description feriez-vous de chacune des deux femmes ?

④ **Sur le modèle des petites annonces ci-contre, imaginez le portrait que la directrice de l'agence va réaliser de sa cliente.**

À quoi ressemble l'être idéal ?

⑤ **Écoutez l'enregistrement. Retrouvez l'ordre d'apparition des intervenants.** ....
a Antoine, 45 ans, menuisier, divorcé.
b Olivia et Émilie, 13 et 14 ans, collégiennes.
c Claire et Coralie, 17 et 18 ans, lycéennes.
d Fabienne, 35 ans, femme au foyer, mariée.
e Ibrahim, 40 ans, conducteur de bus, marié, 2 enfants.
f Raymond, 57 ans, sans emploi, divorcé deux fois.
En groupes, comparez vos réponses en les justifiant.

⑥ **Écoutez à nouveau l'enregistrement et relevez tous les adjectifs qui décrivent :** ....
1 l'homme idéal ;
2 la femme idéale.
Puis indiquez, pour chacun de ces adjectifs, s'il est relatif au physique (P) ou au caractère (C).

⑦ **Écoutez à nouveau l'enregistrement.** ....
Quels sont, hormis les adjectifs, les mots ou les groupes de mots utilisés pour décrire l'être idéal ?

Débats

⑧ **Lisez la fiche p. 25. Indiquez quels sont, parmi les critères proposés, ceux qui vous semblent essentiels. Puis, en groupes, comparez vos réponses en les justifiant.**

Unité 2

Extrait de : *Les Bidochon*, t.I, © Binet/Fluide glacial.

Qui aimeriez-vous rencontrer ?

MES RÊVES...
- ❏ une vie de famille avec enfants
- ❏ un amour passion
- ❏ partager loisirs, sorties, etc.

SON PROFIL
❏ célibataire	de......... à......... ans
❏ veuf/veuve	enfants acceptés :
❏ divorcé(e)	❏ oui ❏ non
❏ peu importe	taille approximative : ....

SES GOÛTS
❏ sorties	❏ maison	❏ voyages
❏ sports	❏ nature	❏ cinéma
❏ musique	❏ restaurant	❏ arts
❏ lecture	❏ bricolage	❏ danse

SES QUALITÉS
❏ ambition	❏ fidélité	❏ savoir-vivre
❏ culture	❏ franchise	❏ sensualité
❏ douceur	❏ gaieté	❏ simplicité
❏ dynamisme	❏ humour	❏ tendresse
❏ fantaisie	❏ intelligence	❏ tolérance

JE SUIS SENSIBLE
❏ à la beauté	❏ aux qualités de cœur
❏ au charme	❏ à la simplicité de vie
❏ à l'esprit de famille	❏ au milieu social
❏ à la personnalité	❏ au niveau d'études
❏ au niveau de vie	❏ au signe astral

Un rêve que j'aimerais réaliser à deux : ....

Questionnaire à renvoyer rapidement à votre agence-conseil
Unicouples – 35 avenue Georges-Pompidou – 86000 Poitiers – 05 49 55 18 63

Jeux de rôles

⑨ **Vous allez dans une agence matrimoniale pour trouver l'homme ou la femme de votre vie. Choisissez, avec l'aide du directeur ou de la directrice de l'agence, les adjectifs qui vous caractérisent le mieux puis expliquez quel type d'homme ou de femme vous souhaitez rencontrer.**

Écrit

⑩ **Dans un café, votre meilleur(e) ami(e) vient de vous présenter celui/celle qu'il/elle considère comme l'être idéal. Il/elle vous a d'ailleurs annoncé son intention de se marier le plus vite possible. Persuadé(e) que votre ami(e) se trompe totalement sur la personne qu'il/elle a rencontrée, vous décidez de lui écrire pour le/la faire changer d'avis. Pour le/la convaincre, mettez en évidence les défauts de cette personne et mettez-le/la en garde si il/elle se marie avec lui/elle.**
Rédigez votre lettre (160 mots).

Bienvenue à l'École française de la séduction

① **Lisez le texte et identifiez le personnage principal, sa profession et son rôle.**

② **Lisez le texte et choisissez la bonne réponse pour définir les mots et expressions suivants.**

1 La drague :
  a l'action de séduire quelqu'un ;
  b l'expression corporelle.

2 Démuni/dépourvu :
  a qui manque d'assurance ;
  b qui manque d'énergie.

3 L'âme sœur :
  a l'esprit de l'autre ;
  b la personne qui convient sentimentalement.

4 Plaider sa propre cause :
  a parler de sa vie ;
  b défendre ses propres intérêts.

5 Dans le civil :
  a en dehors du travail ;   b en ville.

6 Des empotés :
  a des champions ;   b des maladroits.

7 Ces saturés de... :
  a ceux ou celles qui en ont assez de... ;
  b ces passionnés de...

8 Aborder une femme :
  a aller vers une femme pour lui adresser la parole ;
  b écrire une lettre d'amour à une femme.

Jeux de rôles

③ **En groupes, choisissez un des jeux de rôles et jouez la scène.**

1 Vous avez rendez-vous avec un des professeurs de l'école pour votre première séance de théorie (psychologie du sexe opposé, prise de conscience de vos points forts et faibles, relookage). Jouez la scène.

2 Un des professeurs vous accompagne sur le terrain (à vous de choisir le lieu) et vous montre comment aborder un homme ou une femme, lui faire des compliments, savoir si il/elle a un(e) petit(e) ami(e) et obtenir un numéro de téléphone ou un rendez-vous. Jouez la scène.

Véronique J., professeur de « drague », aide les célibataires démunis à charmer l'âme sœur. Elle a même fondé une école.

Cet avocat, qui défend les autres avec talent, se retrouve totalement <u>dépourvu</u> lorsqu'il doit <u>plaider sa propre cause</u> auprès d'une
5 jeune femme. Cette infirmière, si douce avec ses patients, fait pourtant fuir le mâle, une fois <u>dans le civil</u>, par son excès d'arrogance. Bref, hommes ou femmes, cadres ou employés, jeunes ou moins jeunes… ils sont très souvent
10 <u>des empotés</u> de l'amour, des handicapés de la drague. Pour <u>ces saturés de</u> soirées télé en solitaire, la Saint-Valentin est une triste date. Heureusement, une femme pense à eux… Après avoir travaillé pendant dix ans dans une
15 agence matrimoniale, Véronique a créé à Paris, en 1995, l'École française de la séduction, la première du genre. Au début, l'élève remplit un dossier qui va aider le psychologue de l'établissement à définir le profil de sa personnalité.

Écrit

④ **Vous êtes l'un des professeurs de l'École française de la séduction. Pour la Saint-Valentin, un magazine vous demande de présenter une liste de conseils adressée aux célibataires qui désirent rencontrer l'âme sœur. Rédigez ces conseils sur le modèle ci-contre.**

☞ **CONNAÎTRE ET RECONNAÎTRE** p. 32-33

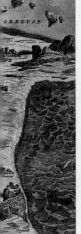

Après examen du dossier, l'élève va s'engager 20 pour un stage de courte (deux mois) ou longue durée (neuf mois). Après trois ou quatre séances de théorie – psychologie du sexe opposé, prise de conscience de ses points forts et faibles, relookage, il partira sur 25 le terrain, accompagné d'un coach. « Par exemple, nous allons emmener un homme, selon son niveau, dans un musée, un café, un restaurant. Le coach est à ses côtés, comme pour une sortie entre copains. Il va lui montrer comment 30 <u>aborder une femme</u>, lui faire un compliment, savoir très vite si elle a un petit ami. »

Ensuite, c'est au tour de l'élève. « L'objectif étant de décrocher un rendez-vous ou un numéro de télé-phone », explique Véronique. Des dîners sont aussi 35 « programmés » ; soit avec une autre élève, soit avec une « amie » de Véronique. « Il va ainsi avoir quatre ou cinq rendez-vous avec des femmes très différentes, qui ne sont pas forcément toutes à son goût. Et chacune me fera son rapport. » À l'issue du stage, Véronique 40 affirme avoir un taux important de réussite. Le pre-mier contact établi, « la proie est capturée ». Il faudra donc apprendre à la conserver. Mais, c'est un autre cours…

Corinne Calmet, *Télé 7 jours*,
23 février-1er mars 2002.

Conseils adressés…

aux hommes	aux femmes	aux deux
– *Ne lui parlez pas pendant des heures de la prochaine Coupe du monde de football.*	– *Ne vous présentez pas à votre premier rendez-vous avec votre meilleure amie ou votre mère.*	– *Soyez souriant et chaleureux.*
– …	– …	– …

Comment rencontrer l'âme sœur ?

⑤ **En groupe, écoutez le document sonore.** ...

1 De quel type de livre les deux journalistes parlent-ils ?
2 À qui s'adresse ce livre ?
3 Quel sujet développe-t-il ?
4 Qui en est l'auteur ?
5 Quelles sont les informations qui indiquent que ce livre a remporté un vif succès ?

⑥ **Écoutez à nouveau le document sonore et faites la liste des quelques règles énoncées par le journaliste, comme dans le modèle ci-dessous.** ...

Ce qu'il faut faire	Ce qu'il ne faut pas faire
Donnez-lui l'impression que vous êtes très demandée…	*Ne parlez jamais à un homme en premier…*

Débats

⑦ **En groupes, répondez aux questions en justifiant votre point de vue.**
Que pensez-vous de ces quelques règles ?
Croyez-vous qu'elles aident les femmes à trouver l'âme sœur ou les trouvez-vous ridicules et inefficaces ?
Pourquoi, selon vous, les féministes crient-elles au scandale ?
De manière générale, que pensez-vous des magazines ou des livres qui donnent des conseils de séduction aux hommes et aux femmes ?

ÉCRIRE À L'ÊTRE

Messages d'amour

Cher Hugues
Échange quelques heures de détente amoureuse dans votre baignoire du premier étage contre saveurs authentiques de cuisine italienne au troisième. Notes de guitare appréciées.
Quand m'invitez-vous ?

Arnaud
Tu as un cœur d'or. C'est ma plus grande richesse. Je t'ai fait parfois pleurer et ma maladie t'angoisse. Sache que tu es mon meilleur rempart contre ce mauvais sang. Je tiens à toi comme je tiens à la vie à présent. Je t'aime.

Matthieu

Recette de l'amour fou
de Charles (sa meilleure recette à ce jour…).
Pour commencer, beaucoup, beaucoup d'amour. Ajoutez la passion (n'ayez pas la main trop légère). Le 14 février fêtez l'anniversaire de Hugo. Arrosez régulièrement d'un sourire de Ludivine et de Julia. Dès avril, saupoudrez d'un zeste d'Anna. Remuez, patientez, servez… c'est délicieux…
Je t'aime.

Jane

Tu es une princesse ?
Je suis un crapaud. Embrasse-moi !

Pounette

mon chou

ma chérie

mon lapin

mon canard

mon cœur

ma puce

mon amour

mon bébé

Dom
Tu m'avais dit pour la vie et tu m'as quitté pour lui. Cette Saint-Valentin a un goût amer aujourd'hui. Pardonne-moi de t'aimer si fort. Des regrets mais sans rancune ? Non, vraiment aucune. Bonne première Saint-Valentin à vous deux, soyez heureux, sincèrement.

RV

Tu n'as pas
bon caractère, tu as plein de petites manies agaçantes, tu perds tes cheveux, tu prends du ventre, mais tu es celui que j'ai choisi pour la vie, tu es mon mari et l'épaule sur laquelle je peux me reposer (rarement, je suis hyperactive…). Je t'aime.

Catherine

De l'île de Java à l'île de Ré
De Phuket à Florence, de Borobudur à Sanur, de l'île des Femmes à l'île de Jersey, je n'ai rien oublié. Mais le plus beau des voyages, je l'ai fait dans tes bras.

Zam
Je choisis confiance, patience, je le dis en secret, je l'écris en public, pour que nul ne doute et que tu n'oublies pas : je t'aime.

Poupite

Victor 1 mois
Hugo 2 ans, Alexandre 5 ans, Thierry 38 ans : tous fans de toi !

Anne
Mon premier est l'occupation favorite des enfants. Mon second est la boisson adorée des Anglais. Mon troisième est la parole préférée de la vache. Mon tout est le sentiment que j'éprouve chaque jour pour toi.

Seb

Libération, 14 février 2002.

AIMÉ

Quiz spécial Saint-Valentin

① **En groupe, écoutez plusieurs fois le document sonore et répondez aux questions.** ……………
   1 À quelle occasion ce reportage est-il passé à la radio ?
   2 Quels cadeaux offre-t-on habituellement à ce moment-là ?
   3 Pourquoi ces cadeaux sont-ils accompagnés de messages ?
   4 Relevez tous les synonymes de *message* qui sont utilisés dans le reportage.
   5 Quelles sont les différentes personnes interrogées par la journaliste ?
   6 Que peut-on lire dans le journal *Libération* ce jour-là ?

② **Lisez les différents messages ci-contre. Lequel de ces messages est cité dans le reportage radio ? Écoutez à nouveau le document sonore pour vérifier.** ……………

③ **Relevez les phrases qui indiquent ce que représente l'être aimé pour celui ou celle qui a écrit le message.**

④ **En groupes, dites quel est, selon vous, le message le plus émouvant, le plus original, le plus amusant et le plus poétique. Justifiez vos réponses et comparez.**

Débats

⑤ **Discutez et comparez vos opinions.**
   Existe-t-il, dans votre pays, une fête des Amoureux ? Si oui, a-t-elle lieu le 14 février, comme en France ? Comment cette fête est-elle célébrée ? S'offre-t-on des cadeaux ? Lesquels ?

⑥ **Complétez le quiz ci-dessous puis, en groupes, comparez vos réponses en les justifiant.**

Jusqu'où allez-vous par amour ?

1 Pour sauver l'être aimé, vous êtes prêt à donner :
   ❏ **a** votre sang
   ❏ **b** votre rein
   ❏ **c** votre vie

2 Par amour, vous êtes capable de changer :
   ❏ **a** de travail
   ❏ **b** de religion
   ❏ **c** d'amis

3 Pour son anniversaire, vous lui offrez :
   ❏ **a** une fête-surprise avec tous ses amis
   ❏ **b** un dîner en amoureux dans un restaurant très chic
   ❏ **c** la collection complète de son chanteur préféré

4 Quand vous êtes amoureux ou amoureuse, vous oubliez :
   ❏ **a** tous vos problèmes
   ❏ **b** tous vos amis
   ❏ **c** le temps qui passe et le temps qu'il fait

5 Vos parents arrivent chez vous à l'improviste, au moment où vous partez pour un week-end en amoureux :
   ❏ **a** ce n'est pas grave, vous annulez votre week-end
   ❏ **b** vous leur laissez les clés de votre appartement et leur souhaitez un bon week-end
   ❏ **c** vous leur reprochez de ne pas vous avoir prévenu(e) de leur arrivée et vous partez

6 Tous les deux, seuls, sur une île déserte :
   ❏ **a** vous vous disputez au bout d'une heure
   ❏ **b** d'accord, mais pas plus d'un week-end

Souviens-toi, Barbara

Dans les paniers d'osier de la salle des ventes
Une gloire déchue des folles années trente
Avait mis aux enchères, parmi quelques brocantes
Un vieux bijou donné par quel amour d'antan

Elle était là, figée, superbe et déchirante
Les mains qui se nouaient, se dénouaient tremblantes
Des mains belles encore, déformées, les doigts nus
Comme sont nus, parfois, les arbres en novembre

Comme chaque matin, dans la salle des ventes
Bourdonnait une foule, fiévreuse et impatiente
Ceux qui, pour quelques sous, rachètent pour les vendre
Les trésors fabuleux d'un passé qui n'est plus

Dans ce vieux lit cassé, en bois de palissandre,
Que d'ombres enlacées ont rêvé à s'attendre
Les choses ont leurs secrets, les choses ont leur légende
Mais les choses murmurent si nous savons entendre

Le marteau se leva, dans la salle des ventes
Une fois, puis deux fois, alors, dans le silence
Elle cria : « Je prends, je rachète tout ça
Ce que vous vendez là, c'est mon passé à moi. »

C'était trop tard, déjà, dans la salle des ventes
Le marteau retomba sur sa voix suppliante
Tout se passe si vite à la salle des ventes
Tout se passa si vite qu'on ne l'entendit pas

Près des paniers d'osier, dans la salle des ventes
Une femme pleurait ses folles années trente
Et revoyait soudain défiler son passé
Défiler son passé, défiler son passé

Car venait de surgir du fond de sa mémoire
Du fond de sa mémoire, un visage oublié
Une image chérie, du fond de sa mémoire
Son seul amour de femme, son seul amour de femme

Hagarde, elle sortit de la salle des ventes
Froissant quelques billets, dedans ses mains tremblantes
Froissant quelques billets, du bout de ses doigts nus
Quelques billets froissés, pour un passé perdu

Hagarde, elle sortit de la salle des ventes
Je la vis s'éloigner, courbée et déchirante
De son amour d'antan, rien ne lui restait plus
Pas même ce souvenir, aujourd'hui disparu…

« Drouot », A/C : Barbara,
© 1970 Warner Chappell Music France (ex éditions Marouani).

SOUVENIRS

(1) **Écoutez une première fois la chanson, sans lire le texte.** ....

   1 Où l'action se déroule-t-elle ?

   2 De qui parle-t-on ?

   3 De quoi est-il question ?

(2) **Écoutez à nouveau la chanson et relevez les mots ou les expressions qui décrivent la femme. Faites ensuite le même exercice à partir du texte de la chanson sur la page de gauche. Comparez ce que vous avez compris à l'oral et à l'écrit.** ....

(3) **Relevez, dans le texte de la chanson, les mots, les expressions ou les phrases qui :**

   1 décrivent la foule ;

   2 font référence au passé ;

   3 sont liés à l'argent.

(4) **À partir de ce que vous avez relevé précédemment, répondez aux questions suivantes.**

   1 Quel contraste y a-t-il entre :

     a l'attitude de la foule et celle de la femme ?

     b ce que cette femme a perdu et ce qu'elle a gagné ?

   2 Pourquoi cette femme est-elle *déchirante* ?

   3 Pourquoi certains objets ont-ils une valeur inestimable ?

(5) **En groupes, donnez un titre à cette chanson. Puis comparez votre titre avec ceux des autres groupes et avec le vrai titre (entre guillemets dans la source p. 30).**

(6) **En groupes et en vous appuyant sur les questions suivantes, imaginez :**

   1 qui est cette femme.

   Pourquoi était-elle célèbre dans les années trente ?

   Quel âge avait-elle à cette époque-là ?

   Pourquoi est-elle tombée dans l'oubli ?

   Comment s'appelle-t-elle ?

   Portait-elle un pseudonyme comme beaucoup de célébrités ? Si oui, lequel ?

   2 de qui elle était amoureuse.

   Faites le portrait de cet homme.

   À quelle occasion ce dernier lui a-t-il offert le bijou dont il est question dans la chanson ? Quel est-il ?

Écrit

(7) **Rédigez, à partir des éléments que vous avez définis précédemment en groupes, quelques pages du journal intime de cette femme à différentes dates.**

Chacune des pages correspond à un événement marquant dans sa relation amoureuse (la rencontre, le premier baiser, le bijou, le mariage éventuel, la séparation éventuelle…). Le journal se termine sur la vente du bijou. Vous pouvez prendre appui sur le journal intime de *Vacances romaines*, p. 14-15. Indiquez au début de chaque page le jour, le mois, l'année et le lieu où cette page a été écrite.

Débats

(8) **En groupes, répondez aux questions suivantes.**

Pensez-vous, comme le dit Barbara, que *les choses ont leurs secrets, les choses ont leur légende mais les choses nous parlent si nous savons entendre* ? Y a-t-il un ou plusieurs objets qui ont pour vous une valeur sentimentale importante ? Si oui, lesquels et pourquoi ? Faites-vous partie des personnes qui conservent tout et ne parviennent pas à jeter certaines choses ?

trente et un

PARLEZ-MOI D'AMOUR

Grammaire

❶ Saint-Valentin… amour amer…

Message Internet 1

Gaston,

« je t'aime », « je t'aime », ce mot-là, ce simple mot d'amour, voici
plusieurs années que tu ne me le dis plus, mais en ce jour, simplement,
en ce jour, dis-le-moi, oh dis-le-moi une fois encore, rien qu'une fois.

Marguerite

Message Internet 2

1999 Valérie était dans ma vie, elle est partie…

2000 Amélie habitait dans mon lit, c'est fini.

2001 Pénélope !!!… quelle salope !

14 février 2002 Je pense à elles… je vous aime ! Seul je suis et ces
quelques mots d'amour, je les leur offre pour toujours. **D.J.**

---

1 Lisez les deux messages ci-dessus et identifiez
pour chacun le sentiment ou l'attitude qui
l'accompagnent. Plusieurs réponses sont possibles.
*Le regret – le reproche – la supplique – la colère
le désespoir – la tristesse – l'indifférence…*

2 Observez la place des pronoms.

Message 1

Elle constate que son mari ne lui dit plus
Je t'aime.

➜ *Tu ne **me le** dis plus.*

Elle lui demande de prononcer ce mot.

➜ *Dis-**le-moi** encore une fois.*

Message 2

Il déclare qu'il envoie ces mots d'amour à ses
anciennes compagnes.

➜ *Je **les leur** offre pour toujours.*

3 Complétez le tableau ci-dessous en indiquant
la catégorie de pronoms concernés.

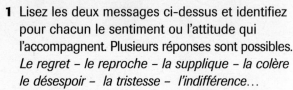

Les doubles pronoms				
Pronoms sujets	**Pronoms …**	**Pronoms …**		
je	me	le		
tu	te	la		
on, il, elle	nous	les	en	
nous	vous	l'		Verbe
	Pronoms…	**Pronoms…**	y	
vous	le	lui		
ils, elles	la	leur		
	les			

L'impératif positif

	Pronoms COD	**Pronoms COI**
	le	moi
Verbe	la	nous
	les	lui
		leur
	m'	en

❗ À la 2e personne du singulier, le verbe *aller* et
les verbes qui se terminent par un **-e** prennent
un **s** devant **en** et **y** : *Vas-y et achètes-en !*

❷ Questionnaire amoureux.

**Répondez aux questions suivantes en utilisant
chaque fois un ou deux pronoms personnels.**

Avez-vous déjà envoyé une lettre à votre ami(e) ?

▶ *Non, je ne **lui en** ai jamais envoyé.*

1 – Pourriez-vous changer de travail par amour ?

– *Bien sûr, je…*

2 – Avez-vous déjà rencontré l'homme ou la
femme de votre vie ?

– *Non, je…* Je l'ai pas rencontré

3 – Vous a-t-on déjà invité(e) pour un week-end
en amoureux à Venise ?

– *Non, on…* n'y a déjà invité

4 – Offrez-vous souvent des cadeaux à celui ou
celle que vous aimez ?

– *Oui, je…*

Unité 2

3 Problèmes de cœur ?
Imaginez les conseils que la psychologue donne
à Marguerite (voir activité 1, message 1, p. 32).
Utilisez l'impératif et placez comme il convient les
pronoms personnels compléments.

4 Lorsque l'enfant paraît…
1 Lisez ces cinq extraits du courrier des lecteurs
du magazine *Nouveaux Parents*.
  a Je pense retravailler dès que mon bébé sera
  né mais mon mari trouve que ce n'est pas
  raisonnable de ma part.
  b Je vais avoir un enfant et mon mari et moi
  voudrions connaître nos droits. En effet, nous
  n'avons pas la nationalité française.
  c Ma belle-mère dit que, puisque mon mari et
  moi avons les yeux bleus, notre bébé aura
  aussi les yeux bleus.
  d Je vais demain à la maternité pour un dernier
  contrôle.
  e J'ai dit à mon jeune fils de deux ans pour
  le calmer : « Tu auras bientôt un petit frère. »
2 Complétez le tableau suivant avec la lettre
correspondant aux extraits ci-dessus.

Quelques temps pour parler de l'avenir

• Le **présent** a une valeur de futur immédiat.
➜ extrait…

• Le **futur proche** inscrit l'action dans le prolongement
du présent et met l'accent sur un processus amorcé.
➜ extrait…

• Le **futur simple** présente une action sans contact
avec le présent donc souvent plus éloignée dans le
temps. Il peut servir à exprimer :
– un engagement, une promesse ➜ extrait…
– une prédiction ➜ extrait…
– un ordre, des directives.

• Le **futur antérieur** indique une action accomplie
avant une autre action dans le futur.
➜ extrait…

! Le **conditionnel** (présent ou passé) s'emploie
pour exprimer le futur dans le passé :
*Il me disait toujours qu'on se **marierait** un jour.*
*Il m'avait dit que nous **pourrions** vivre ensemble
dès qu'il **aurait obtenu** sa carte de séjour.*

---

5 L'année 2003 selon votre signe astral.
Imaginez, sur le modèle ci-dessous, les
prévisions astrologiques 2003 pour le signe
du Verseau.
1 En début d'année : sentiment de solitude,
conflits au travail.
2 En fin d'année : rencontre importante, coup
de foudre, changement radical de vie.

Bélier (21 mars-20 avril)
Problèmes d'argent

Vous allez vivre ce début d'année de manière
intense. Dès le mois de février, vous allez
rencontrer l'amour de votre vie et faire des
projets ensemble. Malheureusement, en fin
d'année, quelques problèmes financiers vous
empêcheront de réaliser certains projets de
voyage à deux. Patience ! Quand vous aurez
résolu tout cela, tout ira pour le mieux.

▶ *Verseau (21 janvier-18 février). Vous…*

6 Que des promesses !
Il/elle vous avait promis le mariage, un voyage de
noces à Venise, des enfants, un amour éternel…
Rien de tout cela ne s'est réalisé. Vous racontez
à un(e) ami(e) combien vous êtes déçu(e).
▶ *Je ne comprends pas. Il/Elle m'avait promis
que…*

7 Que dites-vous dans ces cas-là ?
Complétez les phrases suivantes avec le mode et
le temps qui conviennent.
1 Votre femme est en voyage d'affaires et vous
n'avez pas de nouvelles.
« Je suis inquiet, elle m'avait dit qu'elle me
(téléphoner). »
2 Vous faites des projets d'avenir avec votre
fiancée.
« On (pouvoir) se marier dès que je (terminer)
mes études. »
3 À la gare, vous êtes venu accueillir votre petite
amie que vous n'avez pas vue depuis deux mois.
« Je suis un peu nerveux ! Son train (arriver)
dans cinq minutes. »
4 Vous racontez votre mariage.
« Comment aurais-je pu savoir qu'elle
(me quitter) le soir même ? »

trente-trois

Point DELF

DELF Unité A3 – Oral
Compréhension écrite et expression orale
Durée de l'épreuve : quinze minutes.
Temps de préparation : trente minutes.

Coefficient 1 (noté sur 20).
Objectif : présenter et commenter oralement
le contenu d'un document écrit authentique.

Quelques conseils pour l'épreuve

- Organisez votre temps de préparation : vous disposez de trente minutes.
- Numérotez les lignes du document pour vous aider à vous référer au texte lors de la présentation.
- Dégagez l'idée générale du texte et aidez-vous du titre.
- Lisez la totalité du questionnaire et repérez les endroits où vous pouvez trouver des éléments de réponse.
- Organisez clairement vos notes.
- À la présentation, faites comme si l'examinateur ne connaissait pas le document.
- Très important : parlez assez fort, faites attention à la prononciation, à l'intonation et à la qualité de la langue !

Faites une présentation de ce document et de son contenu en vous aidant du questionnaire suivant.

– De quel genre de document s'agit-il (lettre, article, annonce, publicité, etc.) ? Quelle est sa fonction ? Pouvez-vous deviner d'où il est tiré ?
– Quel est le principal thème abordé ? Comment est-il présenté ?
– Quelles sont les informations importantes données à ce sujet ?
– Quelle est, sur ce sujet, la position de Michel Bozon et des autres personnes mentionnées ? Quelle serait votre propre position dans cette situation ?
– Ce texte vous paraît-il intéressant ? Pourquoi ? Donnez votre opinion personnelle et comparez avec la situation dans votre pays.

La fidélité dans le couple...

Selon Michel Bozon, chercheur à l'Institut national d'études démographiques (Ined), la fidélité tient toujours autant d'importance dans le couple.

Dès lors que la société, la loi, ne se mêlent plus de punir l'adultère, assiste-t-on à une banalisation de l'infidélité ?

Absolument pas. Certes, le mot « adultère » n'est plus d'actualité parce qu'il renvoie uniquement à la morale religieuse. On parle plutôt d'exclusivité sexuelle. Les hommes y accordent autant d'importance qu'il y a trente ans, les femmes tolèrent moins qu'avant les coups de canif dans le contrat : elles sont autonomes, libérées, elles contrôlent leur existence, autrement dit elles ne sont plus obligées de pardonner les relations extraconjugales, elles se montrent plus exigeantes et davantage capables de rompre. Il ne faut surtout pas voir dans cet attachement à la fidélité un retour au modèle traditionnel, c'est au contraire une évolution moderne : ce qui fonde aujourd'hui le couple, ce

n'est plus une norme absolue de fidélité encadrée par la société et la loi, c'est l'engagement individuel et privé.

Est-ce une valeur immuable dans la vie d'un couple ?

Les couples naissants sont beaucoup plus rigides sur la question, ils ne se forment pas s'ils ne croient pas à cette règle d'exclusivité. Seuls 34 % des hommes et 24 % des femmes qui vivent en couple depuis moins de deux ans conçoivent qu'il puisse y avoir amour sans fidélité. Après quinze ans de vie commune, 43 % des hommes et 40 % des femmes le pensent. Là, on peut parler de dédramatisation, la transition se faisant souvent après la naissance des enfants.

Et vous, votre conjoint vous trompe, comment réagissez-vous ?

Pascal

Je serais surpris tant cela me paraît inconcevable. Mais, bon... Étant de nature zen, je n'aurais aucune réaction violente sur le coup. Je chercherais à discuter avec ma femme, le plus tôt possible. Puis je passerais par une remise en

cause, je chercherais à comprendre. Cela ne mettrait pas forcément fin à notre histoire. Un faux pas (cela peut toujours arriver) se rattrape, à mon avis.

Claire

Difficile à dire, cela ne m'est jamais arrivé, mais je crois que je le mettrais dehors ! Il aurait trahi ma confiance, ce serait la déception complète. Après ça, je passerais mon temps à douter et à m'interroger. Je ne sais pas ce qu'il pourrait dire ou faire pour que je ne le quitte pas. Non, s'il me trompe, je préfère ne jamais le découvrir.

Angélique

Si je le surprends avec une autre femme, je fais celle qui n'a rien vu, mais je prépare des représailles du tonnerre. C'est net, clair et précis, je le quitte ! J'ai connu un ami qui s'est aperçu que sa compagne le trompait depuis plusieurs mois. Il a malgré tout continué à lui faire confiance, moi, je n'aurais jamais pu. Si j'avais des enfants, ma réaction serait peut-être différente, moins radicale.

Le Parisien, 17 juillet 2001.

Aux urnes citoyens

■ **Contenus
socioculturels**
– Être citoyen
aujourd'hui
– Impliquer le citoyen
dans la vie sociale
– Le milieu associatif
– La délinquance

■ **Objectifs
communicatifs**
– Exprimer
des hypothèses,
des conditions et leurs
conséquences

■ **Contenus
linguistiques**
– Le conditionnel
et l'indicatif
– Les indéfinis :
*ne... personne, nul,
tout, chacun, rien,
quelqu'un...*

La Région
Provence - Alpes - Côte d'Azur

présente l'exposition

RACISME
TOLERANCE
CITOYENNETE

du 1er février au 29 mars 2002
entrée libre

Région
Provence-Alpes-Côte d'Azur

Être citoyen

① **Observez les documents. Associez une des six acceptions du mot *citoyen* à chacun des documents a à e. Justifiez votre choix.**

b

J'aime mon quartier, je ramasse.

En cas d'infraction au règlement sanitaire ou à la réglementation générale des promenades, le contrevenant est passible d'une amende pouvant atteindre 457,35 € (3 000 F).

MAIRIE DE PARIS ❧ Environnement

CITOYEN, ENNE n. – XVIᵉ de *cité* **1.** N. m. (XVIIᵉ) HIST. Celui qui appartient à une cité, en reconnaît la juridiction, est habilité à jouir, sur son territoire, du droit de cité et est astreint aux devoirs correspondants. **2.** VIEILLI Habitant d'une ville. **3.** (1751) MOD. Être humain considéré comme personne civique. Personne ayant la nationalité d'un pays qui vit en république. *Accomplir son devoir de citoyen :* voter. **4.** (1790) Sous la Révolution, Appellatif remplaçant Monsieur, Madame, Mademoiselle. **5.** (1694) FAM. Un drôle de citoyen : un individu bizarre, déconcertant. **6.** Adj. Relatif à la citoyenneté, à l'esprit civique. L'entreprise citoyenne, qui a un rôle à jouer dans la société.
CITOYENNETÉ n. f. – 1783 ; de *citoyen* ♦ Qualité de citoyen.

D'après *Le Petit Robert de la langue française*, dictionnaires Le Robert 2001.

Vous n'en voulez plus ?
Votre rue non plus

Allô propreté ! PRIX APPEL LOCAL
Numéro Azur 0 801 175 000

Sur simple appel, enlèvement **GRATUIT** de vos objets encombrants, sur le trottoir, en bas de chez vous.

MAIRIE DE PARIS ❧ Environnement

Sport **14ᵉ**

Le sport dans le 14e ?
Vous avez la parole

Réunion publique
Mardi 12 février 2002 - 19h
École Boulard
Rue Boulard - Métro Mouton-Duvernet

MAIRIE DU 14ᵉ ARRONDISSEMENT DE PARIS

c

Florilèges.

d

MAIRIE DE PARIS

POUR VOTER

il faut s'inscrire sur les

LISTES ELECTORALES

avant le 31 décembre

A LA MAIRIE DE VOTRE ARRONDISSEMENT

Si vous avez changé de domicile même à l'intérieur de l'arrondissement

PENSEZ A RÉGULARISER VOTRE SITUATION

POUR TOUS RENSEIGNEMENTS :
Les mairies sont ouvertes du lundi au vendredi inclus, lundi, mardi, mercredi, vendredi de 8h30 à 17h00, le jeudi de 8h30 à 19h30
et les samedis du mois de DECEMBRE de 9h à 13 h et de 14 h à 16 h.
NE PAS RECOUVRIR AVANT LE 1er JANVIER

Débats

② **En groupes, réfléchissez à ce que signifie *être citoyen*. Proposez une définition que vous comparerez avec celles des autres groupes.**

Écrit

e

③ **Les problèmes évoqués par les documents b et e existent-ils dans votre ville ? Choisissez un autre problème causé par un manque de citoyenneté, et, à la manière des documents b et e, élaborez une affichette appelant au civisme.**

trente-six

QUES ACO ?

Question de civisme

④ **Écoutez une première fois le micro-trottoir et, en groupes, répondez aux questions.** .... 🔲
  1 Quel est le thème de ce micro-trottoir ?
  2 De quelle élection s'agit-il ?
  3 Combien de personnes sont interrogées ?

⑤ **Écoutez à nouveau l'enregistrement. À quelles personnes interrogées peuvent correspondre ces photos ? Justifiez vos réponses. (Attention, il y a moins de photos que de personnes interrogées.)** 🔲

⑥ **Réécoutez l'enregistrement. En groupes, complétez le tableau suivant.** .... 🔲

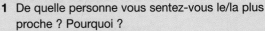

	1re personne	2e personne	...
Homme	✓	✓	✓
Femme			
Âge	✓	✓	✓
Répond *oui*			
Répond *non*			
Ne sait pas			
Arguments donnés			

⑦ **Réécoutez l'enregistrement tout en lisant la transcription p. 170.** .... 🔲
  1 De quelle personne vous sentez-vous le/la plus proche ? Pourquoi ?
  2 Quels sont les arguments qui vous semblent les moins pertinents ? Pourquoi ?

⑧ **Retrouvez dans la transcription les termes correspondant aux définitions suivantes.**
  1 Le fait de ne pas aller voter.
  2 Le fait d'aller voter, mais de ne voter pour personne.

Débats

⑨ **Réagissez et comparez vos opinions.**
  1 À partir de quel âge peut-on voter en France ? Et dans votre propre pays, le vote est-il possible, obligatoire... ?
  2 Pensez-vous qu'il y ait des élections plus importantes que d'autres ? Si oui, lesquelles et pourquoi ?
  3 Et vous, est-ce que vous votez ? Pourquoi ?

⑩ **À l'aide de la transcription de l'enregistrement, répondez aux questions.**
  1 Observez les arguments des personnes A et B : elles font des hypothèses. **Lesquelles ?** Comparez ces deux hypothèses et justifiez les temps utilisés.
  2 Pour construire une idée d'indétermination, l'auteur utilise quatre pronoms indéfinis. Trouvez les noms qu'ils remplacent. S'agit-il d'humains ou de choses ? D'une unité ou d'un ensemble ? Leur sens est-il positif ou négatif ?

☞ **CONNAÎTRE ET RECONNAÎTRE** p. 44-45

⑪ **Parmi les témoignages, relevez les éléments propres à l'oral (lexique, grammaire de l'oral, constructions...) et justifiez leur emploi lorsque cela est possible.**
  ▶ *A : « euh... » marque l'hésitation, il cherche ses mots, ses idées.*
  A : « je/j'ai » marque une rupture, il construit son discours.
  B : « ouais » = oui, à l'oral (registre souvent relâché).
  E : « je sais pas », la négation à l'oral omet le « ne »...

Débats

⑫ **Dans la classe, faites le sondage suivant et justifiez vos réponses.**
  a Parmi les valeurs ci-dessous, quelles sont celles d'une société dans laquelle vous aimeriez vivre ?
  b Quelles sont celles dont vous regrettez le plus l'affaiblissement ?

  ☐ la générosité   ☐ la discipline
  ☑ le patriotisme   ☐ la justice
  ☐ l'honnêteté   ☐ l'amitié
  ☐ la réussite matérielle   ☑ la famille
  ☐ l'humour   ☐ l'égalité
  ☑ la liberté   ☐ le goût du travail
  ☐ les droits de l'homme   ☐ la politesse
  ☐ le courage
  ☐ le respect des autres   ☐ le respect de l'environnement

  Comparez vos réponses avec celles des Français présentées p. 176.

trente-sept

Citoyens !
Vous avez la parole

Avec les conseils de quartier du 14ème

EXPRIMEZ-VOUS !

MAIRIE DU 14e ARRONDISSEMENT DE PARIS

ID Box.

a

① **Observez le document a et répondez aux questions.**
  1 Qu'est-ce que c'est ?
  2 Qui l'a fabriqué ?
  3 À qui s'adresse-t-il ?

② **Faites des hypothèses sur les origines des personnes photographiées et sur l'objet du document.**

③ **Lisez le texte du document b et choisissez la bonne réponse.**
  Il s'agit :
  1 d'une profession de foi (programme d'un candidat à une élection) ;
  2 d'une invitation à une manifestation culturelle ;
  3 d'un bilan d'activité politique ;
  4 d'un appel à participer à une nouvelle instance représentative.

④ **Dites quelles sont les personnes représentatives du 14e arrondissement de Paris citées par Pierre Castagnou. Trouvez trois raisons justifiant la création des conseils de quartier.**

⑤ **Qui est qui ? Relisez le texte et relevez tous les mots qui font référence :**
  1 aux destinataires du message ;
  2 aux émetteurs du message ;
  3 aux deux.
  Justifiez ce choix de trois identités différentes. Quel est l'effet produit au niveau du discours ?

⑥ **Lisez maintenant les textes des documents c et d.**
  1 En quoi le conseil de quartier favorise-t-il une *citoyenneté active* ?
  2 Combien de conseils de quartier comptera le 14e arrondissement ?
  3 a Pour chaque conseil, quels seront les quatre groupes de représentants ?
    b Trois de ces groupes seront désignés : par qui ? Sur proposition de qui ?
    c De quel groupe sera issu le président du bureau ?
  4 Le conseil se réunira :
    a trois fois par an ;
    b une ou deux fois par an ;
    c trois fois par an ou plus.

⑦ **Dites si les affirmations suivantes sont vraies ou fausses.**
  Pour devenir membre d'un conseil de quartier, il faut :
  1 habiter dans le 14e arrondissement ;
  2 être âgé de 18 ans ;
  3 respecter la Charte des conseils de quartier ;
  4 être de nationalité française ;
  5 faire acte de candidature et être tiré au sort.

Mettre la démocratie de proximité au cœur de notre action, tel était l'u[...] nos principaux engagements pour le 14ème durant la campagne des élec[...] municipales.

Les conseils de quartier sont une réponse à votre exigence légitim[...] participer largement aux décisions qui vous concernent.

Depuis les « Etats généraux de la démocratie locale et de la vie associa[...] que nous avons organisés dans le 14ème en juin dernier, habitants, mili[...] associatifs, élus, ont travaillé, autour de Sergio Coronado, conseiller délégué[...] démocratie locale, et de Christine Villard, conseillère d'arrondissement, à la [...] en place de ces conseils dans notre arrondissement.
Le Conseil d'Arrondissement du 14ème vient d'en voter la création.

Je vous invite aujourd'hui à les faire vivre en faisant acte de candidatur[...] conseil de votre quartier.

Je compte sur votre participation à cette nouvelle instance de dialogu[...] concertation et de proposition.

C'est tous ensemble que nous devons décider de la vie quotidienne [...] l'avenir de nos quartiers.

Pierre Castagnou

Maire du 14ème

b

Les conseils de quartier : pourquoi ?

Un conseil de quartier doit vous permettre de prendre part aux décisions relatives à votre quartier.
Il vise à favoriser une citoyenneté active au plus près du lieu de vie ou d'activité de chacune et de chacun d'entre vous.

Le conseil de quartier est un lieu :
  - de consultation et de concertation sur les orientations, les projets, les décisions de la municipalité concernant le quartier ;
  - d'élaboration et d'accompagnement de projets d'intérêt collectif et de propositions en direction de la mairie d'arrondissement sur toute question intéressant le quartier ;
  - d'écoute et d'information.

Les conseils de quartier : comment ?

Votre conseil d'arrondissement a décidé la création de 6 conseils de quartier pour le 14ème (voir plan au dos) :
  • Montparnasse - Raspail
  • Pernety
  • Didot - Porte de Vanves
  • Jean Moulin - Porte d'Orléans
  • Montsouris - Dareau
  • Mouton Duvernet

Chaque conseil de quartier comprend 30 membres.
Il se compose de quatre collèges :
  • un collège « habitants » de 16 personnes âgées d'au moins 16 ans :
    vous pouvez vous porter candidat en renvoyant la carte T de ce dépliant ;
  • un collège « associations » de 5 membres désignés par le conseil d'arrondissement sur proposition des associations ;

c

⑧ **Existe-t-il dans votre ville, votre région ou votre pays, de telles initiatives, pour impliquer le citoyen dans la vie politique ? Comparez-les avec les conseils de quartier du 14ᵉ arrondissement de la ville de Paris :** *pourquoi, comment, qui ?*

⑨ **Lisez le premier extrait ci-contre.**
1 Quelle est la crainte exprimée par G. Mermet vis-à-vis des initiatives de représentation directe des citoyens ?
2 Trouvez d'autres éléments qui pourraient rendre caduques de telles initiatives.

⑩ **Lisez le deuxième texte et cherchez tous les termes en relation avec les thèmes :**
1 de l'État ; **2** de la ville.

⑪ **Relevez les autres visages que peut prendre la citoyenneté. En est-il de même dans votre pays ?**

Débats

⑫ **Réagissez et comparez vos opinions.**
1 Quelles autres tentatives pourraient aider à retisser le lien social ?
2 Est-ce forcément à l'État ou aux institutions de proposer aux citoyens des projets communs ? Pourquoi ?

⑬ **En groupes, élaborez un projet convivial pour votre quartier.**

1 Indiquez les buts (pour quoi ?), les moyens (comment ?), les participants (qui fait quoi ?).
Vous exposerez, à l'oral, votre projet lors d'une réunion de quartier dans la classe.

Écrit

2 Vous écrirez à la mairie pour demander une subvention pour la réalisation de votre projet.

• un collège « acteurs socio-économiques et institutionnels » de 5 membres (représentant par exemple les entreprises, les écoles ou services publics locaux...) choisis par le conseil d'arrondissement sur proposition du maire ;
• un collège « élus » de l'arrondissement, composé de 4 conseillers (trois représentant la majorité, un l'opposition).

Le conseil de quartier élit un bureau de 5 membres, dont un président issu du collège «habitants».

Les réunions du conseil de quartier sont publiques et ont lieu au moins 3 fois par an.

Qui peut devenir membre d'un conseil de quartier ?

Toute personne d'au moins 16 ans peut participer à un conseil de quartier du 14ᵉ si l'arrondissement est son lieu de résidence.
Il n'est pas nécessaire de posséder la nationalité française pour être membre d'un conseil de quartier.
Les candidatures pour faire partie d'un conseil de quartier en tant qu'habitants seront tirées au sort publiquement.
Tous les membres des conseils de quartier s'engagent à respecter la Charte des conseils de quartier adoptée par le conseil du 14ᵉ arrondissement et qui fixe leurs missions et leurs modalités de fonctionnement.

Pour tout renseignement, adressez vous à
l'accueil de la mairie du 14ᵉ
ou
téléphonez au 01 53 90 67 82

La démocratie a-t-elle besoin de nouveaux outils ?

Pour réfléchir aux problèmes principaux de la société (chômage, pollution, insécurité, violence à l'école...), l'État avait l'habitude de créer des commissions et de commander des études à des experts. Il convoque aujourd'hui des « conférences de citoyens » sur des thèmes d'intérêt général. [...] L'avenir montrera si ces débats connaissent le même sort que les multiples rapports et livres blancs oubliés dans les tiroirs des ministères.

G. Mermet, *Francoscopie 2001*, © Larousse/HER 2000.

UN BESOIN DE SE RETROUVER ?

La volonté de communion des Français lors de la Coupe du monde de football de 1998, celle de rugby en 1999... ou des fêtes du changement de millénaire est l'indication claire d'un besoin
5 croissant de convi-vialité. Elle traduit aussi une frustration par rapport à l'État et aux institutions, qui ne sont plus capables de proposer aux citoyens des projets communs, ni de leur donner un sentiment d'appartenance à la nation, au
10 peuple ou à la république [...].
Cet état d'esprit traduit aussi l'absence de héros et de guides parmi les grands acteurs de la société (politiciens, scientifiques, industriels, intellectuels...). Ces comportements montrent
15 la nécessité et la volonté de reconstruire une identité collective.
Des tentatives destinées à retisser le lien social distendu sont apparentes dans les villes, lieux de solitude et d'anonymat [...]. On voit ainsi appa-
20 raître une nouvelle génération de cafés à thème : philosophie, psychologie, Internet, sport [qui] permettent à des personnes ayant des goûts ou des interrogations en commun de se réunir.
On peut citer dans le même esprit les repas de
25 quartier organisés dans certaines villes sur des lieux publics (trottoirs, places, rues...). Chacun apporte un plat ou une boisson qu'il peut partager avec des personnes qui habitent le même immeuble ou à proximité, dans une
30 ambiance de fête et de décontraction. L'ambition de ces repas est de transformer les villes en villages, de redonner une âme aux quartiers et d'enrichir les relations de voisinage.

G. Mermet, *Francoscopie 2001*, © Larousse/HER 2000.

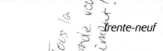

ASSOCIATION

La loi de 1901

La loi de 1901 est d'abord une loi reconnaissant une liberté publique : celle de réaliser collectivement des actions, sans contrôle ni autorisation préalable de l'autorité publique.

Pierre Waldeck-Rousseau (1846-1904), député et ministre, présente en 1883 un premier
5 projet de loi sur la liberté d'association. Il faudra cependant attendre 1901 pour qu'elle soit votée. Cette loi ne fixe que quelques règles sur ce que doit être l'objet d'une association, sa manière de s'organiser, son fonctionnement... Elle laisse donc une grande liberté à la seule condition de ne pas contrevenir à la loi. Ainsi, elle s'inscrit – à côté des lois sur l'école laïque et gratuite, sur la séparation de l'Église et de l'État (1905), etc. – parmi les grandes lois fon-
10 datrices de la démocratie française.

Aujourd'hui, la loi sur les associations, modifiée et complétée depuis 1981, a une si grande importance au regard des libertés publiques et du fonctionnement de la société française qu'elle est maintenant intégrée à la Constitution. Les associations ont pris un poids considérable dans notre société : avec 900 000 associations, 20 millions de membres, 9 mil-
15 lions de bénévoles, un budget de 35 milliards d'euros et 1,3 million de salariés, la vie asso-ciative est devenue un rouage clé du jeu social français. Le mouvement associatif a d'ailleurs pris en charge certains domaines, relayant l'action des pouvoirs publics. C'est le cas, par exemple, du mode de garde des jeunes enfants, du soutien scolaire, des associations carita-tives et non gouvernementales, comme la Croix-Rouge, le Secours populaire, les Restos du
20 cœur... Dans d'autres domaines, la vie de quartier, les personnes du troisième âge, les groupes musicaux, les partis politiques, les organisations syndicales, et tant d'autres se struc-turent grâce à la loi de 1901.

Chacun le constate, si les associations décidaient d'arrêter leurs actions en France, des pans entiers d'activités ne fonctionneraient plus : par exemple, l'accueil des SDF ou tout
25 simplement les associations sportives, voire, dans certains endroits, les pompiers bénévoles. Plus de bal du 14 juillet, ni de concours de boules, de sorties pédestres, de groupes de théâtre amateurs, de chorales, de maisons de jeunes, de club du troisième âge...
On le voit, le tissu associatif joue un rôle décisif dans la France d'aujourd'hui.

À la base de toute association : le bénévolat. Pas d'associations sans bénévoles pour les
30 animer, peu d'associations sans bénévoles pour les faire fonctionner.
Les motivations des bénévoles peuvent être variées : être utile aux autres, donner du sens à son temps libre, retrouver un statut social dans une période de chômage ou au moment de la retraite, développer des relations nouvelles, ou se faire plaisir tout simplement.

D'après le bulletin d'information trimestriel de la MOCEN, n° 172, sept. 2001.

Les associations

① Lisez le texte sur la loi de 1901.
Donnez une définition de cette loi.

② Combien d'associations trouve-t-on
en France ? Qui les fait fonctionner ?
Quels types d'associations (sportives,
de loisirs…) sont concernés ?

③ Relisez le texte sur la loi de 1901.
1 Relevez dans le texte les expressions
utilisées pour montrer l'importance
de la loi de 1901 et des associations
qu'elle permet de créer.
2 Une des phrases du texte consiste à
imaginer la vie sociale sans ces
associations. Relevez-la. Quel temps
verbal est utilisé pour faire cette
hypothèse, et quel autre temps
exprime la conséquence éventuelle
qui en découle ?

☞ **CONNAÎTRE ET RECONNAÎTRE** p. 44-45

LE SECTEUR ASSOCIATIF EN FRANCE SELON LE NOMBRE D'ADHÉRENTS

Sport	16 %
Culture	12 %
Action sociale	11 %
Loisirs	8 %
Parents d'élèves	6 %
Troisième âge	6 %
Confessionnel	4 %
Jeunesse, étudiants	4 %
Solidarité internationale	3 %
Environnement	3 %
Consommation	2 %
Défense des droits de l'homme	2 %
Autres	23 %

Quelques associations du 14e arrondissement de Paris

Suicide écoute
5 rue du Moulin-Vert

Petits Princes
Réaliser les rêves d'enfants malades
15 rue Sarrette

Action contre la faim
9 rue Dareau

Association pour la réintégration scolaire de l'enfant en situation d'échec
25 rue Jules-Guesde

Association bouliste du 14e
17 av. Paul-Appel

Association des commerçants de la rue Mouton-Duvernet
9 rue Mouton-Duvernet

Association pour l'insertion et l'intégration des Africains vivant en France
10 rue Francis-de-Pressensé

Le duo théâtre – cours de théâtre
3 villa Brune

④ Prenez connaissance des documents ci-dessus et
ci-contre. En groupes, dites quels sont les quatre
types d'associations les plus représentatifs en France.
Classez les associations du 14e arrondissement de
Paris selon leur type (sportives, de loisirs…). Puis
classez-les selon l'intérêt que vous leur portez et
justifiez votre choix.

Écrit

⑤ Choisissez l'une de ces associations et rédigez une
lettre dans laquelle vous demanderez des
informations sur :
– les objectifs, les projets de l'association ;
– les activités, les actions proposées ;
– les dates et horaires des activités, des réunions ;
– le montant éventuel de la cotisation.
**Vous indiquerez si vous souhaitez être simple
membre ou membre actif (bénévole pour animer
ou faire fonctionner l'association) en présentant vos
motivations.**

Débats

⑥ Dans votre pays, dans votre ville, comment
s'organisent les activités sportives, culturelles,
de loisirs, l'action sociale… tout ce qui correspond
au secteur associatif français ? Comparez le
fonctionnement, les acteurs (bénévoles ?),
le nombre d'adhérents avec la France.

FLICS ET

L'insécurité

LES STATISTIQUES 2001		
Catégories d'infractions	Nombre de crimes et délits en 2001	Évolution 2000-2001
Infractions économiques et financières	366 208	+ 3,99 %
(escroqueries, usages de chèques volés, cartes de crédit...)		
Autres infractions	893 628	+ 7,60 %
dont : – infractions à la législation sur les stupéfiants	91 618	– 11,68 %
– destructions et dégradations de biens	574 994	+ 10,91 %
Vols	2 522 346	+ 8,04 %
Crimes et délits contre les personnes	279 610	+ 9,86 %
Ensemble	4 061 792	+ 7,69 %

D'après *le Nouvel Observateur*, n° 1944, février 2002.

① **Prenez connaissance du document ci-dessus.**
   Classez par ordre de gravité les infractions mentionnées.
   1 Quels sont les crimes et délits les plus nombreux en France ?
   2 Quels sont ceux qui ont le plus augmenté ?
   3 À votre avis, quelle en est la conséquence dans la population ?

Ce que les chiffres ne disent pas

Le nombre de crimes et de délits est l'addition d'éléments très différents dont les gravités sont peu comparables (viols, fumeurs de joints, sans-papiers, insultes à policiers, meurtres...).
5 Par ailleurs, les chiffres n'ont de signification que dans la limite où ils traduisent d'une part l'activité policière et d'autre part le comportement de plainte des particuliers. (Si 9 cambriolages sur 10 sont enregistrés par les services
10 de police, seulement 1 victime de violence sur 12 porte plainte – enquête IHESI 1999.) Enfin, on ne peut savoir si une augmentation de délits en indique une progression effective ou s'explique par une efficacité accrue des services de
15 police. Pour toutes ces raisons, l'interprétation des chiffres globaux de la délinquance est délicate. La France doit donc faire l'effort de se doter d'un système de comptage plus fiable.

X DANS LA SPIRALE

Appelons-le X. Il a 12 ans. Il vit avec sa mère, son beau-père et les deux enfants nés de ce remariage dans une cité près d'une porte de Paris. Ça ne va pas bien pour lui à l'école. Avertissements de conduite. Exclusion.
5 Sa mère et son beau-père se séparent. Sa mère est diabétique. Un jour, il la trouve prise de malaise. Il ne sait pas quoi faire. Il est tout seul. Il n'ose pas appeler. Et la jeune femme s'enfonce dans le coma. Avec deux éducatrices, il sera tout seul à l'enterrement. Personne n'a payé une
10 dalle pour fermer la tombe.

La fratrie est dispersée. Les deux plus jeunes sont accueillis par leur grand-mère paternelle, mais personne ne veut de X. Ce sera donc une famille d'accueil. Les choses se passent mal. Et X fugue. Il dort dans les cages
15 d'escalier. Quand on le chasse, il se réfugie dans le local à poubelles. Et il devient violent. Il attaque des vieilles dames. Il brûle des clochards. Il fait peur. Et il va en prison. Trois fois. Aujourd'hui, X a 17 ans. Il n'a plus aucun contact avec sa famille. Il fait un stage de
20 mécanique. Et vit seul dans un hôtel, que lui a trouvé la protection judiciaire.

D'après *Le Nouvel Observateur*, n° 1944, février 2002.

② **À l'aide du document ci-dessus, trouvez des raisons de relativiser les mauvais chiffres de la délinquance.**

③ **Voici plusieurs causes possibles de l'insécurité.**
   1 **En groupes, classez-les selon leur importance.**
      Justifiez vos choix.
      Pauvreté.
      Drogue.
      Chômage.
      Immigration.
      Injustice sociale.
      Perte des valeurs républicaines.
      Urbanisme et architecture des cités.
      Scène de violence à la télévision.
   2 **Lisez le document *Chômage et insécurité* p. 176.**
      Comparez vos résultats avec ceux des Français p. 176.
      D'après vous, que signifie *traiter les délinquants mineurs comme des adultes* (document p. 176) ?
      Êtes-vous d'accord avec cette idée ? Pourquoi ?

④ **Identifiez, dans le parcours de X, certaines des causes de l'insécurité présentées dans l'exercice 3. Quelles autres causes sont mises en évidence ?**

DÉLINQUANCE

Beurs et flics à la fois

Le gouvernement encourage le recrutement dans la police de jeunes issus de l'immigration. Pas simple…

Il n'y a pas de statistiques. Il ne peut pas y en avoir. La loi interdit de recenser des fonctionnaires selon leur origine
5 ethnique : tous les policiers sont français. Difficile donc d'évaluer si la police reflète la diversité des origines géographiques et culturelles. En
10 1997, quand furent créés les ADS (les adjoints de sécurité), les recruteurs ont fait de la « discrimination positive » en tentant d'attirer dans leurs rangs des jeunes des
15 cités, notamment issus de l'immigration. L'initiative a fait tousser dans les commissariats où certains flics pensaient qu'on était en train de « faire

entrer le loup dans la bergerie ».
20 Depuis, les ADS ont gagné leurs galons en partageant les plaies et les

bosses de leurs collègues gardiens de la paix*. L'intégration des jeunes issus de l'immigration au sein de la police
25 nationale suit son chemin vaille que vaille, avec les mêmes difficultés que dans le reste de la société. Les apprentis flics doivent, de plus, se

faire accepter comme tels par leurs
30 copains de quartier. Et ce n'est pas toujours facile.

Meriem en sait quelque chose. À 19 ans, cette jeune femme d'origine tunisienne, venue de Saint-Priest
35 dans la banlieue lyonnaise, prépare le concours d'entrée des gardiens de la paix : « Flic, c'est pas un métier très populaire dans le quartier. Mais j'ai toujours voulu le faire : je suis active,
40 je n'aime pas la routine et j'aime aider les gens. Les jeunes qui sont contre la police, ils sont surtout contre la société. » Meriem n'hésite pas à donner de la voix. Quand elle
45 dit : « Si je vois un flic faire preuve de racisme, je me dis qu'il a dû louper quelque chose dans sa formation », elle s'attire les bravos spontanés de la quinzaine d'élèves de sa promotion.

D'après *Le Nouvel Observateur*, n° 1944, février 2002.

*Agent de la police nationale, en uniforme.

---

⑤ **Lisez le texte.**

1 Cherchez les termes en relation avec :
   a la police ;
   b l'immigration.

2 a Quelles sont les motivations de Meriem ?
   b Quelles difficultés rencontre-t-elle dans la police ? Et à l'extérieur ?

3 Le témoignage se termine-t-il sur une note optimiste ou pessimiste ? Justifiez votre réponse en relevant des éléments du texte.

⑥ **Associez les équivalents.**

1 Faire tousser.	a Protester.
2 Faire entrer le loup dans la bergerie.	b Continuer quels que soient les obstacles.
3 Gagner ses galons.	c Partager les ennuis.
4 Partager les plaies et les bosses.	d Déranger, perturber.
5 Suivre son chemin vaille que vaille.	e Obtenir une reconnaissance pour son travail.
6 Donner de la voix.	f Introduire quelqu'un dans un lieu où il peut être dangereux.

⑦ **Associez les synonymes.**

1 Recenser.	a Élève.
2 Refléter.	b Le train-train.
3 Apprenti.	c Manquer, rater.
4 La routine.	d Traduire, être le signe de.
5 Louper.	e Dénombrer.

Débats

⑧ **Réagissez et comparez vos opinions.**

1 D'après vous, pourquoi la loi française interdit-elle de recenser les fonctionnaires selon leur origine ethnique ? Est-ce une bonne chose ? Pourquoi ? Une telle loi existe-t-elle dans votre pays ?

2 Existe-t-il aussi plusieurs corps de représentants de l'ordre (l'équivalent de la gendarmerie et de la police) et quels sont leurs domaines de compétences (géographique, judiciaire…) ?

3 Qu'en est-il de la délinquance et de la sécurité dans votre pays ? Font-elles l'objet d'un débat ? Sont-elles exagérées, récupérées par certains partis politiques ?

Grammaire

Le système hypothétique

Hypothèses **(Faits imaginés)**		**Conséquences** **(Faits à la réalisation improbable ou irréelle)**
Indicatif		Conditionnel
• Hypothèse future	→	**Conséquence future**
si + imparfait	+	conditionnel présent
Exemple : …		
• Hypothèse actuelle	→	**Conséquence actuelle**
si + imparfait	+	conditionnel présent
Exemple : …		
• Hypothèse dans le passé	→	**Conséquence actuelle**
si + plus-que-parfait	+	conditionnel présent
Exemple : …		
• Hypothèse dans le passé	→	**Conséquence passée**
si + plus-que-parfait	+	conditionnel passé
Exemple : …		

Conditions **(Faits réels et nécessaires)**		**Conséquences** **(Faits réels)**
Indicatif		Indicatif
• Condition actuelle	→	**Conséquence automatique et immédiate**
si + présent	+	présent
Exemple : ….		
• Condition future	→	**Conséquence future**
si + présent	+	futur
Exemple : ….		
• Condition antérieure (fait accompli)	→	**Conséquence actuelle**
si + passé composé	+	présent
Exemple : ….		

---

❶ Sur le chômage…

Complétez les tableaux ci-contre avec les exemples suivants de conditions/hypothèses et leurs conséquences.

1 Si le chômage diminuait demain, l'insécurité diminuerait aussi.
2 Si le chômage avait diminué, l'insécurité diminuerait aussi.
3 Si le chômage diminue demain, l'insécurité diminuera aussi.
4 Si le chômage diminuait à présent, l'insécurité diminuerait aussi.
5 Si le chômage a diminué, l'insécurité diminue aussi.
6 Si le chômage avait diminué, l'insécurité aurait diminué aussi.
7 Si le chômage diminue, l'insécurité diminue aussi.

❷ Place à l'imagination !

Imaginez une hypothèse ou un résultat.

1 Si la délinquance des mineurs augmente, …
2 Si…, il n'y aurait plus d'associations.
3 Si…, respecteront-ils leurs engagements ?
4 Si…, j'aurais été candidat aux conseils de quartier.
5 Si elle n'avait pas été issue d'un milieu défavorisé, …
6 Si nous étions plus attentifs aux autres, …
7 Si vous voulez, …

Nul n'est censé ignorer la loi.

Chacun pour soi et Dieu pour tous.

Envers et contre tous.

Tout est bien qui finit bien.

Qui ne risque rien, n'a rien.

Que personne ne bouge !

❸ Proverbes et expressions.

1 Cherchez le sens des proverbes ou des expressions ci-contre.
   Existe-t-il des équivalents dans votre langue ?
2 **Pour chacune de ces expressions, dites :**
   a si on parle d'humains ou de choses ;
   b s'il s'agit d'un élément (singulier) ou d'un ensemble ;
   c si le sens est positif ou négatif.

4 **Les indéfinis.**

Les indéfinis servent à donner, avec une part d'indétermination, différents types d'informations.

Complétez le tableau suivant.

Les indéfinis			
L'indétermination concerne... porte sur...	une personne *(Qui ?)*	un objet/une idée *(Quoi ?)*	un lieu *(Où ?)*
une totalité positive – tout(e), tou(te)s – chacun(e)*	– tout le monde – tous – chacun(e)	– tout – chacun(e)	– partout
un élément	– ...	– quelque chose	– quelque part
un élément autre	– quelqu'un d'autre	– ... – autre chose	– ailleurs – ...
une totalité négative – aucun(e)... ne – nul(le)... ne	– personne... ne – nul(le)... ne – aucun(e)... ne	– ... – aucun(e)	– nulle part... (ne)
un élément exclusif	– ...	– rien d'autre	– nulle part ailleurs
un élément indifférent	– ...	– n'importe quoi	– ...

* Une personne prise parmi d'autres, dans un ensemble.

! *Chacun(e)/aucun(e)* sont en rapport avec un nom exprimé avant et avec lequel ils s'accordent en genre.

Tout(e), tou(te)s s'accordent en genre et en nombre.

*Il y a des élections de différente nature mais **chacune** a son importance ; **aucune** n'est facultative.*

*La famille entière a voté et ils ont **tous** voté pour le même candidat.*

5 **Changez de sens !**

Transformez les phrases de la manière suivante :
d'un sens positif à un sens négatif ou inversement.

1 Quelqu'un m'a parlé de cette association !

2 Nul ne pouvait prévoir que J. Chirac et L. Jospin seraient candidats aux élections présidentielles de 2002.

3 Chacun est à l'abri d'un problème social.

4 Personne ne peut rien faire contre la pauvreté dans le monde.

5 Les associations de 1901 ? Aucune ne fonctionne avec des bénévoles.

6 Quelque chose a été prévu pour le ramassage des objets encombrants.

7 Tous iront voter !

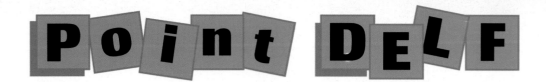

Aux urnes citoyens

DELF Unité A4 – Oral
Pratique du fonctionnement de la langue
Durée de l'épreuve : trente minutes.
Coefficient 1 (noté sur 20).

Objectif : comprendre plusieurs documents sonores enregistrés sur un support et répondre à un questionnaire de compréhension.

Quelques conseils pour l'épreuve
• Lisez la totalité du questionnaire avant l'écoute.
• Suivez la parole de celui qui parle, son rythme et ne vous arrêtez pas à des mots que vous croyez ne pas comprendre.
• Pour chaque exercice, repérez le nombre de personnes qui parlent et de quoi elles parlent.

• Pour l'exercice 3, repérez les répétitions, les mots ou groupes de mots qui reviennent le plus souvent.
• Très important : n'essayez pas de tout comprendre ! Faites appel à votre logique !

Répondez aux questions. Vérifiez vos réponses avec la classe et calculez votre score.
(Le questionnaire est plus court que dans une épreuve réelle du DELF. Il est donc noté sur 15 points au lieu de 20.)

Exercice 1 *(4 points)*
Vous allez entendre quatre messages, une seule fois. Il y aura dix secondes entre chaque message pour vous permettre de répondre à la question posée. ....
Message 1
Cette femme appelle pour...
  a remercier pour la qualité de la marchandise ;
  b manifester son mécontentement ;
  c fixer une date de livraison.
Message 2
La réunion des parents est
  a confirmée ; **b** annulée ; **c** repoussée.
Message 3
M. Brun doit...
  a rappeler son agence de voyages ;
  b venir retirer un envoi recommandé ;
  c se rendre à sa banque.
Message 4
Cette promotion...
  a est valable sur certains articles ;
  b est offerte toute la journée ;
  c s'adresse seulement aux clients qui ont des enfants.

Exercice 2 *(4 points)*
Vous allez entendre quatre phrases correspondant à une même situation. Pour chaque phrase, dites si la personne qui parle s'exprime dans une langue familière, standard ou soutenue, en cochant la case correspondante.
Il y aura dix secondes entre chaque phrase pour vous permettre de répondre.
Attention : une seule écoute. ....

	Langue familière	Langue standard	Langue soutenue
Phrase 1			
Phrase 2			
Phrase 3			
Phrase 4			

Exercice 3 *(7 points)*
Vous allez entendre un reportage radiophonique. Répondez aux questions. Vous aurez tout d'abord deux minutes pour lire les questions. Puis vous entendrez deux fois l'enregistrement. Les questions suivent l'ordre du document. Répondez en cochant la réponse exacte ou en écrivant les mots ou les chiffres qui manquent.
1 Quel titre convient le mieux à ce reportage ?
  a *Les infirmiers au service des enfants malades.*
  b *La vie des enfants hospitalisés.*
  c *Rire pour mieux soigner les enfants.*
2 Quel est le nom de l'association dont on parle ?
3 Combien de personnes font partie de cette association ?
4 Quelle est leur profession ?
5 Cette association est présente...
  a seulement dans la capitale ;
  b dans toute la France ;
  c en Provence uniquement.
6 Que dit Margot ?
  a Elle prépare ses activités avec minutie ;
  b Elle utilise tous les éléments de l'univers de l'enfant ;
  c Elle ne parle jamais de la maladie.
7 Quelle est l'opinion d'Étienne ? Il est...
  a convaincu ; **b** indifférent ; **c** sceptique.

Unité 3

quarante-six

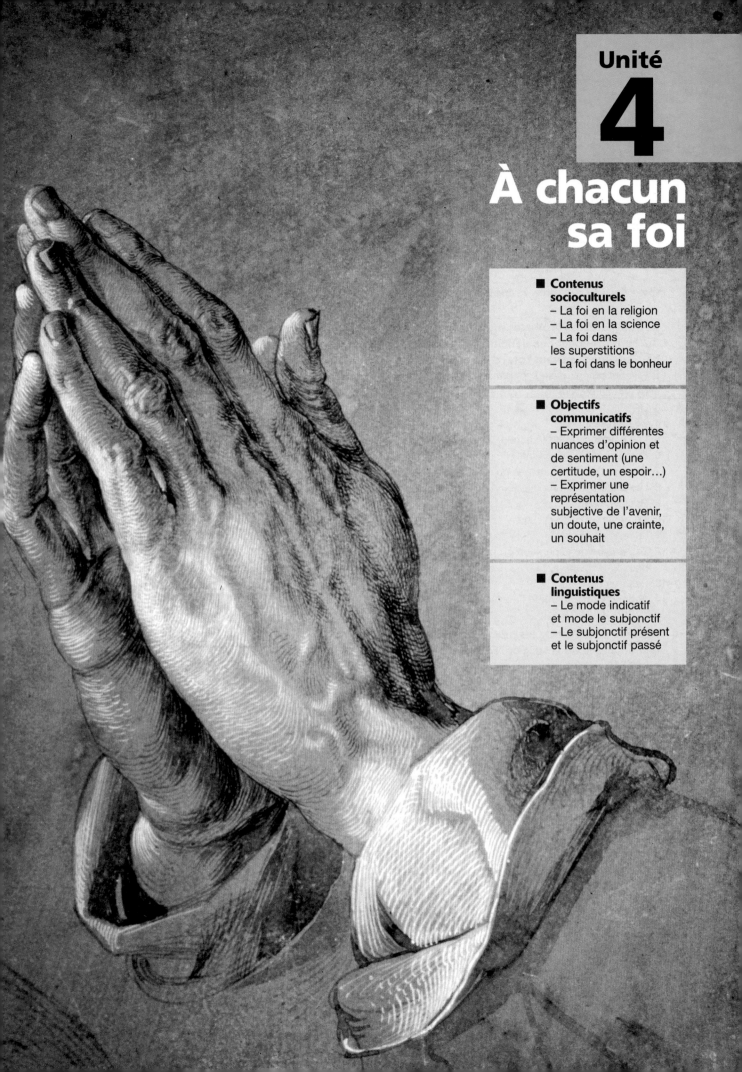

Unité

4

À chacun
sa foi

■ **Contenus
socioculturels**
– La foi en la religion
– La foi en la science
– La foi dans
les superstitions
– La foi dans le bonheur

■ **Objectifs
communicatifs**
– Exprimer différentes
nuances d'opinion et
de sentiment (une
certitude, un espoir…)
– Exprimer une
représentation
subjective de l'avenir,
un doute, une crainte,
un souhait

■ **Contenus
linguistiques**
– Le mode indicatif
et mode le subjonctif
– Le subjonctif présent
et le subjonctif passé

Les Français et Dieu

① **En groupes, observez les trois photos. Lisez chaque légende puis répondez aux questions suivantes.**
À quelle religion appartient chacun de ces lieux de culte ? Situez ces lieux sur la carte p.8.

② **Lisez l'article ci-contre. Proposez un titre.**

③ **Retrouvez dans l'article les mots ou expressions qui correspondent aux définitions ci-dessous. Les définitions suivent l'ordre des mots du texte.**
1 Se sont aménagé/se sont construit.
2 De manière claire.
3 Dieu.
4 Disparaissent.
5 Les personnes qui pratiquent la religion.
6 En baisse très importante.
7 L'instruction des principes de la religion chrétienne.
8 Les décorations recouvertes d'or.
9 Bouleversent.
10 Et même.
11 Le rejet de l'Église.
12 Le principe de séparation du pouvoir civil et du pouvoir religieux.
13 Pas très clair.
14 Annonce (en parlant de l'avenir).

④ **Repérez dans l'article les mots appartenant à la thématique de la religion. Faites ensuite des regroupements selon les sous-catégories suivantes.**
1 La croyance.
2 Le culte.
3 La non-croyance.

⑤ **Expliquez ce que signifient les phrases suivantes.**
1 *...nous croyons de moins en moins au Tout-Puissant de nos grands-mères.*
2 *...les prêtres s'éteignent, les fidèles vieillissent.*
3 *...la France s'identifie autant, sinon davantage, à la laïcité républicaine qu'à sa tradition religieuse.*
4 *Au Dieu personnel s'est substitué un Dieu flou [...]. Plus pratique parce que moins contraignant.*

Contrairement à leurs compatriotes juifs et musulmans, les chrétiens sont de plus en plus éloignés de leur culte. La plupart ne croient plus, les autres se sont « bricolé » une foi à eux.

Les études menées, décennie après décennie, sur la foi des Français montrent, sans équivoque, que nous croyons de moins en moins au Tout-
5 Puissant de nos grands-mères. Le constat n'est pas d'hier : les églises se vident, les prêtres s'éteignent, les fidèles vieillissent. Dans les années 60, 89 % des Français revendiquaient leur appartenance religieuse ;
10 à peine 55 % en faisaient autant en 1998. La messe hebdomadaire, en chute libre, rassemble désormais moins de 10 % des Français, et les deux tiers des enfants délaissent le catéchisme. Si l'on continue,
15 malgré tout, à célébrer les rites de la naissance, du mariage et de la mort, c'est moins par adhésion au culte que parce qu'on n'a rien trouvé pour les remplacer. On se marie à l'église pour le cérémonial
20 et la jolie robe, pour l'émotion et les dorures, que la mairie n'offre guère, mais qui se soucie des mots du prêtre ?

Synagogue de Marseille.

Mosquée de Lyon.

La nouveauté, ce sont ces « sans-religion » déclarés qui cham-
25 boulent le paysage des croyances. De 10 % en 1966, ils sont passés à 45 % – voire 63 % chez les 18-24 ans – en l'espace de trente ans, alors que l'anticléricalisme n'a plus cours et
30 que les grandes idéologies politiques athées, comme le marxisme, sont passées de mode. À tel point que, plus que tout autre pays d'Europe occidentale, la France s'identifie
35 autant, sinon davantage, à la laïcité républicaine qu'à sa tradition religieuse.

En avons-nous pour autant fini avec la religion ? Rien n'est
40 moins sûr. Au Dieu personnel s'est substitué un Dieu flou, une « force », un « esprit », une « puissance qui nous dépasse ». Plus pratique parce que moins contraignant. « Il y aura
45 toujours un besoin d'au-delà, de sacré, de divin, d'irrationnel », prédit le philosophe Michel Onfray.

Marion Festraëts, *L'Express*, n° 2626,
1er novembre 2001.

Abbaye de la Trappe dans l'Orne.

Débats

⑥ **Qu'en pensez-vous ?**
Lisez les citations puis choisissez-en une ou deux sur lesquelles vous souhaitez réagir. En groupes, justifiez votre choix et donnez votre avis sur les citations choisies par vos camarades.

En réalité, il existe autant de religions que d'individus.
Gandhi, homme politique et philosophe indien.

L'humanité a besoin de la substance de la religion alors que l'Église insiste sur la forme.
John Rockefeller, industriel américain.

Plus j'étudie la religion, plus je suis convaincu qu'un homme n'a jamais vénéré personne excepté lui-même.
Richard Burton, acteur anglais.

Le fanatisme est un monstre qui ose se dire le fils de la religion.
Voltaire, écrivain français.

N'est-il pas étrange que les hommes se battent si volontiers pour la religion et vivent si peu volontiers selon ses règles ?
Georg Christoph Lichtenberg, physicien et écrivain allemand.

Pour promettre l'éternité, les religions restreignent les libertés.
Jacques Attali, écrivain et essayiste français.

Revue de presse

① **Reliez chacun des titres ci-dessous au chapeau qui lui correspond.**

1 AIDONS LA TERRE !

2 Les OGM sont déjà dans notre assiette

3 SOS voiture verte

4 Faut-il avoir peur des progrès de la génétique ?

5 Science et armée : les liaisons dangereuses

a La recherche pure rattrapée par la guerre.
Le Nouvel Observateur, n° 1928, octobre 2001.

b Le patrimoine humain n'a plus de secret pour les chercheurs. Mais jusqu'où peut aller la science ?
Télérama, n° 2644, 13 septembre 2000.

c Multiplication des inondations et des tempêtes, montée des océans, progression de la sécheresse : la planète crie au secours. Elle a besoin d'amour. Et comme on ne lui en donne pas beaucoup par les temps qui courent, on nous prédit le pire.
Jonas, juillet/août 2001.

d Bon nombre de produits courants, céréales ou plats cuisinés, contiennent des traces d'ingrédients génétiquement modifiés.
Le Parisien, 4 janvier 2002.

e Rouler sans polluer, voilà la question. Nouvelles technologies à la recherche d'une solution.
Le Nouvel Observateur, n° 1924, septembre 2001.

② **Quels sont, dans les titres et les chapeaux ci-dessus, les mots ou les groupes de mots qui indiquent que les Français sont inquiets ?**

Les Français sont plus sceptiques à l'égard de la science et de la technologie

Le rationalisme du XVIIIe siècle et le scientisme[1] du XIXe siècle, qui plaçaient dans la science tous les espoirs de l'humanité, ont fait place aujourd'hui au doute. Les citoyens ont compris
5 que la science est ambivalente ; ses effets dépendent avant tout de l'utilisation qui en est faite. Contrairement à ce que l'on a longtemps cru, il n'y a pas d'indépendance de la science, car les enjeux économiques de la recherche sont considé-
10 rables. Chacun lui est certes reconnaissant d'avoir combattu l'obscurantisme[2], l'ignorance et, plus récemment, amélioré les conditions de vie et de travail, vaincu certaines maladies. Mais les Français sont aussi de plus en plus conscients des
15 risques qu'elle fait peser sur les hommes et les menaces qu'elle représente pour leur avenir : pollution de l'environnement, risques climatiques, utilisation du clonage humain, généralisation des aliments transgéniques, développement des armes
20 bactériologiques...

Dans de nombreux domaines, la recherche a franchi un nouveau pas, qui la situe désormais au-delà de ce qu'était il y a peu la science-fiction. L'alimentation, la santé, la communication, le
25 transport, le logement, les loisirs sont progressivement gagnés par ces technologies aux possibilités à la fois fascinantes et angoissantes.

Gérard Mermet, *Francoscopie 2001*,
© Larousse/HER 2000.

1. Confiance absolue dans la science.
2. État d'esprit opposé au progrès et à la raison.

③ **Lisez ces affirmations et dites lesquelles sont vraies. Justifiez vos réponses.**
L'auteur du texte p. 50 affirme que :
1 les Français ne croient plus du tout en la science ;
2 les intérêts économiques et scientifiques sont extrêmement liés ;
3 la science dépasse souvent, aujourd'hui, ce que l'on considérait encore récemment comme de la science-fiction.

④ **Associez chacun des titres de presse de l'exercice 1 à l'une des menaces soulignées dans le texte.**

Débats

⑤ **Selon l'auteur, la science a *amélioré les conditions de vie et de travail*. D'après vous, quelles sont ces améliorations ?**

⑥ **Relisez la dernière phrase du texte :**
L'alimentation, la santé, la communication, le transport, le logement, les loisirs sont progressivement gagnés par ces technologies aux possibilités à la fois fascinantes et angoissantes.
En groupes, reprenez chacun de ces thèmes et indiquez quels sont les espoirs et les craintes pour ces différents domaines.

Le courrier des lecteurs

Écrit

⑦ **Voici un extrait de la lettre écrite par un des lecteurs du magazine *Ça m'intéresse* après l'explosion d'une usine chimique à Toulouse, le 21 septembre 2001.**
Cette explosion a provoqué la mort de 30 personnes, en a blessé 2 500 autres et a causé de très nombreux dégâts matériels. Vous venez de lire cette lettre et vous répondez à cette personne dans le courrier des lecteurs.

AZF-Toulouse : Sommes-nous tous coupables ?

Je travaillais à Toulouse quand l'usine AZF a explosé. Nous avons subi beaucoup de dégâts, heureusement uniquement matériels. Comme beaucoup, j'ai été choqué, puis en colère ! Je souhaite réagir à froid, alors que l'on recherche les coupables. Attentat ? Mesures de sécurité non respectées ? Plan d'urbanisme mal établi ? Certainement. Mais, au-delà, nous sommes tous coupables ! Coupables d'être des consommateurs et d'avoir laissé se développer une agriculture intensive qui engendre la production de tonnes d'engrais comme le nitrate d'ammonium ; coupables d'utiliser un papier blanchi au chlore ; coupables d'utiliser des téléphones mobiles, la télé par satellite, etc.

L. Forelle (31600 Muret)
D'après © *Ça m'intéresse*, Courrier des lecteurs.

LA FOI DANS

Superstitions…

a

b

c

d

e

① **Les photos de cette double page font référence à plusieurs superstitions assez courantes en France.
En connaissez-vous quelques-unes ?
Lesquelles ?**

f

g

② **Devinettes.
Faites correspondre les affirmations suivantes aux photos.**

1. Si vous en ouvrez un dans une maison, on vous dira sans doute que cela porte malheur.
2. Lorsqu'il a quatre feuilles, ce qui est rare, il devient le plus célèbre des porte-bonheur.
3. Il n'est pas rare que les Français en touchent pour conjurer le mauvais sort.
4. En poser un « sur le dos » porte, paraît-il, malheur. Pourquoi ? Parce que c'est ainsi que les boulangers mettaient autrefois la part du bourreau pour ne pas la confondre avec celle des autres clients.
5. Il est conseillé de ne pas passer sous l'une d'elles, non pas à cause du pot de peinture qui y est accroché et qui risque de vous tomber dessus, mais parce que c'est un sacrilège. Cela ne peut donc que vous attirer des ennuis.
6. Si ce nombre accompagne un vendredi, il porte bonheur : c'est pourquoi, ce jour-là, il y a trois fois plus de joueurs au Loto. Mais, à part cela, il porte toujours malheur. Ce qui explique l'absence de ce numéro dans la plupart des hôtels et des avions.
7. À cause de leur couleur, ils sont assimilés au diable. En rencontrer un, au matin d'un voyage, ne peut rien présager de bon.
8. C'est un geste que font souvent les gens pour porter chance à quelqu'un ou à eux-mêmes.
9. En casser un vous condamne à sept ans de malheur.

Devinettes réalisées à l'aide du
Dictionnaire des superstitions et des croyances
de Pierre Canavaggio, éd. Dervy.

LES SUPERSTITIONS

Débats

③ **En groupes, répondez aux questions, puis comparez avec la classe.**

1 Ces superstitions existent-elles dans votre pays ? En existe-t-il d'autres de ce type ?

2 Avez-vous, vous-même, des petites superstitions dans la vie quotidienne ? Avez-vous un objet porte-bonheur ? Vous arrive-t-il de faire certains gestes comme, par exemple, toucher du bois pour conjurer le mauvais sort ?...

... et autres croyances

④ **Écoutez une première fois l'enregistrement 1 et, en groupes, dites ce que vous avez compris de cette étrange histoire.** ....

⑤ **Réécoutez l'enregistrement 1 et précisez si les affirmations suivantes sont vraies ou fausses.** ..

1 L'incident dont il est question a eu lieu pendant la Seconde Guerre mondiale.

2 Le personnage qui parle a été gravement brûlé.

3 Il a été soigné par une personne qui a manipulé des cendres et formulé des phrases incompréhensibles.

4 Cette personne tient ce pouvoir de sa mère.

5 Toute la famille a pu observer cette manipulation et vérifier que c'était vrai.

6 Après la manipulation, la douleur a disparu.

7 Il n'y a aujourd'hui plus de traces de cet incident.

⑥ **Choisissez, parmi les adjectifs ci-dessous, celui qui caractérise le mieux votre opinion sur ce témoignage. Puis, en groupes, comparez vos opinions.**

Le récit de cette expérience est :

1 troublant ;   4 crédible ;   7 inintéressant ;

2 ridicule ;   5 étonnant ;   8 convaincant.

3 amusant ;   6 effrayant ;

⑦ **Avez-vous vécu vous-même une expérience comparable à celle décrite dans l'enregistrement ? Avez-vous déjà entendu parler d'une histoire de ce type ? Si oui, faites-en le récit.**

⑧ **Écoutez l'enregistrement 2 et indiquez quelle est l'opinion de l'homme interrogé sur :** ....

1 les phénomènes inexplicables ;

2 les horoscopes ;

3 la voyance.

⑨ **Relevez, dans l'enregistrement 2, un mot ou une expression synonymes de :** ....

1 des tromperies ;   3 c'était faux ;

2 je doute toujours ;   4 psychologie pas très sérieuse.

Débats

⑩ **Et vous, qu'en pensez-vous ?**
Complétez le tableau ci-dessous. Puis, en groupes, comparez vos réponses en les justifiant.

▶ *Je ne crois pas du tout que les voyantes puissent prédire l'avenir ; sinon, cela signifierait que nous n'avons aucune influence sur notre destin.*

Croyez-vous à chacun des phénomènes suivants ?	Pas du tout	Un peu	Totalement
1 Les tables tournantes	○	⊗	○
2 L'explication des caractères par les signes astrologiques	⊗	○	○
3 Les prédictions des voyantes	○	○	○
4 Les rêves qui prédisent l'avenir	○	○	⊗
5 Les prédictions par les signes astrologiques, les horoscopes	⊗	○	○
6 L'inscription de la destinée dans les lignes de la main	⊗	○	○
7 Les fantômes	○	○	⊗
8 Les guérisons par magnétisme, par imposition des mains	○	○	⊗

Invité par surprise

Vraiment, ce n'était pas prévu. On avait encore du travail à faire pour le lendemain. On était juste passé pour un renseignement, et puis voilà :

– Tu dînes avec nous ? Mais alors simple- 5
ment, à la fortune du pot[1] !

Les quelques secondes où l'on sent que la proposition va venir sont délicieuses. C'est l'idée de prolonger un bon moment, bien sûr, mais celle aussi de bousculer le temps. La journée avait déjà été si prévisible ; la soirée s'annonçait 10
si sûre et programmée. Et puis voilà, en deux secondes, c'est un grand coup de jeune : on peut changer le cours des choses au débotté[2]. Bien sûr on va se laisser faire.

Dans ces cas-là, rien de gourmé[3] : on ne va pas vous cantonner dans un fauteuil côté salon pour un apéritif en règle. 15
Non, la conversation va se mitonner dans la cuisine – tiens, si tu veux m'aider à éplucher les pommes de terre ! Un épluche-légumes à la main, on se dit des choses plus profondes et naturelles. On croque un radis en passant. Invité par 20
surprise, on est presque de la famille, presque de la maison. Les déplacements ne sont plus limités. On accède aux recoins, aux placards. Tu la mets où ta 25
moutarde ? Il y a des parfums d'échalote et de persil qui semblent venir d'autrefois, d'une convi-vialité lointaine – peut-être celle des soirs où l'on faisait ses devoirs sur la table de la cuisine ?

Les paroles s'espacent. Plus besoin de tous ces 30
mots qui coulent sans arrêt. Le meilleur, à présent, ce sont ces plages douces, entre les mots. Aucune gêne. On feuillette un bouquin au hasard de la bibliothèque. Une voix dit « Je crois que tout est prêt » et on refusera l'apéritif – bien vrai. Avant de dîner, on s'assoira pour bavarder autour de la table mise, les pieds sur le barreau un peu 35
haut de la chaise paillée. Invité par surprise on se sent bien, tout libre, tout léger. Le chat noir de la maison lové sur les genoux, on se sent adopté. La vie ne bouge plus – elle s'est laissé inviter par surprise.

Philippe Delerm, *La Première Gorgée de bière et autres plaisirs minuscules*,
© éd. Gallimard.

1. Se dit quand on improvise un repas.
2. Sans préparation.
3. Affecté, cérémonieux.

(1) Lisez le texte ci-contre.

1 Relevez les adjectifs qui sont associés à la notion de plaisir et ceux qui suggèrent plutôt le contraire.

2 Retrouvez les mots ou les expressions qui se réfèrent au temps qui passe. Qu'évoquent-ils ?

3 Repérez les phrases qui indiquent qu'une personne parle. En quoi certaines de ces phrases sont-elles originales ?

(2) Expliquez pourquoi cette invitation surprise procure à l'auteur plus de plaisir qu'une invitation établie d'avance. Citez au moins quatre raisons.

(3) Le texte de Philippe Delerm donne quelques indications sur les règles de savoir-vivre que l'on respecte habituellement, en France, si l'on est invité à déjeuner ou à dîner. Indiquez :

1 ce que l'on fait habituellement ;

2 ce que l'on ne fait pas habituellement.

(4) Sur le même modèle de l'exercice précédent, indiquez quelles sont les règles de savoir-vivre qu'il faut respecter si l'on est invité à déjeuner ou à dîner chez quelqu'un dans votre pays. Est-il fréquent, rare ou tout simplement inimaginable d'être invité par surprise ?

Les petits plaisirs de la vie

(5) Écoutez une première fois le document sonore et relevez, dans la liste suivante, les thèmes évoqués par les personnes interrogées.

1 La peinture.
2 Le chocolat.
3 Un paysage.
4 La cigarette.
5 Un bon repas.
6 Le printemps.
7 Le tourisme.
8 La fête.
9 Un sourire.
10 La nature.
11 Le soleil.
12 La beauté.

(6) Écoutez la première personne qui prend la parole sur le document sonore et complétez la transcription suivante.

Son bonheur à lui c'est d'« ... (1) ses bottes, de lâcher le portable, de le ... (2) à la maison et puis de partir comme ça à l'aventure, ou une petite aventure, de ... (3) pourquoi pas dans son jardin, de ... (4), d'écouter une mésange chanter tout à côté de vous et pourquoi pas d'... (5) la porte du jardin et aller un tout petit peu plus loin, ... (6) dans la forêt, être tranquille et puis ... (7) un petit peu le monde extérieur, et puis voilà, d'être bien dans la nature, le craquement des branches, les feuilles... et également « d'... (8) le coucou, » le coucou que nous entendons au printemps, qui nous annonce le printemps, la première hirondelle, le jour du printemps.

(7) Écoutez les autres personnes qui prennent la parole et résumez ce qu'elles disent sur le modèle de l'exercice précédent.

▶ Leurs plaisirs à eux, c'est de...

Écrit

(8) Faites une description d'un moment de la vie quotidienne qui évoque pour vous un sentiment de bien-être, de bonheur.

Débats

(9) Relevez, parmi les points suivants, les trois éléments qui sont, selon vous, essentiels dans la vie pour être heureux. Puis, en groupes, comparez vos réponses et justifiez votre choix.

1 Gagner beaucoup d'argent.
2 Fonder une famille et avoir des enfants.
3 Être propriétaire de sa maison.
4 Trouver l'amour.
5 Être en bonne santé.
6 Avoir une vie spirituelle intense.
7 Avoir des amis.
8 Avoir du temps pour s'occuper de soi.
9 Avoir du temps pour s'occuper des autres.
10 Avoir un métier qui vous intéresse.
11 Pouvoir voyager.
12 Avoir un métier avec des responsabilités.

À CHACUN SA FOI

Grammaire

1 **Au seuil du nouveau millénaire.**

1 Lisez les trois extraits d'un sondage d'opinion destiné à mieux comprendre comment les Français voient les dix années à venir.

• **VALEURS MORALES ET TRADITION**

1 *Souhaitez-vous ou non que dans les dix prochaines années :*

❏ il y ait un retour à la morale traditionnelle ?

❏ la religion ait plus d'importance qu'aujourd'hui ?

❏ il y ait un retour à la famille ?

❏ une femme soit élue président de la République ?

❏ la peine de mort soit rétablie ?

❏ il y ait davantage de compétition dans la société ?

• **LES RISQUES**

2 *Parmi les risques suivants, quels sont ceux qui vous inquiètent le plus dans les dix années à venir ?*

❏ la baisse du niveau de vie

❏ les conflits sociaux

❏ le sida

❏ l'immigration

❏ la faim dans le monde

❏ le terrorisme

❏ la drogue

❏ une guerre mondiale

❏ le chômage

❏ la concurrence économique des autres pays

❏ la pollution

• **OPTIMISTES OU PESSIMISTES**

3 *Vous attendez-vous à ce que les dix prochaines années soient pour les Français plutôt meilleures ou plutôt moins bonnes que les dix dernières années ?*

❏ oui   ❏ non

---

2 Écoutez trois réponses de personnes interviewées et dites à quelle question chacune correspond. ....

3 Dans la classe divisée en deux groupes, écoutez à nouveau ces trois réponses et sélectionnez pour chaque réponse des exemples formulés qui expriment différentes nuances. ....

– Premier groupe : une opinion, une certitude, un espoir.

– Deuxième groupe : une représentation subjective de l'avenir, un souhait, une crainte, un doute.

4 Complétez le tableau ci-dessous à l'aide des modes et des nuances proposés.

– **Modes :** indicatif – subjonctif.

– **Nuances :** opinion – crainte – espoir – représentation subjective de l'avenir – souhait – doute – certitude.

5 À votre tour, répondez au sondage et comparez vos opinions.

Indicatif ou subjonctif ?

• Quand la personne qui parle constate ou affirme un fait et le place sur le plan de la réalité (nuances …, …, … ➞ elle utilise le mode …

• Quand la personne qui parle indique qu'elle considère le fait « en pensée » et apporte une vision subjective (nuances …, …, …, … ➞ elle utilise le mode …

Le subjonctif présent

Dans la phrase, les sujets doivent être différents :

*Je suis choqué de **manger** des aliments transgéniques.*

*Je suis choqué qu'**elle mange** des aliments transgéniques.*

---

2 **Quelques craintes.**

Formez des phrases en associant débuts et fins.

1 Je constate que les intérêts économiques…

2 Je ne crois pas que la science…

3 Il est certain que les progrès de la biologie…

4 Je pense qu'un scientifique…

5 Je ne suis pas sûr que les travaux sur la génétique…

6 Il est étonnant qu'aucun gouvernement…

a parvienne un jour à guérir toutes les maladies.

b doit réfléchir aux conséquences de ses découvertes.

c vont engendrer des questions d'éthique.

d soient réellement utiles à l'humanité.

e ne réagisse vraiment face à certains phénomènes climatiques inquiétants.

f ont une influence sur la recherche scientifique.

Unité 4

3 Paroles d'internautes.

Voici quelques commentaires d'internautes trouvés sur le site www.sciencefrontières.com. Complétez avec la forme du verbe qui convient.

1 Cela m'étonne vraiment que la plupart des gens (ne pas réagir) face à l'augmentation des catastrophes naturelles.
Marc, Bordeaux

2 Je ne suis pas sûre que le clonage (correspondre) à un progrès de la science.
Alexandra, Marseille

3 Je m'aperçois que les enjeux économiques (avoir) une influence énorme sur la recherche.
Olivier, Brest

4 Je trouve que vous (tomber) tous un peu trop dans la psychose au sujet de la science.
Élisa, Orléans

5 J'aimerais que nous (pouvoir) nous faire une opinion, nous citoyens ordinaires, sur les conséquences réelles des progrès scientifiques actuels.
Laurent, Paris

6 Il est évident que le monde (courir) à la catastrophe !
Émilie, Nantes

4 Je n'y crois pas !

Transformez chaque phrase avec un verbe au subjonctif présent ou au subjonctif passé.

*Il **croit** en l'astrologie. Je suis surpris.*
▶ *Je suis surpris qu'il **croie** en l'astrologie.*
*Elle a **acheté** ce porte-bonheur. C'est drôle.*
▶ *C'est drôle qu'elle **ait acheté** ce porte-bonheur.*

1 De nombreux hommes politiques consultent des voyantes. Cela m'étonne.

2 Tu lis chaque jour ton horoscope. Je suis étonné.

3 Tu as cru son histoire de maison hantée ! Je ne comprends pas.

4 Elle lui a lu les lignes de la main. Cela m'a étonné.

5 Certains voyants font des promesses invraisemblables. Je trouve cela choquant.

6 Elle n'a pas voulu passer sous l'échelle. Cela m'a amusé.

5 Qui croire ?

Lisez le dialogue ci-dessous et mettez les verbes entre parenthèses au mode et au temps qui conviennent.

– Qu'est-ce que tu fais ?

– Je suis en train de lire mon horoscope pour cette année.

– Attends, je rêve ! C'est une blague ou quoi ?

– Mais pas du tout ! Je suis persuadée qu'on (pouvoir) lire l'avenir dans les astres.

– Lire l'avenir dans les astres ! Alors là, vraiment, n'importe quoi ! Je ne comprends pas que tu (croire) à ce genre de bêtises. Tout comme je ne pense pas non plus que les astres (avoir) une influence sur le caractère des gens.

– Eh bien, moi, je crois que tu (se tromper). Je me suis rendu compte que l'on (pouvoir) souvent deviner le signe astrologique d'une personne à travers son caractère.

– Ben voyons ! Il est absolument évident que les astres ne (avoir) rien à voir avec le caractère ! Et je dois te dire que ça semble incroyable que tu (être convaincu) du contraire.

– Bon, écoute, je préfère qu'on (arrêter) là ; ça m'énerve que tu (tenir) ce genre de discours !

Le subjonctif passé

• **Formation :**

auxiliaire *être* ou *avoir* au subjonctif présent + participe passé.

• Il indique une action antérieure à celle exprimée par le verbe précédent :
*J'ai peur qu'elle **ait cru** à toutes ces histoires de voyantes.*

• Il indique aussi une action réalisée avant un moment indiqué par une expression de temps :
*Il faut absolument que nous **ayons réfléchi** aux conséquences écologiques avant la semaine prochaine.*

cinquante-sept

À chacun sa foi

DELF Unité A4 – Écrit 1
Pratique du fonctionnement de la langue
Durée de l'épreuve : une heure trente.
Coefficient 1 (noté sur 20).

Objectif : pratiquer la langue écrite (compréhension et expression) en utilisant des structures correctes dans des situations de communication simples et diversifiées.

Cette épreuve est constituée de quatre exercices.

Exercice 1 : comprendre et transmettre des informations à partir d'un ou plusieurs écrits courts (petites annonces, informations sur Internet…).

Exercice 2 : rédiger un texte suivi et cohérent à partir de notes.

Exercice 3 : rédiger trois brefs messages correspondant à des situations de communication diversifiées (e-mail, message…).

Exercice 4 : cet exercice peut prendre trois formes différentes :
– reconstituer un document bref ;
– reformuler un texte ou un énoncé ;
– rédiger un récit ou une description à partir d'images, de notes, etc.

Quelques conseils pour l'épreuve

- Organisez votre temps : vous disposez d'une heure trente.
- Lisez les questions de l'épreuve de manière globale avant de commencer la découverte des documents.
- Commencez par les exercices les plus faciles.

- Identifiez la difficulté et rappelez-vous les règles auxquelles elle fait appel.
- Soignez particulièrement votre expression écrite.
- Très important : gardez un peu de temps pour vous relire !

Faites les quatre exercices. Comparez avec la classe et calculez votre score.
(Pour obtenir la note sur 20 points, il faut diviser votre score par deux.)

Exercice 1 *(10 points)*

Avec un(e) ami(e), vous avez décidé de vous impliquer activement dans un projet associatif. Vous souhaitez donner un peu de votre temps pour participer le plus souvent possible à une cause que vous jugez utile. Vous êtes sensibles à la sauvegarde de l'environnement, la détresse humaine ne vous laisse pas indifférent(e)s, particulièrement en ce qui concerne le manque de communication entre les personnes.

Vous avez fait une première recherche et sélectionné des associations à objectifs différents.

1 Pour faire votre choix, vous avez préparé un tableau (voir p. 112). Complétez-le en notant pour chaque association ce qui convient ou ce qui ne convient pas à vos projets. *(3 points)*

2 Vous envoyez un e-mail (60 mots environ) à votre ami(e) pour l'informer du résultat de vos recherches et lui dire quelle association vous semble la plus intéressante et pourquoi. *(7 points)*

Unité 4

Point DELF

Le WWF

Première organisation mondiale de protection de la nature, le WWF compte plus de 4,7 millions de membres à travers le monde. Ses compétences dans le domaine scientifique sont mondialement reconnues.

Le WWF : une philosophie fondée sur le dialogue, qui recherche dans le monde entier la concertation pour la mise en œuvre de solutions durables.

Le WWF : des réalisations d'envergure nationale et internationale (protection de fleuves, lutte contre le commerce d'espèces menacées, création de réserves naturelles…).

Comment agir ?

Participez à nos actions : protection et nettoyage de sites naturels comme les plages, les forêts…, soins aux animaux en détresse à la suite de catastrophes naturelles ou provoquées par l'homme…

Ayez les bons réflexes !

Contactez-nous sur notre site Internet : www.wwf.fr

Envoyer

Annuler

LES RESTOS DU CŒUR

L'aide alimentaire est le premier moyen de tisser des liens. Tisser des liens est une première victoire contre l'exclusion. Aujourd'hui, en France, la pauvreté et la misère sont toujours présentes. Les personnes et les familles exclues ne profitent pas de la croissance. Le combat contre l'exclusion doit être une priorité dans notre pays. La misère n'est plus une fatalité.

C'est à nous d'agir, par solidarité, pour qu'il n'existe plus de personnes démunies vivant à nos côtés.

Aux Restos, pour donner à manger, on a prévu deux formules :
– des colis alimentaires, pour ceux qui ont ce qu'il faut pour cuisiner ;
– des repas chauds, pour les autres, servis à table ou par les Camions du cœur. Lors de ces repas, on peut écouter, informer et soutenir…

On compte sur vous !

Contactez-nous sur notre site Internet : www.restosducoeur.org

Envoyer

Annuler

Adresse

L'UNICEF
Changer le monde avec les enfants

L'UNICEF s'est efforcée de protéger la vie des enfants du monde entier depuis sa création en 1946. Depuis cette époque, l'UNICEF plaide et travaille pour la protection des droits de l'enfant, afin d'aider les jeunes à satisfaire leurs besoins de base et élargir leurs possibilités de réaliser tout leur potentiel.

L'UNICEF a pour priorités l'égalité devant la santé (vaccination systématique et soins), la meilleure nutrition possible, la protection contre les dangers, la qualité de l'éducation et l'accès des filles à l'instruction…

Les activités de l'UNICEF sont assurées par son siège à New York. Des bureaux de l'UNICEF sont présents dans le monde entier et les 37 comités nationaux sont des organisations non gouvernementales qui soutiennent l'UNICEF dans ses activités de plaidoyer en faveur des enfants et de collecte de fonds.

Il n'est jamais trop tard pour agir !

Contactez-nous
sur notre site Internet : www.unicef.org

Envoyer

Annuler

Adresse

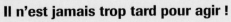

À chacun sa foi

Exercice 2 *(10 points)*

Vous avez décidé de passer un week-end hors des sentiers battus : un retour au calme dans une abbaye au bord de la mer. À votre retour, vous écrivez une lettre à vos parents à partir de vos notes (voir document ci-dessous), pour raconter votre expérience, vos rencontres, vos sentiments. (80 à 100 mots)

> _Vendredi soir_ : abbaye, accueil des hôtes religieux, installation. Repas commun avec participants au week-end.
> _Samedi_ : découverte de l'abbaye, bâtiments, chapelle, cloître... calme, authenticité... Temps superbe !
> Rencontres... échanges, discussions...
> _Dimanche_ : découverte de la région, mer, nature..., vent !
> Marc très sympa... projets...
> Retour à la vie citadine !!!

Exercice 3 *(3 points par message)*

Rédigez pour chacune des situations suivantes un message court (40 à 50 mots), clair et précis.

1 Vous apprenez qu'un(e) de vos ami(e)s a eu un accident et a dû être hospitalisé(e). Vous lui adressez une petite carte pour le/la réconforter, lui dire comment vous avez appris la nouvelle et lui exprimer vos sentiments.

2 Vous avez invité un(e) ami(e) à déjeuner chez vous. Mais vous recevez une convocation pour un entretien de sélection à un stage ce jour-là. Vous lui écrivez un e-mail pour lui expliquer le problème, vous excuser et lui proposer une autre invitation.

3 Pendant vos vacances, vous avez prêté votre appartement à un couple d'amis. Avant de partir, vous leur laissez un petit mot sur la table pour leur donner quelques informations pratiques et leur recommander de bien soigner votre chat et vos plantes vertes.

Exercice 4 *(11 points)*

Reconstituez ce fait divers en conjuguant les verbes au temps qui convient.

Hier soir, le train Nice-Nancy (entrer) ... en collision avec une locomotive de service dans le nord-est de la France et (faire) ... 40 blessés. Le choc, qui (se produire) ... vers 22 h 30, a été très violent. Environ 150 passagers (se trouver) ... à bord. Les blessés (transporter) ... dans les hôpitaux voisins d'où certains (pouvoir) ... sortir très prochainement. Tous les passagers (choquer) ... et les autorités ont immédiatement mis en place une cellule d'assistance psychologique sur les lieux du drame. Selon les premières hypothèses, l'accident (provoquer) ... par une faute du conducteur de la locomotive qui (se mettre) ... en travers de la voie. Les conclusions de l'enquête (venir) ... probablement confirmer ces hypothèses.

Néanmoins, on peut se demander quelles auraient été les conséquences si le train (être) ... bondé.

Unité 4

De l'école
au travail

■ **Contenus**
  socioculturels
  – La philosophie
  de l'éducation
  – L'école aujourd'hui
  – Les 35 heures
  – Les inégalités et
  la précarité dans
  le travail

■ **Objectifs**
  communicatifs
  – Préciser la cause,
  le moment et la manière
  d'une action
  – Exprimer la
  simultanéité,
  l'antériorité,
  la postériorité
  – Indiquer l'origine
  d'une action, sa limite

■ **Contenus**
  linguistiques
  – Le gérondif
  – Les expressions
  temporelles : *avant que,
  après que, dès que,
  jusqu'à ce que, quand...*

DE L'ÉCOLE AU TRAVAIL

L'éducation

**Convention internationale des droits de
l'enfant, adoptée par l'assemblée générale
des Nations unies en 1989, signée par
la France en 1990**

Article 29

L'éducation a pour but de favoriser l'épanouissement de la personnalité de l'enfant, le développement de ses dons et aptitudes. Elle doit lui inculquer
aussi le respect des droits de l'homme et des libertés
5 fondamentales. Ainsi que le respect des parents, de la
culture d'origine et d'adoption, et des autres civili-
sations. Elle vise à préparer l'enfant à assumer plus
tard ses responsabilités dans une société libre,
débarrassée du sexisme et du racisme, dans un esprit
10 de tolérance, d'amitié et de paix. Elle doit aussi former
l'enfant au respect du milieu naturel.

Nadia Monteggia, *Le Livre des droits de l'enfant*,
département de la Seine-Saint-Denis, conseil général, p 115.

① **Observez cette photo.**
   1 Que représente-t-elle ? De quelle année date-
     t-elle ? Que remarquez-vous ?
   2 Décrivez les vêtements, les attitudes. Que vous
     suggère cette photo ?
   3 Trouvez-lui un titre.

② **Lisez l'article 29 de la Convention des droits de
l'enfant.**
   1 Relevez les cinq objectifs de l'école.
   2 En sous-groupes, présentez le système scolaire
     de votre pays.

Débats

③ **Réagissez et comparez vos opinions.**
   1 Quels autres objectifs de l'école pourriez-vous
     ajouter ?
   2 Pensez-vous que l'école remplit vraiment ses
     devoirs ?
   3 Qu'en est-il dans votre pays ?

④ **Décrivez cette scène familiale.**
**Relevez tout ce qui vous paraît différent de notre
époque et tout ce qui vous semble identique.
Qu'en pensez-vous ?**

Unité 5

Philosophie de l'éducation

⑤ Lisez le texte ci-contre sur l'éducation.

1 Répondez aux questions.

a À quelle époque se situe l'ouvrage de Rousseau ?

b À quel principe d'éducation s'oppose-t-il ?

c Que préconise Rousseau en matière d'éducation ?

2 Lisez à nouveau le texte et particulièrement les quelques précisions en gras. Identifiez la nature de chacune d'elles et la forme verbale utilisée. Proposez une reformulation pour chacune de ces précisions.

☞ **CONNAÎTRE ET RECONNAÎTRE** p. 70-71

Débats

⑥ En groupes, réagissez et comparez vos opinions. Et vous ? Pensez-vous que le plaisir, la liberté doivent être au centre de l'éducation, de l'apprentissage ? Quelle part accordez-vous à la sévérité, à la contrainte ?

« Aimez l'enfance, favorisez ses jeux, ses plaisirs, son aimable instinct », proclame Jean-Jacques Rousseau dans l'*Émile* en 1762. Nous sommes en pleine révolution des Lumières et les philosophes partent en guerre contre les
5 anciens préjugés de « dressage ». Ils invitent à une éducation basée sur la sensibilité, **en se mettant à l'écoute des enfants, en favorisant l'expression de leurs sentiments, de leurs besoins.**

« Accorder aux enfants plus de libertés véritables et
10 moins d'empire, leur laisser plus faire par eux-mêmes », dit encore Rousseau. **En remportant un grand succès auprès des parents, surtout issus de la bourgeoisie, l'*Émile* de Rousseau favorisa un épanouissement plus harmonieux des enfants.**

15 **En se généralisant, ce mouvement permit de considérer l'enfant autrement : lui accorder un nouveau statut au sein de la famille en lui offrant une bien plus grande liberté.**

D'après Drina Candilis-Huisman, *Naître, et après ?*, © éd. Gallimard.

À propos du baccalauréat

Il existe différents types de « bac » (baccalauréat), différentes options (dites « séries ») : littérature, sciences économiques et sociales, mathématiques, physique-chimie… et de nombreux bacs professionnels.

⑦ Observez ce graphique sur le taux de réussite au baccalauréat (toutes séries confondues).

1 Complétez cette phrase.

En dix ans, le taux de réussite a augmenté de … %.

2 Comment peut-on expliquer une telle augmentation ?

⑧ Lisez cet extrait du magazine *L'Express*.

1 Relevez les pourcentages présents dans le texte et dites à quoi ils correspondent.

2 À l'aide des informations du texte, dites quel type d'élève passe quelle catégorie de baccalauréat et en vue de quelle formation.

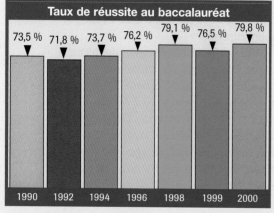

Taux de réussite au baccalauréat

73,5 % — 71,8 % — 73,7 % — 76,2 % — 79,1 % — 76,5 % — 79,8 %

1990 1992 1994 1996 1998 1999 2000

D'après le ministère de l'Éducation nationale.

En juin dernier, 61,6 % des lycéens d'une même classe d'âge ont décroché leur bac. Ils n'étaient que 5 % dans les années cinquante. La création des bacs professionnels a fortement joué dans l'accession au bachot[1] d'élèves naguère orientés vers des formations courtes. Mais la démocratisation de l'enseignement reste à faire. L'élitisme à la française fait toujours passer dans les grandes écoles les fils de profs et de cadres supérieurs auréolés d'un bac S[2] avant les enfants du peuple. Les effets néfastes de la massification sont, eux aussi, régulièrement dénoncés : dévalorisation du bac, classes hétérogènes ingérables, jeu de massacre au DEUG[3], que seuls 45,5 % des étudiants obtiennent en deux ans.

L'Express, 31 janvier 2002.

1. Bac *(familier)*. 2. Bac scientifique. 3. Diplôme d'études universitaires générales (deux premières années universitaires).

DE L'ÉCOLE AU TRAVAIL

Faits et réalités

Le prix de l'éducation

La gratuité de l'enseignement primaire a été instaurée en 1867, l'obligation scolaire en 1882.

Aujourd'hui, le budget de l'Éducation
5 nationale est le plus élevé d'Europe : 98,2 milliards d'euros pour 1,3 million de personnes, dont 876 000 enseignants. Les dépenses représentent 1 660 euros par habitant, soit 6 850 euros par élève. Elles
10 varient de 3 970 euros en maternelle à 9 900 euros en moyenne dans l'enseignement supérieur.

Une scolarité menée sans redoublement de la maternelle au baccalauréat coûte
15 79 400 euros à la collectivité. Le financement est réalisé pour 63,3 % par l'État, 20,7 % par les collectivités locales (municipalités, départements, régions), 6,4 % directement par les ménages, 6 % par les
20 entreprises, 1,7 % par les caisses d'allocations familiales et 1,9 % par les autres administrations.

Un étudiant doit acquitter annuellement environ 200 euros pour s'inscrire à l'uni-
25 versité. (L'inscription à des écoles supérieures privées est beaucoup plus élevée.)

Ministère de l'Éducation nationale.

L'école mixte

En terminale littéraire, les filles représentent 81 % des effectifs, contre 42 % en terminale scientifique. À l'université, elles comptent pour 77 % des effectifs de lettres et de langues, pour 70 % de ceux de sciences humaines et sociales, mais seulement
5 32 % en sciences et structures de la matière, 20 % en sciences et technologie. Dans les écoles d'ingénieurs, quatre élèves sur cinq sont des garçons.

En moyenne, les filles ont des résultats scolaires meilleurs que ceux des garçons. Elles redoublent moins fréquemment et
10 leur taux de réussite est supérieur dans toutes les séries du baccalauréat général.

Les femmes choisissent cependant davantage des filières offrant moins de débouchés, comme les lettres et les sciences médicales, alors que les hommes se dirigent vers les sciences
15 et les mathématiques, plus valorisées par les entreprises.

Ministère de l'Éducation nationale.

---

① **L'école est-elle vraiment gratuite ?**
  1 Calculez ce que coûte à une famille la scolarisation d'un enfant de la maternelle au baccalauréat.
  2 Cette scolarisation durant quinze ans, calculez le prix moyen par an.
  3 Qu'en est-il dans votre pays ?

② **Comparez les droits d'inscription à l'université en France et dans votre pays.**

③ **En quoi l'inégalité hommes-femmes se dessine-t-elle déjà dans les études ? Faites des hypothèses sur les raisons du choix des filières.**

Unité 5

Les échecs

(4) **Faites des hypothèses.**

1 D'après vous, quelles sont les raisons de l'échec, pour certains, de l'apprentissage de la lecture et de l'écriture ?

2 D'après vous, pourquoi n'est-on pas certain du nombre exact d'illettrés (ils *seraient* 2,3 millions, lit-on dans le texte ci-contre) ?

3 Quelles sont les conséquences de l'illettrisme dans la vie courante ?

> 1 % des jeunes de 18 à 23 ans peuvent être considérés comme analphabètes (ne sachant
> 5 ni lire ni écrire).
> Sur 38 millions de personnes de plus de 18 ans, 2,3 millions
> 10 seraient illettrées, c'est-à-dire incapables de lire, d'écrire, éventuellement de compter, mais aussi de communiquer dans les relations sociales ou
> 15 professionnelles de la vie courante.

Être professeur aujourd'hui...

(5) **Écoutez le document sonore et identifiez les interlocuteurs, le sujet de leur conversation et le lieu.** ....

(6) **En groupes, écoutez à nouveau le document sonore et répondez.** ....

1 Quels sont les deux types de violence évoqués ? Comment se manifestent-ils ?

2 Relevez au moins trois causes pouvant expliquer l'attitude de certains élèves.

3 Quel est l'avantage de ce collège ? Pourquoi ?

4 L'enseignante est-elle optimiste ou pessimiste sur son rôle dans ce type d'établissement ? Pourquoi ?

(7) **En groupes, réécoutez la première partie (jusqu'à *petit collège*) et dites si les affirmations suivantes sont vraies ou fausses. Relevez l'expression exacte justifiant chaque réponse.** ....

1 La langue ne représente aucun obstacle.

2 Les difficultés au collège sont les mêmes que celles rencontrées dans le quartier.

3 Les élèves ont décoré les murs du collège de grandes peintures.

4 Les élèves ne se battent pas souvent.

(8) **En groupes, réécoutez le témoignage. De quelle définition de l'enquête Internet se rapproche le plus le professeur interrogé ? Justifiez votre réponse.** ....

Enquête sur Internet auprès de cinq enseignants

Pour vous, qu'est-ce qu'être professeur ?
Être professeur...

(a) ce n'est pas seulement enseigner sa matière, mais aussi les règles de citoyenneté.

(b) c'est faire passer la théorie grâce à ses applications pratiques.

(c) c'est motiver les élèves.

(d) c'est laisser les élèves chercher et formuler les règles, grâce à des expériences concrètes.

(e) c'est, au-delà de la transmission du savoir, donner aux élèves la possibilité d'être indépendants.

Débats

(9) **Et vous ? Que pensez-vous de ces affirmations ? De laquelle êtes-vous le/la plus proche ? Pourquoi ? Discutez-en.**

▶ *Être professeur, c'est aussi...*

DE L'ÉCOLE AU TRAVAIL

Illustration parue dans *Le Monde* du 29 juin 1997.

Au sujet des 35 heures

1. **Observez le dessin de Plantu et décrivez-le.**
   1. À votre avis, qui représente-t-il (type de fonction, de statut) ? Pourquoi ?
   2. Quel est le thème de ce dessin ?

2. **Observez les personnes qui sont à l'entrée du bureau.**
   1. Complétez les phrases.
      a. Au premier plan, il y a…
      b. Les autres catégories socio-professionnelles sont les…
   2. Mettez en relation les individus avec des « dossiers » *(augmentation de salaire…)* : listez tous les thèmes de dossiers possibles.
   3. Pourquoi le personnage assis au bureau ne peut-il répondre à tout le monde ?

▸ **Au fait !** Il s'agit de **Lionel Jospin**, Premier ministre de 1997 à 2002.

Les salariés du secteur privé concernés par la réduction du temps de travail à 35 heures par semaine se disent ⁵ généralement satisfaits des conséquences sur leur vie personnelle. Les principales contreparties mentionnées sont : une ¹⁰ surcharge de travail pendant la journée (12 %) ; une organisation plus compliquée du travail (10 %) ; plus ¹⁵ de stress (8 %) ; un réaménagement des horaires (5 %) ; le gel des salaires (4 %). Au total, 81 % des ²⁰ personnes interrogées ont cité des conséquences positives, 48 % des conséquences négatives et ²⁵ 13 % aucune conséquence.

D'après le ministère de l'Emploi et de la Solidarité, Sofres, septembre 1999.

3. **Lisez le texte ci-contre du ministère de l'Emploi et de la Solidarité.**
   1. Identifiez le type de texte.
   2. Dites si les affirmations suivantes sont vraies ou fausses.
      a. Les salariés sont plutôt contents de l'effet des 35 heures sur leur quotidien.
      b. La majorité éprouve des difficultés à organiser leur journée.
      c. Certains souffrent d'une surcharge de travail.
      d. La plupart regrettent le gel des salaires.
   3. Résumez.
      81 % des personnes sont… ; 48 %… ; 13 %…
   4. Faites des hypothèses sur les conséquences positives, sur les conséquences négatives et sur les raisons de l'absence de conséquences des 35 heures pour certains.

Unité 5

LE TEMPS DES LOISIRS

Comptez 1 600 heures de travail par an. Soit 35 heures par semaine. C'est le régime auquel sont soumis, depuis le 1er janvier 2000, les salariés des entreprises françaises de plus de 20 personnes. C'est désormais le tour des employés des petites sociétés – sauf heures supplémentaires. À la fin de 1999, les premiers passaient encore, en moyenne, 1 715 heures annuelles au bureau ou à l'usine, et les seconds, 1 780. Certains privilégiés, grâce à la loi Robien de 1996 ou à la première loi Aubry de 1998, vivaient déjà au rythme de la RTT, la réduction du temps de travail. Eux travaillaient environ 1 642 heures par an. Depuis 1982 et le passage à la semaine de 39 heures, conjuguée à la cinquième semaine de congés payés, le temps consacré au boulot avait peu bougé. Les 35 heures, dont 7,4 millions de salariés goûtent déjà les charmes, ont donc marqué une nouvelle étape dans la baisse constante et ininterrompue de la durée de travail, amorcée à la fin du XIXe siècle.

L'affaire est entendue. Les Français travaillent de moins en moins. Et ils ne sont pas les seuls. Nos voisins européens suivent le mouvement, chacun à son rythme et à sa manière, dictée par la loi – comme de ce côté du Rhin – ou négocié avec les syndicats – de l'autre. Les Britanniques bûchent plus que nous, les Allemands, nettement moins. Aux États-Unis, en revanche, la semaine de travail a tendance à jouer les prolongations, passant de 43 à 47 heures ces vingt dernières années. Une exception parmi les pays industrialisés, Japon compris.

L'Express, 3 janvier 2002.

(4) **Lisez cet article.**
1 Dites si les affirmations suivantes sont vraies ou fausses.
   a L'article parle des loisirs.
   b Le 1er janvier 2000, les 35 heures concernaient déjà tous les salariés.
2 Répondez aux questions.
   a Que signifie RTT ?
   b Combien d'employés bénéficient déjà des 35 heures ?
   c Qui a décidé des 35 heures ?
   d Qu'ont obtenu les salariés au début des années 80 ?
   e D'après l'article, où travaille-t-on le moins en Europe ?
   f Où travaille-t-on de plus en plus, parmi les pays industrialisés ?
3 Comparez la situation actuelle du travail en France avec celle de votre pays.

(5) **Complétez ce tableau en indiquant le nombre d'heures annuelles travaillées.**

	+ de 20 salariés	Petites sociétés	Sous la loi Robien
Avant 2000	…	…	…

(6) **Soyez un(e) pro* du lexique.**
1 Cherchez dans le texte un synonyme de *travail* et un synonyme de *travailler*, dans un registre plus familier.
2 Proposez un équivalent à : certains salariés *goûtent déjà les charmes des 35 heures*.

* Un(e) professionnel(le) *(familier)*.

Débats

(7) **Réagissez et comparez vos opinions.**
En France, les 35 heures correspondent à une loi. Elles sont donc imposées et obligatoires.
Que pensez-vous d'une telle mesure ? L'État doit-il décider d'un nombre d'heures maximal de travail ? Qu'en est-il dans votre pays ?
Préparez un exposé sur l'organisation du temps de travail dans votre pays.

Écrit

(8) **Rédigez, pour une revue de votre pays, un article résumant l'état de la RTT en France. Mentionnez les statistiques dont vous disposez, les conséquences sur le quotidien (voir aussi unité 1 p. 12-13).**
Donnez votre point de vue et argumentez.

DE L'ÉCOLE AU TRAVAIL

Les disparités dans le monde du travail

① **Prenez connaissance du document ci-dessous.**

1 Complétez les schémas suivants en bas de page.
2 Quels sont les chiffres qui vous étonnent le plus ? Pourquoi ?
3 Faites des hypothèses sur les raisons de telles inégalités (au niveau du chômage, des salaires, du temps partiel et des carrières).

EMPLOI, SALAIRES, CARRIÈRES : DES INÉGALITÉS PERSISTANTES

▶ **Chômage.** Le taux de chômage des femmes est de 10,7 % contre 7,1 % pour les hommes. Le taux d'activité des femmes de 25 à 49 ans est passé de 41,5 % en 1962 à 80 % en 2002. Il varie avec le nombre d'enfants. De
5 même, le fait d'avoir des enfants pour une femme est corrélé avec un taux de chômage plus élevé.

▶ **Salaires.** Dans le secteur privé, l'écart de salaire net moyen entre hommes et femmes est de 20 % en 2000. Dans la fonction publique, les différences de salaire
10 sont, en moyenne, un peu moins fortes : 14 %. Plus les salaires sont élevés, plus les écarts s'accroissent : les ouvrières gagnent 19 % de moins que les ouvriers ; les femmes cadres, 24 % de moins que leurs confrères.

▶ **Temps partiel.** 85 % des salariés à temps partiel sont
15 des femmes. 27,1 % des femmes travaillent à temps partiel, contre 4,7 % des hommes. 8,5 % des femmes occupant un emploi à temps partiel souhaiteraient travailler davantage, quand seulement 2 % des hommes se trouvent dans cette même situation.

20 ▶ **Carrière.** L'accès aux responsabilités progresse, mais avec une belle lenteur. Dans les entreprises du secteur privé, les femmes constituent 24 % de l'encadrement, contre 19 % il y a dix ans. Dans la fonction publique, où les femmes sont majoritaires (55 %), ces dernières n'oc-
25 cupent toujours que 14 % des emplois de direction et d'inspection.

D'après l'Insee et la Dares, mars 2002.

« LA FEMME EST HOMME »

Affirmée dans les principes, l'égalité (hommes-femmes) tarde à entrer dans les faits. Mieux même : à mesure qu'elle progresse dans la vie politique ou dans la vie professionnelle, de nouvelles formes
5 d'inégalité apparaissent, qui maintiennent des ségrégations sournoises.

La grande révolution du XXe siècle est d'avoir mis fin, du moins en théorie, à ce que les sociologues appellent la « complémentarité inégalitaire des sexes ».
10 Complémentarité : aux femmes la sphère domestique, celle de la famille, de l'enfant ; [...] aux hommes la sphère publique, celle de la politique, de la science, de la guerre. [...] Inégalitaire : entre ces deux domaines une hiérarchie est établie, qui reconnaît aux tâches
15 « masculines » la prééminence sur les tâches « féminines ».

C'est ce modèle qui a explosé, dans les années soixante, lorsque les femmes ont investi les sphères jusque-là réservées aux hommes. La vie professionnelle d'abord : l'emploi féminin a progressé [...] « à la
20 manière d'une lame de fond », sans que la crise économique arrête ce mouvement, de sorte qu'en France, en 1996, les femmes représentaient 45,5 % de la population active. La vie politique ensuite : la nomination d'une femme au poste de Premier ministre en 1991 a

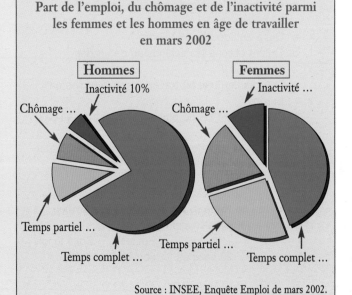

Part de l'emploi, du chômage et de l'inactivité parmi les femmes et les hommes en âge de travailler en mars 2002

Hommes — Inactivité 10% — Chômage ... — Temps partiel ... — Temps complet ...

Femmes — Inactivité ... — Chômage ... — Temps partiel ... — Temps complet ...

Source : INSEE, Enquête Emploi de mars 2002.

soixante-huit

Unité 5

25 marqué le couronnement d'une évolution commencée,
en 1944, avec le droit de vote féminin et continuée,
dans les années soixante, par l'entrée de nombreuses
femmes en politique.

En pratique, ce nouveau modèle de mixité a toute-
30 fois trouvé ses limites : la promotion des femmes s'est
heurtée à de vives résistances, qui ont entraîné la per-
sistance d'inacceptables discriminations. Dans la vie
politique, la proportion de femmes occupant des
postes de responsabilité demeure faible. Dans la vie
35 professionnelle, les écarts de salaires, le poids du chômage ou de la précarité, entre autres, sont toujours au
désavantage des femmes. C'est pourquoi il importait
de relancer le mouvement pour surmonter ces obstacles.

40 Ce fut fait [...] dans le domaine politique, avec la loi
sur la parité, [et] dans le domaine du travail [avec] le
texte sur l'égalité professionnelle. L'égale participation
des femmes à la vie de l'entreprise comme à celle des
institutions politiques, pour évidente qu'elle paraisse à
45 beaucoup, est encore une idée neuve : aussi l'effort ne
doit-il pas se relâcher afin que se vérifie la célèbre formule de Rousseau dans *Émile* : « En tout ce qui ne
tient pas au sexe, la femme est homme. »

Le Monde, 8 mars 2000, éditorial.

② **Lisez l'éditorial du journal *Le Monde* ci-contre.**
1 Retrouvez dans le texte les inégalités professionnelles
hommes-femmes correspondant au texte *Emploi,
salaires, carrières : des inégalités persistantes.*
2 Répondez aux questions.
   a Quel est le second domaine où les inégalités
      continuent ? Comment se traduisent-elles ?
   b Pour chacun de ces deux domaines, comment
      le législateur a-t-il réagi ?
   c Quand les femmes ont-elles obtenu le droit de
      vote en France ? Comparez avec votre pays.
3 Expliquez la formule de Rousseau : *En tout ce qui
ne tient pas au sexe, la femme est homme.*

③ **Associez les équivalents.**
1 Progresser à la manière d'une lame de fond.	a Être insuffisant.
2 Marquer le couronnement de.	b Évoluer très rapidement.
3 Trouver ses limites.	c Vaincre les difficultés.
4 Relancer le mouvement.	d Achever, rendre complet, rendre parfait.
5 Surmonter les obstacles.	e Poursuivre avec insistance.

Philippe témoigne...

④ **Écoutez une première fois le témoignage de
Philippe, puis dites si les affirmations suivantes
sont vraies ou fausses.**
1 Philippe a trente-deux ans. Il a un travail stable.
2 Il est marié.
3 Il a fait des études supérieures.
4 Il est satisfait de sa situation professionnelle.

⑤ **Vous allez écouter à nouveau le document
sonore. Voici ce que vous devrez identifier.**
1 Philippe a un contrat de travail. De quel type est ce
contrat ? Dans quel secteur Philippe travaille-t-il ?
2 Depuis combien de temps travaille-t-il dans ces
conditions ? Quels étaient pour lui les avantages ?
3 Quels types de problèmes sa situation crée-t-elle ?
4 Dans ces conditions et d'un point de vue très
personnel, qu'est-ce qui est le plus difficile ?

Débats

⑥ **Réagissez et comparez vos opinions.**
Connaissez-vous des couples où la femme gagne
mieux sa vie que l'homme ? Qu'en est-il dans votre
pays ? Personnellement, une telle situation vous
poserait-elle des problèmes ? Lesquels ?

Grammaire

1 **Attitudes de collégiens.**

Lisez ces phrases et utilisez-les pour compléter les exemples du tableau ci-dessous puis proposez une autre formulation.

1 Ne révisez pas les maths en écoutant de la musique techno !

2 Elle arrive toujours au lycée en chantant.

3 En travaillant plus régulièrement ta physique, tu n'aurais pas eu cette note catastrophique.

4 En sortant tous les soirs, vous ne serez pas en forme pour réviser.

Exprimer le temps, la cause, la manière ou l'hypothèse à l'aide du gérondif

• Le temps

*Ne révisez pas les maths **en écoutant** de la musique techno.*

→ *Ne révisez pas les maths pendant que vous écoutez de la musique techno.*

• La cause ... → ...

• La manière ... → ...

• Une hypothèse ... → ...

Le gérondif est une forme invariable du verbe : *en* + radical de la 1re personne du pluriel au présent + *ant*. **En écout*ant***.

Exceptions : **en étant** *(être)*, **en ayant** *(avoir)*,
en sachant *(savoir)*.

Le gérondif sert à donner une précision sur l'action principale (à la manière d'un adverbe).

! Il faut un même sujet pour les deux actions.

---

2 **Potins de bureau.**

Reformulez ces phrases. Utilisez le gérondif.

GUY : Si Antonin avait fait plus d'économies, il aurait pu s'installer en province.

CHARLOTTE : En fait, s'il avait un meilleur salaire, il ferait des économies.

GUY : On peut toujours faire des économies...

CHARLOTTE : Mais peut-être que ça ne l'intéresse pas pour le moment ; s'il le veut vraiment, il y parviendra.

GUY : À propos, il est en retard...

CHARLOTTE : S'il était plus ponctuel, il aurait moins de problèmes avec le patron !

---

3 **Comment échouer à son baccalauréat ?**

Continuez comme dans l'exemple.

▶ *En se couchant tard.*
En se faisant renvoyer de son lycée pour des problèmes de discipline.
En séchant* les cours...

* Ne pas aller en cours *(familier)*.

---

4 **Débat à la radio.**

Écoutez le témoignage d'une mère d'élève interviewée lors d'une émission-débat sur l'orientation scolaire.

Choisissez la bonne réponse. ....

1 À la fin de l'année dernière, le conseil de classe voulait :

  a renvoyer son fils ;

  b l'inscrire dans la classe supérieure ;

  c le faire redoubler.

2 Actuellement, son fils :

  a est en 4e ;

  b est en 3e ;

  c redouble la 4e.

3 Maintenant, son fils est :

  a dans un établissement privé hors contrat ;

  b dans un établissement public ;

  c dans un établissement privé sous contrat.

4 Actuellement, son fils :

  a a de mauvais résultats scolaires ;

  b a de bons résultats scolaires ;

  c a quitté l'école.

---

5 **Faites appel à votre mémoire.**

Retrouvez les paroles exactes de la mère de l'élève.

Associez les débuts et les fins de phrases.

1 ... on l'a inscrit dans une école privée hors contrat.

2 ... mon fils est métamorphosé.

3 Nous avons persévéré...

4 ... il s'est senti bien.

  a Dès qu'il a mis le pied dans cette école...

  b Avant même que le conseil de classe se prononce...

  c Depuis qu'il fréquente cet établissement...

  d jusqu'à ce que nous ayons trouvé celui qui voulait bien l'accepter.

6 Complétez les tableaux suivants à l'aide des phrases de l'exercice 5, puis trouvez le mode de conjugaison des verbes qui convient.

Exprimer…

• **l'antériorité de l'action principale sur une autre action**

*On l'**a inscrit** dans une école …*

…   *+ avant que +* subjonctif

• **la postériorité de l'action principale sur une autre action**

*Il **a commencé** à obtenir de bons résultats après que ses parents l'**ont changé** d'école.*

…   *+ après que +* indicatif*

• **la simultanéité de l'action principale et d'une autre action**

*Il **dormait** pendant que le professeur **faisait** cours.*

…   *+ pendant que/quand +* …

! Utilisez *avant de +* infinitif*, *après +* infinitif passé si vous avez le même sujet pour les deux actions :
*Réfléchissez **avant de faire** redoubler votre enfant. Prenez la bonne décision **après avoir demandé** conseil auprès de plusieurs professeurs.*

* Par analogie avec a*vant que*, les Français utilisent très fréquemment *après que* suivi du subjonctif, ce qui n'est pas correct d'un point de vue grammatical.

Indiquer…

• **l'origine de l'action principale au moyen d'une autre action**

*Mon fils **est métamorphosé** …*

indicatif   *+ depuis que +* …

• **la limite de l'action principale au moyen d'une autre action**

*Nous **avons persévéré** …*

…   *+* …

• **à quelle occasion s'est produite l'action principale au moyen d'une autre action (nuance de cause/conséquence) immédiate**

*Il s'**est senti** bien* …

…   *+* …

7 Des histoires de travail.
Formez différentes phrases à l'aide des éléments indiqués.

1 J'ai démissionné (avant que, après)…

2 Nous lui avons conseillé un stage de formation (quand, avant de)…

3 Elle obtiendra son CDI (aussitôt que, après)…

4 Ils feront grève (jusqu'à ce que, quand)…

5 Vous devriez contacter l'inspecteur du travail (pendant que, après que, après)…

Point DELF

DELF Unité A3 – Écrit 1

Compréhension et expression écrites
Durée de l'épreuve : quarante-cinq minutes.
Coefficient 1 (noté sur 20).

Objectif : comprendre un document écrit authentique et montrer que vous l'avez compris en répondant, par écrit, à des questions.

Quelques conseils pour l'épreuve

- Organisez votre temps : vous disposez de quarante-cinq minutes.
- Observez le document (titre, sous-titre, chapeau, illustrations…) sans faire une lecture linéaire du texte.
- Dégagez l'idée générale du texte et aidez-vous du titre.

- Lisez la totalité du questionnaire et repérez les endroits où vous pouvez trouver des éléments de réponse.
- Répondez avec des phrases courtes et évitez de recopier le texte.
- Ne donnez pas votre avis.
- Gardez un peu de temps pour vous relire !

Répondez aux questions du texte. Vérifiez vos réponses avec la classe et calculez votre score.

1 Quel est le thème développé par le document ? *(1 point)*
   a Les bouleversements constatés à la suite de l'introduction des TIC dans l'éducation.
   b Les dangers que représentent les TIC dans l'apprentissage.
   c L'impact des TIC sur le savoir.

2 En pédagogie, quels sont les quatre rôles assumés par les TIC ? Relevez un exemple concret pour chacun. *(8 points)*
   a Rôle : …   Exemple : …
   b Rôle : …   Exemple : …
   c Rôle : …   Exemple : …
   d Rôle : …   Exemple : …

3 Quelle est l'opinion de l'auteur sur l'intégration des TIC dans le système éducatif ? Il se montre… *(1 point)*
   a perplexe ;
   b optimiste ;
   c pessimiste.

4 Pourquoi a-t-il cette opinion ? *(1 point)*
   a Les TIC développent une motivation plus importante chez les élèves.
   b Les moyens financiers manquent pour équiper les institutions.
   c Les responsables éducatifs se montrent très réservés.

5 D'après le document, deux de ces affirmations sont exactes. Lesquelles ? *(2 points)*
   Dans l'apprentissage avec les TIC…
   a l'acquisition des connaissances reste la priorité ;
   b on donne une plus grande importance à l'aspect pratique de l'enseignement ;
   c les élèves apprennent plus de choses mais de façon superficielle ;
   d la réalisation de tâches en équipe est favorisée ;
   e le professeur garde sa fonction de transmetteur de savoir ;
   f les élèves participent à l'élaboration des programmes.

6 Jacques Tardif parle d'une transformation radicale du monde scolaire tel que nous le connaissons aujourd'hui. De quelle transformation concrète s'agit-il ? *(3 points)*

7 Pour Jacques Tardif, l'apprentissage aujourd'hui favorise… *(2 points)* (Choisissez deux éléments.)
   a l'égalité des chances ;
   b les rivalités au sein du groupe ;
   c l'intégration sociale ;
   d le développement de chaque élève plus que celui du groupe ;
   e l'esprit de citoyenneté ;
   f la réussite du groupe.

8 Qu'est-ce que les TIC apportent de nouveau à ces deux valeurs ? *(2 points)*

○ **Entretien avec Jacques Tardif,**
professeur à la Faculté d'éducation de l'université de Sherbrooke (Québec, Canada)

En quoi les nouvelles technologies de l'information et de la communication (TIC) peuvent-elles favoriser une autre manière d'apprendre ?

Il me paraît essentiel de distinguer quatre fonctions pouvant être attribuées aux TIC dans les situations d'apprentissage : des outils de production ; des outils de communication ; des outils d'accès à l'information et aux savoirs ; des outils d'archivage.

En référence à la première (outils de production), j'estime que l'intégration des TIC est susceptible de transformer d'une manière radicale les apprentissages par la production de textes, la représentation graphique des données, l'illustration par des dessins ou des séquences vidéographiques, etc.

En tant qu'outils de communication, les TIC permettent d'ouvrir la classe sur le monde. Les élèves ont la possibilité de consulter des personnes expertes sur des problématiques particulières abordées à des fins d'apprentissage. Cette fonction fournit en outre l'occasion d'échanger des informations avec d'autres groupes de personnes, peu importent leur lieu de résidence et leur culture.

Les TIC sont aussi des outils d'accès à l'information et aux savoirs. Elles offrent la possibilité de consulter une multitude de données.

Pour ce qui est de la quatrième fonction (outils d'archivage), les TIC permettent aux élèves de tenir un portfolio, dossier qui rend compte non seulement des apprentissages réalisés, mais aussi de la trajectoire de développement de ces apprentissages.

Pensez-vous que leur intégration peut faire changer la forme scolaire traditionnelle ?

Sur le plan professionnel, je vis avec la certitude qu'une intégration réussie des TIC en milieu scolaire contribuera à ce que, demain, l'école soit très différente. J'estime que certaines « pratiques » deviendront caduques, entre autres les programmes axés sur le développement des connaissances, le travail individuel en permanence et le regroupement stable des élèves en classe sur une longue période de temps.

Les TIC permettent d'établir un rapport pragmatique aux savoirs : les données nécessaires sont au « bout des doigts » et, de plus en plus souvent, elles sont « exemplifiées ». Ce rapport pragmatique affecte déjà le degré de motivation scolaire des jeunes dans les classes d'aujourd'hui, et il les incite à rechercher la fonctionnalité des connaissances que l'on souhaite qu'ils acquièrent. Dans cette logique, et pour d'autres raisons évidemment, les « nouveaux » programmes sont axés sur le développement de compétences. Les informations étant disponibles sur les écrans, le rôle encyclopédique des enseignants est fortement remis en question. Dans l'avenir, les élèves seront invités à travailler d'une manière coopérative et régulière sur des situations complexes, celles-ci étant à la source des apprentissages. Ils ne seront plus réunis dans un regroupement stable sur l'ensemble d'une année, mais variable selon le degré de développement des compétences visées par les programmes et selon les caractéristiques de la situation d'apprentissage.

L'intégration réussie des TIC offre la chance à chaque école de former de réelles communautés d'apprentissage, centrées sur la coopération et l'interdépendance au lieu de la compétition et de l'individualisme.

D'après *Sciences humaines*, mars-mai 2001.

Point DELF

DELF Unité A3 – Écrit 2
Compréhension et expression écrites
Durée de l'épreuve : quarante-cinq minutes.
Coefficient 1 (noté sur 20).

Objectif : rédiger une lettre formelle d'environ 150 mots à partir d'une situation de la vie quotidienne (demande d'informations, lettre de réclamation, lettre de motivation, etc.).

Quelques conseils pour l'épreuve

- Organisez votre temps : vous disposez de quarante-cinq minutes.
- Lisez attentivement la consigne.
- Analysez le document : qui l'a publié ? Pour quelles raisons ? À qui s'adresse-t-il ?
- Organisez vos idées à l'aide d'un plan (introduction, développement, conclusion et formule de politesse).
- Choisissez et respectez dans la lettre le ton et le registre de langue adaptés au destinataire et à la situation.

- Respectez la longueur demandée (150 mots).
- Selon le type de lettre, vous devez être capable de poser des questions de manière précise et variée (lettre de demande d'informations), vous devez savoir vous présenter, vous mettre en valeur et montrer votre intérêt pour convaincre (lettre de motivation), vous devez pouvoir décrire, argumenter, protester et réclamer (lettre de réclamation).
- Très important : mettez-vous à la place du rédacteur.

Vous avez lu cette annonce. Vous êtes intéressé(e) par le programme Euroformations. Vous écrivez à l'adresse indiquée une lettre dans laquelle vous précisez vos formation et expérience actuelles, le domaine de formation professionnelle et linguistique que vous souhaitez ainsi que votre motivation. Vous demandez aussi des informations complémentaires sur cette formation ainsi que les entreprises concernées et les pays de votre choix.

Vos questions doivent être précises et suffisamment développées. Vous présenterez votre lettre dans son intégralité (nom et adresse de l'expéditeur). Elle doit comporter 150 mots.

**Demandeurs d'emploi de 18 à 30 ans,
vous avez besoin d'une expérience
professionnelle et linguistique ?**

Pensez Euroformations – *Stages de 6 à 9 mois
en entreprise dans une autre région d'Europe,
accompagnés d'une formation linguistique.
Tous secteurs d'activité et tous niveaux de
qualification. Bourse de stage ou rémunération.*

Renseignez-vous auprès de :
Euroformations – Tour de Seine – 34, quai de
Grenelle – 75905 Paris CEDEX 15

Culture, cultures

LE FABULEUX DESTIN

Le point de vue de l'intellectuel

ROLAND BARTHES (1915-1980)

Cet écrivain et sémiologue a étudié le signe, les symboles cachés de la vie de tous les jours, ce qui paraît naturel mais qui en fait révèle l'idéologie d'une société.

LE VIN

Le vin est senti par la nation française comme un bien qui lui est propre, au même titre que ses trois cent soixante fromages et sa culture. [...] Cette substance [...] est
5 toujours considérée, par exemple, comme le plus efficace des désaltérants, ou du moins la soif sert de premier alibi à sa consommation (« il fait soif »). [...]

Mais ce qu'il y a de particulier à la France, c'est que le pouvoir de conversion du vin n'est jamais donné
10 ouvertement comme une fin : d'autres pays boivent pour se saouler, et cela est dit par tous : en France, l'ivresse est conséquence, jamais finalité…

Un diplôme de bonne intégration est décerné à qui pratique le vin : savoir boire est une technique nationale
15 qui sert à qualifier le Français, à prouver à la fois son pouvoir de performance, son contrôle et sa sociabilité. [...]

Le vin [...] orne les cérémoniaux les plus menus de la vie quotidienne française, du casse-croûte (le gros rouge, le camembert) au festin, de la conversation de bistrot au
20 discours de banquet. [...]

LE BIFTECK ET LES FRITES

Le bifteck participe à la même mythologie sanguine que le vin. C'est le cœur de la viande, c'est la viande à l'état pur, et quiconque en prend s'assimile à la force taurine. Manger
25 le bifteck saignant représente donc à la fois une nature et une morale. [...] Comme le vin, le bifteck est, en France, élément de base [...] ; il figure dans tous les décors de la vie alimentaire : plat, bordé de jaune [...], dans les restaurants bon marché ; épais, juteux, dans les bistrots spécialisés ;
30 cubique, le cœur tout humecté sous une légère croûte carbonisée, dans la haute cuisine ; il participe à tous les rythmes, au confortable repas bourgeois et au casse-croûte bohème du célibataire ; c'est la nourriture à la fois expéditive et dense [...], c'est une nourriture qui joint,
35 pense-t-on, la succulence à la simplicité. [...] Associé

communément aux frites, le bifteck leur transmet son lustre national : la frite est nostalgique et patriotique comme le bifteck.

CUISINE ORNEMENTALE

40 Le journal *Elle* (véritable trésor mythologique) nous donne à peu près chaque semaine une belle photographie en couleurs d'un plat monté : perdreaux dorés piqués de cerises, chaud-froid de poulet rosâtre, timbale d'écrevisses ceinturée de
45 carapaces rouges, charlotte crémeuse enjolivée de dessins de fruits
50 confits, génoises multicolores, etc. [...]

Dans cette cuisine, la catégorie
55 substantielle qui domine, c'est le nappé : on s'ingénie
60 visiblement à glacer les surfaces, à les arrondir, à enfouir
65 l'aliment sous le sédiment lisse des sauces, des crèmes,
70 des fondants et des gelées.

AIGUILLETTES DE VOLAILLE ET LÉGUMES CROQUANTS

la recette d'Alain Ducasse

Roland Barthes, *Mythologies*, © éd. du Seuil, 1957.

---

① **Lisez le chapeau. Puis dites qui était Roland Barthes, dans quelle discipline il travaillait et en quoi elle consistait.**

② **Lisez les sous-titres du texte et dites quels symboles sont abordés.**

Débats

③ **En groupes, discutez et comparez vos opinions.**
1 Les symboles choisis par l'auteur vous paraissent-ils représentatifs de la culture française ?
2 Quels autres symboles français connaissez-vous ? À quoi sont-ils associés (art de vivre, art, culture…) ?

DES SYMBOLES

④ **Lisez l'extrait sur le vin.**
  1 À quels autres produits français le vin est-il associé ?
  2 À quelle occasion les Français en boivent-ils ?
  3 Que représente le vin pour eux?

⑤ **Lisez à nouveau l'extrait sur le vin.**
  1 Complétez la phrase.
    Devenir français, c'est…
  2 Relevez tous les mots en relation avec la thématique du vin.
  ▶ *Substance…*

⑥ **Lisez l'extrait sur le bifteck et les frites.**
  1 Que représente le bifteck ?
  2 Où peut-on en manger et comment y est-il servi ?
  3 À quel aliment est-il associé ?
  4 Comment qualifieriez-vous ce plat ?

Le point de vue du poète

⑫ **Lisez ces deux extraits de textes écrits par Baudelaire.**
  1 Indiquez pour chaque énoncé suivant les extraits concernés. Que dit Baudelaire pour :
    a faire parler le vin ?
    b comparer le vin à l'homme ?
    c donner un conseil ? Lequel ?
    d donner une représentation positive du vin ?
    e donner une représentation négative du vin ?
  2 Complétez la phrase.
    Le vin peut servir à…

Débats

⑬ **En groupes, discutez et comparez vos opinions.**
  1 Que pensez-vous de la manière dont les Français dégustent le vin ?
  2 Que représente le vin dans votre culture ?

Au fait ! Baudelaire a habité 19 quai Voltaire, de 1856 à 1858. Pourquoi le quai porte-t-il le nom de **Voltaire** et qui était-il ? Victor Hugo disait de Voltaire : « Une plume. Avec cette arme il a combattu, avec cette arme il a vaincu. » (30 mai 1878)

☞ **RENCONTREZ VOLTAIRE** p. 78

⑦ **Relevez tous les mots en relation avec la thématique du bifteck.**
  ▶ *Viande…*

⑧ **Lisez l'extrait sur la cuisine ornementale.**
  D'après vous, qu'est-ce que la cuisine ornementale ? À quelle cuisine s'oppose-t-elle ?

⑨ **Relevez les mots qui font référence à la cuisine ornementale (*un plat monté…*) et ceux qui correspondent aux différentes opérations en cuisine (*dorés…*).**

Débats

⑩ **En groupes, discutez et comparez vos opinions.**
  1 Que pensez-vous de la cuisine ornementale ?
  2 Quelle est la principale différence entre la cuisine de votre pays et la cuisine française ?

Écrit

⑪ **En groupes, à la manière de Roland Barthes, rédigez un texte à propos d'un symbole de votre culture.**

Charles Baudelaire (1821-1867)
Révolté contre sa famille bourgeoise, qu'il scandalisait par sa vie de bohème, il sentit très tôt un certain dégoût pour le monde contemporain. Le « spleen » poussa le poète à rechercher l'évasion sous toutes ses formes.

Profondes joies du vin, qui ne vous a connues ? Quiconque a eu un remords à apaiser, un souvenir à évoquer, une douleur à noyer, un château en Espagne à bâtir, tous enfin vous ont invoqué, dieu mystérieux caché dans les fibres de la vigne. […] Le vin est semblable à l'homme : on ne saura jamais jusqu'à quel point on peut l'estimer et le mépriser, l'aimer ou le haïr, ni de combien d'actions sublimes ou de forfaits monstrueux il est capable. Ne soyons donc pas plus cruels envers lui qu'envers nous-mêmes, et traitons-le comme notre égal.

Baudelaire, « Du vin et du haschisch, comparés comme moyens de multiplication de l'individualité » (1851).

Un soir, l'âme du vin chantait dans les bouteilles :
« Homme, vers toi je pousse, ô cher déshérité,
Sous ma prison de verre et mes cires vermeilles,
Un chant plein de lumière et de fraternité ! »

« L'âme du vin », vers 1 à 4, *Les Fleurs du mal* (1861).

LE BONHEUR EST À

Un peu de philosophie

François Marie AROUET dit VOLTAIRE (1694-1778)

Né à Paris d'une famille bourgeoise. D'abord connu comme poète mondain, il écrivit des tragédies, des lettres philosophiques, des contes philosophiques, des pamphlets antireligieux. Il est mort à l'hôtel de Villette, au n° 27 du quai qui porte son nom depuis 1791.

Ma fille, disait la Raison à la Vérité, voici, je crois, notre règne qui pourrait bien commencer à advenir après notre longue prison. Il faut que quelques-uns des prophètes qui sont venus nous visiter dans notre puits aient été bien puis-
5 sants en paroles et en œuvres pour changer ainsi la face de la terre. Vous voyez que tout vient tard : il fallait passer par les ténèbres de l'ignorance et du mensonge avant de rentrer dans votre palais de lumière, dont vous avez été chassée avec moi pendant tant de siècles. Il nous arrivera ce qui est arrivé
10 à la Nature ; elle a été couverte d'un méchant voile, et toute défigurée pendant des siècles innombrables. À la fin il est venu un Galilée, un Copernic, un Newton, qui l'ont montrée presque nue, et qui en ont rendu les hommes amoureux.

Voltaire, « Éloge historique de la raison », *Romans et Contes* (1775).

① **D'après les informations biographiques données dans le chapeau, dans quelle catégorie d'écrit classeriez-vous cet extrait ?**

② **Lisez le texte.**
   1 Qui parle à qui ?
   2 Où se trouvaient ces « personnages » auparavant ?
   3 Que leur est-il arrivé ? Grâce à qui, à quoi ?
   4 Pourquoi les hommes peuvent-ils être, enfin, amoureux de la nature ?

③ **Relevez dans le texte ce qui se rapporte aux lumières (au savoir, au progrès) et à l'obscurantisme (à l'ignorance).**

Débats

④ **En groupes, réfléchissez à ces questions puis comparez.**
   1 Y a-t-il pour vous d'autres valeurs se rapportant à la raison et à la vérité ? Lesquelles ?
   2 Le mensonge est le contraire de la vérité. Quels sont les contraires possibles de la raison ?

Bohème

⑤ **Indiquez sur le plan comment se rendre du quai Voltaire au cœur du quartier de Saint-Germain-des-Prés (les Deux Magots).**

⑥ **Lisez le texte ci-contre.**
Justifiez le nom de l'hôtel la Louisiane et relevez toutes les précisions concernant ses différents occupants. Puis expliquez les trois mots soulignés dans le texte.

⑦ **Relevez des informations décrivant l'ambiance du quartier dans les années cinquante.**

La Bohème

chambres n° 10 et n° 76 de la Louisiane, 130 euros environ
60, rue de Seine, Paris 6ᵉ, 01 44 32 17 17

L'établissement fut fondé par un colonel des cuirassiers de Napoléon qui, après s'être battu à Waterloo, est parti faire fortune en… Louisiane. À son retour, ému du sort des anciens soldats, nombreux à dormir dans la rue, il ouvre une pension pour leur offrir un toit. C'est le grand-père de l'actuel propriétaire qui racheta l'immeuble pour le transformer en hôtel ! Il fut squatté par des existentialistes, écrivains de tous horizons et musiciens de jazz. Et la chambre n° 10 a toujours eu la cote. Parce qu'elle est située à deux pas du Flore (point de ralliement des zazous[1]), ronde, qu'elle donne sur le pittoresque carrefour rue de Seine/rue de Buci et que, dans les années 50, elle était la seule à posséder une baignoire ! Sartre s'y est enfermé pour écrire *La Nausée* ; Juliette Gréco lui a succédé, occupant la chambre pendant des années avec ses différents amours, surtout Miles Davis, qui partageait aussi la 76 avec ses musiciens. Quelle ambiance ! Ils faisaient la fête tout le temps, dînaient à six heures du matin au Petit-Zinc, aujourd'hui l'Arbuci. La Louisiane était alors le repaire des jazzmen lorsqu'ils se produisaient à Paris. Tout ce petit monde des arts se côtoyait dans une ambiance extraordinaire. *« Les musiciens répétaient dans leur chambre ou au balcon ; leurs bœufs[2] résonnaient dans la cour et sur la rue,* se souvient le gérant alors enfant. *Aujourd'hui, beaucoup de jazzmen continuent de descendre à la Louisiane quand ils donnent des concerts à Paris, peut-être par tradition. Je me demande souvent si l'hôtel aurait connu le même destin s'il s'était appelé le Bourgogne… »*

Carole Lefrançois, « Chambres de rêve », *Télérama* n° 2718, 16 février 2002.

1. Jeunes gens qui se distinguaient par leur passion du jazz et par leur élégance. 2. Improvisations musicales.

⑧ **À l'aide du plan, indiquez où se situe l'hôtel la Louisiane et repérez l'emplacement du Flore.**

Écrit

⑨ **Nous sommes en 1956. C'est l'été. Vous venez de passer une nuit à la Louisiane, chambre n° 10. Racontez.**

Au grand café

⑩ **Écoutez la chanson de Charles Trenet.** ....
Dites si les affirmations suivantes sont vraies ou fausses.
1 Il s'agit d'un jeune homme.
2 La personne avait rendez-vous au café.
3 La personne s'y est beaucoup amusée.
4 Elle n'avait pas d'argent pour payer l'addition.

⑪ **Écoutez à nouveau la chanson. En groupes, complétez ce résumé de l'histoire.** ....
Un homme est entré au Grand Café par … (1). Il s'est installé devant la grande… (2). Il était … (3) et bien … (4). Il a fait beaucoup d' … (5). Comme on croyait qu'il était … (6), il a raconté des … (7) d'un ton blagueur. Soudain, on lui … (8) l'addition mais le jeune homme a déclaré : « Moi, j'ai pas un … (9). » Depuis … (10) ans, c'est lui le chasseur, le … (11) de restaurant. Il y travaille pour payer cette soirée … (12). La morale de cette histoire : il aurait mieux fait de … (13) ailleurs.

⑫ **Lisez la transcription de la chanson p. 172 et relevez les verbes qui assurent la progression du récit (présent, passé composé, passé simple) et les verbes qui enrichissent le récit (imparfait, plus-que-parfait). Puis classez-les à la manière de l'exercice 2, partie 3, p. 84.**

☞ CONNAÎTRE ET RECONNAÎTRE p. 84-85

Au fait ! Un grand écrivain français habita au 30 rue du Dragon, à Saint-Germain-des-Prés.

☞ RENCONTREZ VICTOR HUGO p. 80

LIBERTÉ

Un haut lieu hugolien. Jeune écrivain, Victor Hugo mena une vie de bohème au 30 rue du Dragon à Paris.

Victor Hugo (1802-1885)

Biographie

En mars 1822, Victor prend son indépendance ! Le jeune écrivain emménage au 30, rue du Dragon, sous les combles[1], au 4e étage, et vit avec à
5 peine 800 francs (122 euros environ) par an (à l'époque, on se nourrissait avec 1 franc par jour). Lorsqu'il dépeint la jeunesse indigente[2] de Marius dans *Les Misérables*, il s'inspire
10 directement de sa vie chaotique rue du Dragon. Comme Marius, Victor Hugo ne disposait que de deux costumes : l'un noir et usé, pour mettre tous les jours ; l'autre neuf, bleu
15 vif à boutons d'or pour les grandes occasions : « Il n'avait que trois chemises. […] Elles étaient habituellement déchirées, ce qui lui faisait boutonner son habit jusqu'au
20 menton. » *(Les Misérables)*

Carole Lefrançois, « Sur les pas de Victor Hugo, le piéton de Paris », *Télérama* n° 2719, 23 février 2002.

1. Sous les toits.
2. Pauvre.

Vive la liberté !

Mes vers fuiraient, doux et frêles,
Vers votre jardin si beau,
Si mes vers avaient des ailes,
Des ailes comme l'oiseau.

Ils voleraient, étincelles,
Vers votre foyer qui rit,
Si mes vers avaient des ailes,
Des ailes comme l'esprit.

Près de vous, purs et fidèles,
Ils accourraient nuit et jour,
Si mes vers avaient des ailes,
Des ailes comme l'amour.

Victor Hugo, « Mes vers fuiraient »,
Les Contemplations (1856).

---

① **Lisez la biographie de Victor Hugo et dites à quel âge il a quitté la maison familiale.**

② **Trouvez deux informations qui montrent la vie modeste que menait Hugo.**

Écrit

③ **Victor Hugo était un poète, un écrivain engagé dans la politique. Rédigez un court texte pour commenter cette phrase de Hugo et donner votre opinion :** *Tout ce qui augmente la liberté augmente la responsabilité.* **Discutez-en en classe.**

④ **Lisez l'extrait des *Contemplations* ci-contre.**
   1 Identifiez le thème du poème, son destinataire et le nombre (constant) de syllabes de chaque vers.
   2 Et si vous l'appreniez par cœur ?

Vive l'élégance !

YVES SAINT LAURENT

Sa plus belle histoire d'amour, c'est nous !

« Le plus beau vêtement qui puisse habiller une femme, ce sont les bras de l'homme qu'elle aime. Mais pour celles qui n'ont pas eu la chance de trouver ce bonheur, je suis là. » Pour ce tendre éloge du genre féminin, pour quarante années de 5 grâce et de merveilles, pour cette géniale intuition de nos désirs et de nos paradoxes, Yves Saint Laurent occupe à 10 tout jamais une place dans la mode et dans nos cœurs. Grand couturier, il l'est. D'autres le furent ou le sont toujours. Mais 15 aucun n'a su comme lui nous dessiner la liberté.

Chanel avait libéré le corps des femmes, « ce qui m'a permis des 20 années plus tard de leur donner le pouvoir », disait-il le 7 janvier dernier lors de la conférence de presse où il annonçait la fin de sa maison de couture. Il nous a donné le pouvoir d'être plus que belles : confiantes, rassurées, irrésistiblement conquérantes.

25 Dès la fin des années 60, il invente une nouvelle silhouette qui conjugue émancipation de la femme avec émancipation de la mode. Depuis, Yves Saint Laurent nous colle à la peau. On fonce en costume d'homme, on vampe* en smoking, on séduit 30 en blouse transparente, on s'embarque en saharienne, on rit, on pleure toujours sur talons hauts. La règle du jeu ? En découdre avec toutes les conventions bourgeoises dans une explosion créative, brillante et jubilatoire. Sa plus belle intuition ? Avoir su dès les premiers instants qu'aucune femme ne 35 renoncerait à être sexy, qu'aucune conquérante ne piétinerait son désir profond de féminité. La libre séduction, le bonheur de plaire, c'était son manifeste de mode : il nous en a fait cadeau, collection après collection. Le couturier que nous avons tant célé-40 bré dans les pages de ce magazine a donc choisi de se retirer au sommet de sa gloire. Notre belle histoire s'achève et nous 45 sommes tristes. Mais au-delà de cette séparation, reste une certitude que nous lui dédions comme des mots d'amour : On a toutes quelque chose en 50 nous d'Yves Saint Laurent. Pour toujours.

D'après Valérie Toranian dans *Elle*, 14 janvier 2002.

Yves Saint Laurent avec Laetitia Casta, mannequin et comédienne. Elle a été le modèle de la Marianne en 2000.

* Séduit.

---

(5) **Faites correspondre ces trois intitulés avec les trois paragraphes du texte ci-dessus.**
1 Le rideau est tiré.
2 C'est ça le chic de Saint Laurent.
3 Toujours premier et à jamais dans le cœur des femmes.

(6) **Relevez dans le texte tous les mots en relation avec le thème de la mode.**

(7) **Relisez la partie correspondant à la définition du style Saint Laurent et précisez quelles en sont les particularités.**

Au fait ! Saint Laurent aurait-il habillé Emma Bovary ?

☞ RENDEZ-VOUS p. 82 !

Débats

(8) **1 En groupes, réagissez aux propos suivants d'Yves Saint Laurent.**
Le plus beau vêtement qui puisse habiller une femme, ce sont les bras de l'homme qu'elle aime. Mais pour celles qui n'ont pas eu la chance de trouver ce bonheur, je suis là.
2 Dites en quoi la mode peut « libérer » les femmes.

AUX GRANDES FEMMES

Emma Bovary

① **Lisez l'introduction ci-contre et dites quelle affirmation est vraie.**
  1 Mme Bovary est amoureuse de son mari.
  2 Elle est amoureuse d'un autre homme.
  3 Mme Bovary a perdu tout amour.

② **Lisez l'extrait du chapitre XII de *Madame Bovary* et identifiez le type de texte.**
  narratif – argumentatif – descriptif – informatif

③ **Lisez à nouveau l'extrait.**
  1 Relevez trois informations relatives à la description physique de Mme Bovary. Quel temps verbal est utilisé ?
  2 Observez la proposition *l'avaient par gradations développée* (ligne 10) et justifiez l'accord du participe passé : que remplace le pronom *l'* ?

☞ **CONNAÎTRE ET RECONNAÎTRE** p. 84–85

Résumé

Emma Bovary est la fille d'un fermier, éduquée comme une bourgeoise. Pour échapper à l'ennui de la vie rurale, elle épouse Charles Bovary, médecin qu'elle n'aime pas. Quelques années plus tard, elle succombe au charme d'un voisin, Rodolphe.

Jamais Mme Bovary ne fut aussi belle qu'à cette époque ; elle avait cette indéfinissable beauté qui résulte de la joie, de l'enthousiasme, du succès, et qui n'est que l'harmonie du tempérament avec les circonstances. Ses convoitises, ses chagrins, l'expérience du plaisir et ses illusions toujours jeunes, comme font aux fleurs le fumier, la pluie,

④ **Identifiez et classez les différentes parties du corps évoquées et complétez votre liste avec d'autres termes.**

⑤ **Relevez tous les mots appartenant à la thématique des sentiments (*la joie…*). Pouvez-vous trouver d'autres sentiments provoqués par l'état amoureux ?**

Marianne

⑥ **Observez le tableau de Delacroix et décrivez-le. Quels commentaires vous suggère-t-il ?**

Écrit

⑦ **Remontez le temps et imaginez. Aidez-vous de la légende ci-dessous.**
  Vous y étiez, racontez cette soirée-là. Décrivez le décor, la situation, les gens, les actions antérieures, et expliquez ce qui s'est passé pour qu'il y ait une telle effervescence.

Le 10 août 1792, le peuple parisien se soulève contre le roi et sa famille. Le portrait du roi symbole de la France est remplacé par une femme à l'allure guerrière vêtue à l'antique, debout, tenant de la main droite une pique, surmontée du bonnet phrygien ou bonnet de la liberté.
Cette guerrière s'appelle Marianne et représente donc la République, notion relativement abstraite, contrairement à la monarchie représentée, elle, par le portrait du roi.

10 les vents et le soleil, l'avaient par gradations développée, et elle s'épanouissait enfin dans la plénitude de sa nature. Ses paupières semblaient taillées tout exprès pour ses longs regards amoureux où la prunelle se perdait, tandis qu'un souffle fort écartait ses narines minces et relevait le coin
15 charnu de ses lèvres, qu'ombrageait à la lumière un peu de duvet noir. On eût dit[1] qu'un artiste habile en corruptions avait disposé sur sa nuque la torsade de ses cheveux : ils s'enroulaient en une masse lourde, négligemment, et selon les hasards de l'adultère[2], qui les dénouait tous les jours. Sa
20 voix prenait maintenant des inflexions plus molles, sa taille aussi ; quelque chose de subtil qui vous pénétrait se dégageait même des draperies de sa robe et de la cambrure de son pied. Charles, comme aux premiers temps de son mariage, la trouvait délicieuse et tout irrésistible.

Gustave Flaubert (1821-1880), *Madame Bovary* (1856), chapitre XII.

1. Forme ancienne du conditionnel passé (on aurait dit).
2. L'infidélité.

Camille Claudel (1864-1943)

⑧ **Lisez le texte ci-contre et identifiez le type d'écrit.**

⑨ **Répondez aux questions.**
   1 Qui était Camille Claudel ?
   2 Que faisait-elle ?
   3 De qui a-t-elle été la maîtresse ? Pendant combien de temps ?
   4 Pourquoi l'a-t-elle quitté ?
   5 Où a-t-elle fini sa vie ?

Ce qui aurait pu n'être qu'un passe-temps d'une jeune fille bourgeoise allait devenir
5 une passion : la sculpture. Nous sommes en 1881 à Paris. Camille allait avoir dix-sept ans. Elle suivit des cours à l'Académie
10 Colarossi, rue de la Grande-Chaumière, et fréquentait assidûment le Louvre, comme le voulait la tradition. L'année suivante,
15 avec plusieurs amies anglaises, elle a loué un atelier au 117 rue Notre-Dame-des-Champs.

Rodin est devenu son
20 nouveau professeur. Son aîné de vingt-quatre ans, Rodin a été vite subjugué par sa jeune élève, et des relations plus intimes se
25 nouent entre eux dès 1883.

L'année d'après, Rodin fait entrer Camille dans son atelier. Elle y a fourni le même travail que les
30 autres praticiens. Petit à petit, elle est devenue une vraie collaboratrice. À partir de 1888, les deux amants ont partagé le
35 même atelier. Camille n'a que vingt-trois ans.

Tout est gâché à partir de 1892. Elle prit alors conscience que Rodin
40 n'abandonnerait jamais Rose Beuret, sa compagne, et décida de s'installer seule. De 1893 à 1905, elle
45 a réalisé son œuvre la plus créatrice. Elle a échappé peu à peu à l'emprise de Rodin, avec lequel elle avait rompu en 1898.

Elle a beaucoup travaillé jusqu'en 1906, où
50 tout se gâte. Son isolement est devenu une réclusion volontaire et son esprit a commencé à se dérégler.
55 Elle détruisit tout ce qu'elle avait créé.

Ne supportant plus ces scandales, la famille la fit interner en 1913. Elle a
60 alors quarante-huit ans – elle passa trente ans dans un asile du sud de la France.

D'après le catalogue de l'exposition Camille Claudel, éd. Musée Rodin 1991.

⑩ **Complétez la biographie de Camille Claudel.**

		Précisions/descriptions	Actions qui font progresser l'histoire
1	En 1881	*elle allait avoir dix-sept ans.*	
2	L'année suivante		*elle a loué un atelier.*
3	Dès 1883		
4	L'année d'après		
5	À partir de 1888		
6	À partir de 1892		*elle prit conscience...*
7	De 1893 à 1905		
8	Jusqu'en 1906		
9	En 1913		

⑪ **Trois temps sont utilisés pour assurer la progression de l'histoire. Lesquels ?**

☞ **CONNAÎTRE ET RECONNAÎTRE** p. 84-85

Grammaire

1 **Quiz culturel.**

1 Testez vos connaissances.

a Lieu de séjour à Saint-Germain-des-Prés ; de nombreuses célébrités s'y sont succédé.

b Victor Hugo les a écrites en 1856.

c Coco Chanel l'avait déjà libéré, les robes d'Yves Saint Laurent l'ont magnifié.

d Après l'avoir goûtée des yeux, vous l'aurez certainement appréciée.

e Hugo l'a vécue au 30 rue du Dragon, à Paris.

f Quand vous l'aurez identifiée, vous saurez qui est la Marianne actuelle.

g Madame Bovary l'a connu dans les bras de Rodolphe.

h Ils se sont rencontrés dans un atelier et ils sont restés plusieurs années ensemble.

i Baudelaire y a habité deux ans.

j Elle a brillé au XVIIIᵉ siècle ; la passion est très éloignée d'elle.

k C'est l'adjectif qui se rapporte à son nom.

l Les vins l'ont inspiré et il en a bu de toutes sortes.

2 Lisez le tableau ci-dessous et complétez-le à l'aide des exemples du quiz ci-dessus.

Les temps composés et l'accord du participe passé

• **Avec l'auxiliaire *avoir* le participe passé ne s'accorde pas**.

Exemple : …

❗ – Le participe passé s'accorde avec le COD s'il est placé avant le verbe.

Exemple : …

– Quand le COD est le pronom *en*, le participe passé est invariable.

Exemple : …

• **Avec l'auxiliaire *être*, le participe passé des quinze verbes de type *(arriver, partir, rester...)* et celui de nombreux verbes de forme pronominale s'accordent avec le sujet.**

Exemple : …

❗ Dans le cas des verbes pronominaux réfléchis ou réciproques, si *se* n'est pas COD, on applique la règle d'accord des verbes conjugués avec *avoir*.

---

2 **Les temps du récit au passé.**

1 Relisez l'extrait suivant sur Camille Claudel.

Elle a beaucoup travaillé jusqu'en 1906, où tout se gâte. Son isolement est devenu une réclusion volontaire et son esprit a commencé à se dérégler. Elle détruisit tout ce qu'elle avait créé.

2 Réécrivez cet extrait en mettant les verbes au présent, puis au passé composé et enfin au passé simple. La partie soulignée ne change pas.

3 Identifiez les temps (présent, passé composé, passé simple) correspondant à chacune des trois définitions du tableau ci-dessous. Complétez le tableau.

Pour assurer la progression du récit : le présent, le passé composé et le passé simple

En lisant le récit…

• On a une impression de dynamisme proche du reportage. ➜ Temps utilisé : …

• On a une impression de déroulement d'un scénario dont toutes les actions convergent vers une même fin. L'ensemble est sans contact avec le moment présent.

➜ Temps utilisé : …

• L'accent est mis sur le résultat de l'action. On a l'impression que l'histoire avance par addition d'actions successives sans finalité véritable.

➜ Temps utilisé : …

Pour enrichir le récit (précisions, circonstances et décor) : l'imparfait et le plus-que-parfait

• **L'imparfait** sert à évoquer une action en cours de réalisation sans prendre en compte son début et sa fin.

*Elle **fréquentait** assidûment le Louvre.*

• Le **plus-que-parfait** est utilisé pour préciser qu'un fait a eu lieu avant un autre fait passé :

*Elle détruisit tout ce qu'elle **avait créé**.*

Formation du passé simple	
Avoir	il/elle/on eut
	ils/elles eurent
Être	il/elle/on fut
	ils/elles furent
Verbe en *-er*	il/elle/on chercha
	ils/elles cherchèrent
Verbe en *-ir/-re*	il/elle/on courut
	ils/elles coururent
	il/elle/on promit
	ils/elles promirent

Quelques outils pour construire une histoire : les marqueurs chronologiques

Les marqueurs chronologiques s'utilisent avec les différents temps du passé.

• Ils peuvent avoir une valeur ponctuelle :
d'abord, ensuite, puis, alors, enfin, l'année suivante, à cette époque.

• Ils peuvent avoir une valeur durative :
longtemps, toujours.

• Ils précisent la fréquence :
une fois, de temps en temps, rarement.

• Ils marquent la promptitude :
tout de suite, tout à coup.

• Ils soulignent l'éloignement dans le temps :
en ce temps-là, autrefois.

③ La fièvre de madame de Rênal.
Remplacez les verbes au passé simple par un passé composé. Pensez aux accords.

Madame de Rênal se crut malade ; une sorte de fièvre l'empêchait de trouver le sommeil ; elle ne vivait que lorsqu'elle avait sous les yeux sa femme de chambre ou Julien. Elle ne pouvait penser qu'à eux et au bonheur qu'ils trouveraient dans leur mariage. […]
Madame de Rênal crut sincèrement qu'elle allait devenir folle ; elle le dit à son mari, et enfin tomba malade. Le soir même, comme sa femme de chambre la servait, elle remarqua que cette fille pleurait. […]
Les larmes d'Élisa redoublèrent ; elle lui dit que si sa maîtresse le lui permettait, elle lui conterait tout son malheur.
– Dites, répondit madame de Rênal.
– Et bien, madame, il me refuse […].
– Qui vous refuse ? dit madame de Rênal respirant à peine.
– Et qui, madame, si ce n'est M. Julien ? répliqua la femme de chambre, en sanglotant.

Stendhal, *Le Rouge et le Noir* (1830).

④ Une biographie.
D'après ces éléments biographiques, rédigez au passé un texte retraçant la vie de Balzac à la manière d'un article de magazine.

1799	Naissance d'Honoré de Balzac, mis en nourrice à Saint-Cyr jusqu'à l'âge de quatre ans (comme cela se faisait dans la bourgeoisie).
1804	Entre en pension à Tours puis au collège.
1814	Suit sa famille à Paris, rue du Temple, fréquente le lycée Charlemagne.
À partir de 1818	Est seul à Paris, veut devenir homme de lettres, écrit, s'installe rue de Tournon.
1824	Édite des livres, possède son imprimerie rue Visconti, ses affaires marchent mal, a beaucoup de dettes.
1829	Fréquente les salons, fait de nombreuses rencontres, publie.
À partir de 1837	Consacré écrivain, mène une vie mondaine et luxueuse, dépense beaucoup, a des dettes, voyage, a des enfants.
1840	S'installe au 47 rue Raynouard, aujourd'hui maison de Balzac.
1848	Les Parisiens se révoltent, nombreuses émeutes.
1850	Épouse Mme Hanska le 14 mars et meurt le 18 août à Paris.

Culture, cultures

Unité 6

DELF Unité A3 – Oral
Compréhension écrite et expression orale
Durée de l'épreuve : quinze minutes.
Temps de préparation : trente minutes.

Coefficient 1 (noté sur 20).
Objectif : présenter et commenter oralement
le contenu d'un document écrit authentique.

Quelques conseils pour l'épreuve
- Organisez votre temps de préparation : vous disposez de trente minutes.
- Numérotez les lignes du document pour vous aider à vous référer au texte lors de la présentation.
- Dégagez l'idée générale du texte et aidez-vous du titre.
- Lisez la totalité du questionnaire et repérez les endroits où vous pouvez trouver des éléments de réponse.
- Organisez clairement vos notes.
- À la présentation, faites comme si l'examinateur ne connaissait pas le document.
- Très important : parlez assez fort, faites attention à la prononciation, à l'intonation et à la qualité de la langue !

Faites une présentation de ce document et de son contenu en vous aidant du questionnaire suivant.
– Quels sont la nature, la fonction, le thème de ce document ?
– Définissez la notion de tourisme de masse.
– En quoi consiste cette autre approche du tourisme proposée par ces voyagistes ?
– En quoi cette approche est-elle différente du tourisme traditionnel ?
– Quels sont les objectifs qui conduisent à choisir ce type de tourisme ?
– Ce thème vous paraît-il intéressant ? Parmi les exemples proposés, lequel vous séduit le plus ? Pourquoi ?
– La situation décrite dans le texte existe-t-elle dans votre pays ? Faites une comparaison avec les pratiques de votre pays.

Une autre approche du tourisme
Vivre un pays au quotidien pour mieux en comprendre les réalités économiques, sociales et culturelles.

Le tourisme de masse et ses grandes migrations banalisent les destinations, gomment les différences, « stéréotypent » et « folklorisent » villes et sites. Autant de voyages en circuit fermé qui favorisent le conformisme et brident la curiosité. Certains voyageurs résistent à cette vague de fond et se montrent plus exigeants.

En quête de lieux préservés et de réels contacts avec la population, ils cherchent à « comprendre » les pays qu'ils découvrent, à les vivre au quotidien. Ils désirent voyager autrement. À leur intention, une poignée de voyagistes proposent des séjours qui, parallèlement à la découverte des sites, mettent l'accent sur les réalités économiques, sociales et culturelles des lieux parcourus.

Pour chaque destination, sont proposées, en liaison avec des ONG (organisations non gouvernementales), des rencontres avec divers acteurs du développement local, artisans, médecins, écrivains, socio-logues, etc. Sur place, les structures d'accueil gérées par les habitants sont privilégiées.

Très présent sur le terrain, *Tourisme et développement solidaires* organise par exemple, au Burkina Faso, des séjours en immersion totale dans des villages d'accueil. Une expérience unique pour vivre l'Afrique au quotidien en participant aux tâches domestiques, aux travaux agricoles, aux cérémonies, aux rites traditionnels et aux discussions nocturnes, en écoutant griots[1] et conteurs. Un cadeau inespéré pour les villageois qui pourront ainsi financer des centres de soins médicaux.

Malgré son nom, *Terre du ciel* ne revendique aucune appartenance religieuse mais privilégie la connaissance approfondie des cultures du monde. Ainsi à Meknès, au Maroc, un séjour « spiritualité, musique et danse » permet d'assister à plusieurs *lilas* (veillées théâtrales rituelles, organisées chez les particuliers). Avec le séjour « corps, tradition et sens », c'est à une plongée dans l'univers quotidien marocain que l'on est convié : fabrication du pain, rituel du thé à la menthe, délices du hammam et préparation du khôl[2].

Dans un registre légèrement différent, *Cosmopolis*, spécialiste du tourisme géopolitique, conjugue visites de sites culturels et rencontres avec des personnalités locales.

Soif de nature préservée ? Cap sur le Kamtchatka, au sud-est de la Sibérie, une région truffée de volcans (200 dont 30 en activité) avec des paysages lunaires et des lacs turquoise nichés dans des cratères. À découvrir en compagnie d'hommes de terrain (anthropologues, vulcanologues, ornithologues) familiers de ce bijou où on se prend facilement pour un explorateur lorsqu'au cœur de la vallée des geysers et de la réserve de Kronotskyi (classée au patrimoine mondial nature de l'Unesco), on croise des nomades, éleveurs de rennes ou chasseurs de phoques.

Elia Amiart dans *Le Monde*, 4 mai 2000.

1. Poètes, musiciens et sorciers en Afrique.
2. Produit de maquillage pour les yeux.

7

Nouvelle donne, nouveaux défis

■ **Contenus
socioculturels**
 – La mondialisation
 – La diversité culturelle
 – La « malbouffe »
 – Les jeunes Européens
et les langues

■ **Objectifs
communicatifs**
 – Rapporter
un discours
 – Mettre l'accent sur
le résultat d'une action
 – Compresser une
information
 – Mettre en relief un
élément du discours
 – Donner son point
de vue

■ **Contenus
linguistiques**
 – Style direct, style
indirect
 – La forme passive
 – La nominalisation
 – *Ce que, ce qui*

Quid de la mondialisation ?

Avant... après

Ce qu'on appelle la mondialisation est un processus qui a rendu les pays de plus en plus dépendants les uns des autres et profondément transformé nos sociétés en quelques dizaines d'années.

■ Avant...

1 Chaque État développe une industrie capable de fabriquer tout ce dont il a besoin, de l'avion à la voiture, de la chaussure à l'acier.

2 Les gens ont l'habitude d'acheter des disques de chansons dans leur langue et d'aller voir des films faits dans leur pays.

3 Les gens se nourrissent comme leurs parents avant eux, selon des habitudes régionales ou nationales très différentes.

4 Chaque État protège les produits fabriqués chez lui par des barrières douanières ; pour entrer, un produit étranger doit payer des droits qui le rendent plus cher que les produits nationaux.

5 Les lois et les règlements sont très différents d'un État à l'autre, chacun développant un système très particulier sans regarder ce qui se fait ailleurs.

6 Les États ont mis en place des lois qui empêchent les entreprises étrangères d'acheter des entreprises chez eux. Elles appartiennent presque toutes à des personnes du pays.

7 Les États possèdent beaucoup de grandes entreprises et interviennent à tout moment dans la vie économique.

8 Les entreprises fabriquent presque tous les produits dans les pays où elles sont basées car le transport coûte cher et les barrières douanières sont dissuasives.

■ Après...

9 Chaque État tente d'aider les quelques industries du pays dont les produits se vendent dans le monde entier (en France, le luxe, l'aéronautique, l'automobile), les autres disparaissent (en France, le textile).

10 Les gens préfèrent acheter des disques internationaux (souvent en anglais) et aller voir des films américains.

11 Les gens se nourrissent souvent de la même façon selon des modes internationales (les gens du Nord boivent plus de bière et moins de vin rouge, les gens du Sud le contraire).

12 Les États ont aboli la plupart les barrières douanières (particulièrement dans les unions douanières comme l'Union européenne) et les produits étrangers peuvent être beaucoup moins chers que les produits nationaux.

13 Les États essaient d'avoir à peu près le même système pour que leur économie soit aussi performante que celle du voisin. Beaucoup de lois et règlements qui protégeaient certaines catégories sont supprimés.

14 Les États ont levé la plupart des obstacles qui empêchent l'achat

① **En deux minutes, dites ce que vous évoque le mot *mondialisation*.**

② **Prenez connaissance du document ci-dessus et dites si les affirmations suivantes sont vraies ou fausses. Corrigez les affirmations fausses.**

Avant...

1 L'État importait systématiquement des produits étrangers.

2 Les traditions culinaires étaient généralement conservées.

3 Les entreprises appartenaient soit à des personnes du pays, soit à des étrangers.

4 Toutes les entreprises étaient privatisées.

Après...

5 Les produits étrangers sont généralement plus chers que les produits nationaux.

6 On assiste souvent à une délocalisation de la production.

7 Dans les différents pays, les lois sont de plus en plus homogènes.

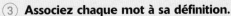

③ **Associez chaque mot à sa définition.**

1 Mondialisation.	**a** Système économique fondé sur la propriété des moyens de production et dont la vocation consiste à libéraliser l'économie.
2 Capitalisme.	**b** Fait d'alléger ou de supprimer une réglementation existante dans un secteur.
3 PIB.	**c** Transfert d'une entreprise vers une autre région ou un autre pays.
4 Spéculation.	**d** Produit intérieur brut (total des biens et des services produits par un pays, quelle que soit la nationalité des producteurs).
5 Délocalisation.	**e** Processus par lequel la production et les échanges tendent à se libérer des contraintes imposées par les frontières et les règles nationales.
6 Déréglementation.	**f** Opération financière qui joue sur les variations de valeur (action, monnaie, etc.) dans l'unique but d'en retirer du profit.

④ **1 En groupes, retrouvez à quelle partie du document appartiennent les titres ci-dessous. Comparez vos propositions avec la classe.**

a Protection des produits nationaux à l'aide de barrières douanières.
b Les entreprises publiques sont privatisées par les États.
c Les barrières douanières sont supprimées.
d Aide à la promotion de certains produits par chaque État.
e Fabrication des produits à l'étranger
f Les modes de consommation s'uniformisent.

2 Relevez, dans les phrases ci-dessus, celles avec un verbe. Quelle est la forme de ces verbes ?

3 Pour les autres phrases, retrouvez les verbes qui ont permis de former les noms (protection – aide – fabrication). **Quel est le but de cette forme de phrase ? Formulez ces phrases d'une autre manière.**

👉 **CONNAÎTRE ET RECONNAÎTRE** p. 96-97

Écrit

⑤ **Vous travaillez pour un magazine et on vous demande de rédiger de courts articles à partir des photos ci-contre. Vous devez trouver un titre à votre article. Comparez vos productions avec la classe.**

d'entreprises nationales par des entreprises étrangères. Une bonne partie des grandes entreprises appartiennent désormais à des grands groupes étrangers.

15 Les États ont vendu la plupart des entreprises qu'ils possédaient (ils les ont privatisées) car ils pensent qu'elles sont plus performantes quand elles sont indépendantes.

16 Beaucoup d'entreprises font fabriquer leurs produits dans des pays lointains (et souvent pauvres) où les salaires sont moins élevés que chez eux. Ils peuvent ainsi vendre leurs produits beaucoup moins cher.

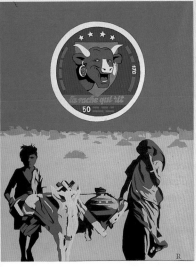

NOUVELLE DONNE, NOUVEAUX DÉFIS

Fast culture

Illustration parue dans *Le Monde* du 29 décembre 2001.

① **Observez le dessin ci-dessus et faites des hypothèses sur :**
   1 le lieu ;
   2 les différents personnages ;
   3 ce que les personnages sont en train de faire.

② **Lisez le texte du dessin et résumez en une phrase le thème du dessin.**

③ **Lisez le document p. 91 et proposez un titre pour ce texte.**

④ **Relevez dans l'article les menaces et les actions mises en œuvre pour assurer la diversité culturelle de chaque pays.**

⑤ 1 **Retrouvez dans le texte les mots qui montrent, d'une part, le côté offensif de la France et de la Corée du Sud (*détermination...*) et, d'autre part, le côté défensif de ces deux pays (*défend...*) face aux dérèglements du marché.**
   2 **Regroupez les mots qui vous paraissent synonymes.**

⑥ **Expliquez ce que signifient les phrases suivantes.**
   1 *Cette nouvelle notion de diversité culturelle est positive et non discriminatoire.*
   2 *On ne saurait assimiler tous ces nouveaux services de communication à de simples marchandises et ainsi ne pas leur apporter le même degré de protection que pour de plus « anciens » services et biens audiovisuels.*

Débats

⑦ **Lisez les questions suivantes. En groupes, répondez et comparez vos opinions.**
   1 Dans votre pays, existe-t-il une politique de défense de la culture nationale ?
   2 Que pensez-vous de la position française concernant la diversité culturelle ?
   3 Récemment, Jean-Marie Messier, P-DG de Vivendi Universal, a prononcé la phrase suivante : *L'exception culturelle franco-française est morte.* Partagez-vous cet avis ?

La France considère que la production culturelle et audiovisuelle de chaque pays mérite d'être encouragée et développée, en particulier face à la
5 tentation d'assimiler les biens culturels à des produits de consommation ordinaires, soumis aux seules règles du marché. La France défend dans toutes les instances internationales, avec détermi-
10 nation, cette notion de diversité culturelle. Cette appellation nouvelle ne marque pas l'abandon de la lutte pour l'« exception culturelle » mais le souci de souligner que la volonté française
15 n'est pas uniquement nationale : elle vise, au contraire, à préserver toutes les cultures du monde. Cette nouvelle notion de diversité culturelle est positive et non discriminatoire.

20 Des dizaines de pays ont adopté une position similaire : ils l'ont fait valoir lors des négociations du GATT[1] en 1993 et à nouveau, en 2000, pour le nouveau cycle de discussions des États
25 membres de l'OMC[2].

La Corée vient de donner un témoignage fort de son attachement à sa culture nationale en rappelant son soutien au cinéma national, grâce au maintien
30 des « screen quotas[3] ».

Ce souci de souveraineté culturelle rejoint celui de la France : aide au cinéma français, quotas de production et de diffusion d'émissions télévisuelles françaises et européennes, quotas en faveur de la chanson d'expression française sur les radios, régulation audiovisuelle, souci de non-convergence réglementaire entre audiovisuel et télécommunications, signalétique antiviolence…

35 La diversité culturelle n'est pas un combat d'arrière-garde, les enjeux sont nombreux et variés, notamment en ce qui concerne les nouveaux médias : satellites et Internet qui sont, le plus souvent, à la marge de nos systèmes de régulation. On ne saurait assimiler tous ces nouveaux services de communication à de simples marchandises et ainsi ne pas leur apporter le même degré de protection que pour de plus « anciens » services et biens audiovisuels.

D'après le site Internet de l'ambassade de France en Corée.

1. Accord général sur les tarifs douaniers et le commerce (General Agreement on Tariffs and Trade).
2. Organisation mondiale du commerce.
3. Quotas de diffusion de films nationaux et internationaux.

JOSÉ BOVÉ À PORTO ALEGRE

Les OGM

Vous avez dit José Bové ?

José Bové, porte-parole d'un syndicat français d'agri-culteurs, la Confédération paysanne, s'insurge contre les OGM et la mondialisation libérale : après la mise à sac du McDonald's de Millau[1], fait qui le rendra célèbre, il com-
5 mence à mettre à exécution sa menace de détruire un par un les essais d'OGM en France en arrachant directement sur les par-celles les produits OGM
10 ou en mélangeant des semences classiques à des semences OGM, ce qui les rend inutilisables. Il participe également à
15 des manifestations dans divers pays, entre autres dans les villes de Seattle (USA), Gênes (Italie) et Porto Alegre[2] (Brésil) où
20 se sont déroulés des forums contre la mondia-lisation et l'usage des OGM.

Vous avez dit OGM ?

Un OGM est défini par la réglementation européenne comme « *un organisme dont le matériel*
5 *génétique a été modifié d'une manière qui ne s'effectue pas naturellement par multipli-cation et/ou par recombinai-son naturelle* ». Il s'agit des
10 techniques de génie géné-tique qui permettent de modifier, de supprimer ou d'introduire certains carac-tères soit pour apporter une fonction nouvelle (par
15 exemple : conférer à une plante une tolérance à un herbicide), soit pour inac-tiver une fonction déjà existante (par exemple :
20 pour retarder la maturité des fruits).

1 Ville située dans le département de l'Aveyron.
2 Villes où se sont déroulés des sommets du G8 (le Groupe des huit : États-Unis, Italie, Allemagne, Japon, Grande-Bretagne, Canada, France et Russie).

① **Répondez à ces trois questions.**
1 Qu'est-ce qu'un OGM ?
2 Qui est José Bové ?
3 Quel est le lien entre José Bové et les OGM ?

② **En groupes, lisez les documents et complétez vos réponses aux questions de l'activité 1. Comparez avec la classe.**

③ **Lisez à nouveau les documents et dites si les affirmations suivantes sont vraies ou fausses. Corrigez les affirmations fausses.**
1 Les OGM peuvent être assimilés à des produits bio.
2 José Bové est le représentant d'un des syndicats agricoles français.
3 José Bové a toujours menacé de saccager des fast-food ou des champs contenant des OGM mais il n'est jamais passé à l'acte.
4 Seattle et Gênes sont des villes où se sont tenus les sommets du G8 et des manifestations antimondialisation en parallèle.

En direct de Porto Alegre

④ **Écoutez l'enregistrement et répondez en groupes aux questions suivantes.** .... 🔊

1 Qui sont les personnes interviewées ?

2 Que sont-elles en train de faire ? Pour quelle(s) raison(s) font-elles cela ?

3 Décrivez l'ambiance.

⑤ **Réécoutez l'enregistrement et répondez aux questions suivantes.** .... 🔊

1 Que pense le militant qui est le dernier à parler ?

2 Selon vous, qu'est-ce qu'il appelle l'*agriculture durable* ?

⑥ **Vous êtes journaliste de la presse écrite et vous rapportez à un collègue les propos que vous venez d'entendre.** .... 🔊

1 Écoutez à nouveau l'enregistrement et associez les personnes aux paroles rapportées.

   a José Bové.

   b Un journaliste.

   c Un militant.

   1 Une autre personne a ajouté que ce n'était pas une destruction mais qu'il s'agissait d'appliquer le principe de précaution qui consiste à ne pas semer du blé illégal dans cette région puisque les OGM y sont interdits.

   2 Il m'a affirmé que c'étaient bien des produits OGM car ils étaient marqués comme tels.

   3 Je lui ai demandé s'il était certain qu'il y avait des OGM à cet endroit.

2 Retrouvez l'ordre d'apparition des paroles rapportées.

3 Quel est le temps utilisé par le journaliste pour rapporter ces paroles ? Justifiez son usage. Connaissez-vous d'autres temps utilisés pour le discours rapporté ?

☞ **CONNAÎTRE ET RECONNAÎTRE** p. 96-97

Débats

⑦ **Pour ou contre les idées défendues par José Bové ? À vous de réagir à ses paroles.**

« La "malbouffe", c'est le fait de manger n'importe comment. Pour moi, c'est d'une part l'alimentation standardisée que McDo symbolise à souhait, un goût uniforme d'un bout à l'autre de la planète ; et, d'autre part, ce sont les choix et la sécurité alimentaires avec le problème des hormones, des OGM, tout ce qui touche à la santé. Donc l'aspect culturel et l'aspect santé. »

Le monde n'est pas une marchandise, José Bové et François Dufour, entretiens avec Gilles Luneau, éd. La Découverte.

Écrit

⑧ **En groupes, rédigez un manifeste à la manière de celui des Chiennes de garde p. 118. Choisissez un thème parmi les propositions suivantes et argumentez vos positions. Comparez vos manifestes avec la classe.**

1 Oui aux OGM qui permettent le développement des cultures dans les zones arides !

2 Oui à la mondialisation qui permet l'implantation de nouvelles usines dans les pays où la main-d'œuvre n'est pas chère !

3 Oui au respect de l'environnement et à la culture biologique !

4 Non à la mondialisation qui augmente les inégalités entre les pays riches et les pays pauvres !

L'EUROPE, ET LES LANGUES

Les onze langues officielles au sein

Avec quelque quarante-trois langues parlées sur le continent européen, l'Union européenne ne compte « que » onze langues officielles : l'allemand, le français, l'anglais, l'italien, l'espagnol, le néerlandais, le portugais, le grec, le suédois, le danois et le finnois.

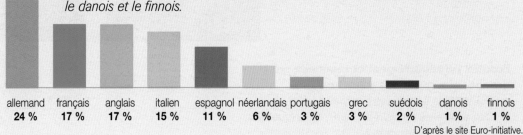

allemand	français	anglais	italien	espagnol	néerlandais	portugais	grec	suédois	danois	finnois
24 %	17 %	17 %	15 %	11 %	6 %	3 %	3 %	2 %	1 %	1 %

D'après le site Euro-initiative.

① **Observez le document ci-dessus. Dites si les phrases suivantes sont vraies ou fausses. Corrigez les affirmations fausses.**
   1 L'anglais est la langue la plus parlée au sein de l'Union européenne.
   2 L'espagnol et l'italien sont autant parlées au sein de l'Union européenne.
   3 Le danois et le finnois sont parlées à égalité.
   4 Le néerlandais arrive en 4ᵉ position.

② **En groupes, repérez sur la carte ci-contre les pays où la langue la plus parlée de l'Union européenne est utilisée. Puis à l'aide d'un dictionnaire, retrouvez la population totale correspondante.**

③ **Les onze langues officielles peuvent être regroupées en quatre familles. À vous de les classer !**
   1 Latines.
   2 Germaniques.
   3 Helléniques.
   4 Finno-ougriennes.

④ **En groupes, situez ces quatre familles sur la carte de l'Europe ci-contre.**

⑤ **Dans votre pays, existe-t-il une ou plusieurs langues officielles ?**

Les pays d'Europe

LES JEUNES ÉTRANGÈRES

de l'Union européenne

Débats

⑥ **Avec l'ouverture de l'Europe à de nouveaux adhérents, avec la mondialisation, certaines langues ne sont pas reconnues comme langues officielles dans les conférences internationales, dans les échanges culturels et commerciaux. En groupes, réfléchissez aux questions suivantes, puis comparez vos opinions.**

1 Doit-on seulement privilégier quelques langues au détriment des autres ? Pourquoi ?

2 Faut-il protéger ces langues « minoritaires » et comment ?

3 Finalement, ne vaut-il pas mieux avoir une seule langue de communication ? Si oui, laquelle et pourquoi ?

⑦ **Écoutez l'enregistrement et repérez les affirmations vraies.** ....

1 Quelle est l'importance de la langue française pour les jeunes Européens ?

  a Plus d'un tiers des jeunes de l'Union européenne qui apprennent une langue étrangère parlent le français.

  b La moitié des jeunes de l'Union européenne n'étudient pas le français.

  c Le français est la langue véhiculaire la plus parlée par les jeunes Européens.

  d Moins d'un quart des jeunes Européens parlent le français.

2 Quel est l'intérêt pour les langues étrangères ?

  a Ce sont les jeunes des pays du Sud qui s'intéressent le plus à l'apprentissage des langues étrangères.

  b La plupart des jeunes Britanniques ont peu d'intérêt pour l'étude d'une autre langue.

  c Une forte proportion de jeunes Britanniques optent pour l'étude d'une langue étrangère.

  d Environ 30 % des jeunes des pays du Sud pratiquent une langue étrangère.

⑧ **En groupes, écoutez à nouveau l'enregistrement et retrouvez les raisons du manque de motivation des jeunes Européens et la solution envisagée. Comparez vos réponses avec la classe.** ....

⑨ **1 Réécoutez le document et repérez les mots qui structurent le discours. Dites s'ils expriment une opposition, une concession, une cause, une évidence ou une insistance.** ....

2 Classez ces mots et complétez vos réponses. Vous pouvez ajouter d'autres synonymes que vous connaissez déjà.

☞ **CONNAÎTRE ET RECONNAÎTRE** p. 124–125

Écrit

⑩ **Vous êtes un(e) responsable pédagogique en visite dans une école primaire. Vous devez convaincre les parents d'élèves de l'utilité de faire apprendre une langue étrangère à leurs enfants. Préparez vos arguments et présentez-les de façon organisée dans une lettre d'information.**

Débats

⑪ **En groupes, réagissez et comparez vos opinions.**

1 L'anglais est la langue maternelle de 17 % de la population européenne mais il est parlé par plus de la moitié des jeunes Européens.

2 Les langues étrangères commencent à être introduites dans l'enseignement primaire.

3 Les langues étrangères sont enseignées moins de trois heures par semaine dans certains pays.

quatre-vingt-quinze

Grammaire

Quelques moyens…

• **Pour mettre l'accent sur le résultat d'une action**

– Usage de la forme passive

On a supprimé les barrières douanières. → *Les barrières douanières **ont été supprimées**.*

– Usage de la forme pronominale de sens passif

On uniformise les modes de consommation. → *Les modes de consommation **s'uniformisent**.*

• **Pour compresser une information (titres de presse par exemple) : la phrase nominale**

Les barrières douanières sont supprimées. → ***Suppression** des barrières douanières.*

• **Pour mettre en relief un élément du discours : *ce* + pronom relatif… *c'est/ce sont***

– Sujet : *L'uniformisation des modes de consommation nous frappe.*

→ ***Ce qui** nous frappe, **c'est** l'uniformisation des modes de consommation.*

– COD : *Les États ont mis en place des lois qui favorisent l'implantation des entreprises étrangères.*

→ ***Ce que** les États ont mis en place, **ce sont** des lois qui favorisent l'implantation des entreprises étrangères.*

---

❶ Les institutions européennes face à la mondialisation.

Présentez chaque institution de l'Europe comme dans l'exemple.

> *Les institutions européennes dont chacune a un rôle et des pouvoirs précis gouvernent l'Union européenne.*

▶ *L'Union européenne **est gouvernée par** les institutions européennes dont chacune a un rôle et des pouvoirs précis.*

1 Le Conseil européen fixe les objectifs politiques.

2 La Commission européenne propose et exécute les lois.

3 Le Parlement européen représente les citoyens européens.

4 Le Conseil des ministres prend les décisions.

❷ Manchettes d'économie internationale.

Vous travaillez dans un service de presse et, à partir des phrases ci-dessous, vous devez créer un titre d'article.

> *Les entreprises alimentaires changent de cap.*

▶ ***Changement de cap** des entreprises alimentaires.*

1 En Corée, les exportations automobiles ont fortement augmenté au cours de l'année dernière.

2 La concurrence avec les entreprises textiles des pays du Sud-Est asiatique s'accroît.

3 Une coopération agricole existe entre la France et le Mali.

4 De nombreuses entreprises moscovites ont été privatisées ces derniers temps.

❸ Mise en relief.

Il faut souligner ce que vous jugez important !

Transformez les phrases suivantes en utilisant *ce qui/ce que…, c'est/ce sont…*

> *L'association Attac voudrait une meilleure répartition des richesses.*

▶ ***Ce que** l'association Attac voudrait, **c'est** une meilleure répartition des richesses.*

1 José Bové revendique la suppression totale des OGM.

2 La défense de l'environnement sera probablement le principal combat de ce siècle.

3 La lutte contre la pauvreté doit être une priorité.

4 Une majorité de Français veut défendre la langue française contre l'usage abusif de l'anglais.

Rapporter les paroles de quelqu'un : du style direct au style indirect.

Paroles d'origine		Paroles passées rapportées	
Le fait évoqué se passe **en même temps** que le moment où l'on s'exprime.	**Présent** *Ce **sont** bien des OGM.*	Verbes introducteurs au passé* + que/qu' : *Il a dit que…* *Elle a affirmé que…* *Elle a ajouté que…* *Il a répondu que…*	**Imparfait** *… c'**étaient** bien des OGM.*
Le fait évoqué se passe **avant** le moment où l'on s'exprime.	**Passé récent** *On **vient d'arracher** des plans d'OGM.* **Passé composé** *Les combats **ont eu** des effets positifs.*		**Passé récent du passé** *… ils **venaient** d'arracher des plans d'OGM.* **Plus-que-parfait** *… les combats **avaient eu** des effets positifs.*
Le fait évoqué se passe **après** le moment où l'on s'exprime.	**Futur proche** *On **va gagner**…* **Futur** *On ne **baissera** jamais les bras.*		**Futur proche du passé** *… ils **allaient gagner**…* **Futur du passé = conditionnel** *… ils ne **baisseraient** jamais les bras.*

*Verbes au passé composé, à l'imparfait, au plus-que-parfait ou au passé simple.

Paroles d'origine		Paroles passées rapportées	
Le fait évoqué est **un fait fictif**.	**Conditionnel présent** *Qu'est-ce que vous **répondriez** à ceux qui vous disent que…*	Il lui a demandé ce qu'…	**Conditionnel présent** *… il **répondrait** à ceux qui disaient que…*
	Conditionnel passé *Qu'**auriez**-vous **fait** si on vous avait refusé l'entrée sur le territoire brésilien ?*		**Conditionnel passé** *… il **aurait fait** si on lui avait refusé l'entrée sur le territoire brésilien.*

! Attention aux modifications qu'entraîne le passage au discours rapporté :
  – modification des pronoms personnels ;
  – choix de différents termes introducteurs selon le type de questions rapportées : *Il a demandé **si**…*

---

❹ Sur le développement de l'antimondialisation.
Rapportez les éléments de l'interview de Christophe Aguiton, responsable des relations internationales de l'association Attac France.

▶ *Christophe Aguiton **a dit que** le monde **avait connu** de profondes mutations…*

Comment expliquez-vous que le mouvement contre la mondialisation se soit développé ?

« Le monde a connu de profondes mutations il y a une dizaine d'années. Il y a eu l'effondrement de l'Union soviétique et, parallèlement, la guerre du Golfe contre l'Irak a porté les États-Unis au premier rang des puissances mondiales. Le capitalisme américain s'est donc implanté dans le monde entier et a creusé les inégalités. Aujourd'hui, 1 % des personnes les plus riches possèdent autant que les 57 % les plus pauvres. C'est contre cela que se mobilisent de nombreux manifestants qui croient qu'un autre monde est possible. Seul l'avenir nous le dira. »

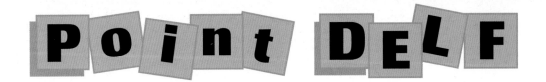

Point DELF

DELF Unité A3 – Écrit 1

Compréhension et expression écrites

Durée de l'épreuve : quarante-cinq minutes.
Coefficient 1 (noté sur 20).

Objectif : comprendre un document écrit authentique et montrer que vous l'avez compris en répondant, par écrit, à des questions.

Quelques conseils pour l'épreuve

- Organisez votre temps : vous disposez de quarante-cinq minutes.
- Observez le document (titre, sous-titre, chapeau, illustrations…) sans faire une lecture linéaire du texte.
- Dégagez l'idée générale du texte et aidez-vous du titre.

- Lisez la totalité du questionnaire et repérez les endroits où vous pouvez trouver des éléments de réponse.
- Répondez avec des phrases courtes et évitez de recopier le texte.
- Ne donnez pas votre avis.
- Gardez un peu de temps pour vous relire !

Répondez aux questions du texte. Vérifiez vos réponses avec la classe et calculez votre score.

1 Donnez un titre à cet article. *(3 points)*

2 L'auteur affirme qu'« aujourd'hui (...) les rides se portent bien ».
   a Que veut-il dire ? *(2 points)*
   b Retrouvez dans le texte une expression synonyme. *(1 point)*

3 D'après le texte, les seniors... *(1 point)*
   a s'occupent plus de leurs petits-enfants ;
   b sont plus disponibles pour la collectivité ;
   c aspirent à rester actifs.

4 Quelles différences l'auteur fait-il entre les 50 ans d'aujourd'hui et ceux d'hier ? Choisissez trois réponses. *(3 points)*
   a Ils pratiquent plus d'activités sportives.
   b Ils tiennent à rester au fait de l'actualité.
   c Ils ont un pouvoir d'achat supérieur.
   d Ils voyagent plus loin.
   e Ils sont en meilleure forme physique.
   f Ils recherchent le confort à tout prix.
   g Ils ont un niveau d'études plus élevé.

5 L'auteur parle de « seniors nouvelle vague ». Expliquez ce que cela signifie. *(2 points)*

6 Quelle conséquence cette situation a-t-elle engendré : *(1 point)*
   a au sein de la famille ?
      1 un plus grand soutien entre générations ;
      2 un bouleversement radical des rôles traditionnels ;
      3 une écoute attentive des tout-petits.
   b dans le domaine professionnel ? *(2 points)*

7 Comment les enfants des 50 ans réagissent-ils ? *(1 point)*
   a Ils approuvent leurs parents.
   b Ils se montrent reconnaissants pour leur soutien.
   c Ils sont particulièrement déconcertés.
   d Ils contestent leurs comportements.

8 Aujourd'hui, professionnellement, quelles sont les aspirations des seniors ? *(1 point)*
   a Préparer progressivement leur départ à la retraite.
   b Aider les nouvelles générations à acquérir des savoir-faire.
   c Se faire plaisir en travaillant.

9 Quel nouveau problème cette situation pose-t-elle aux entreprises ? *(2 points)*

10 Quelle opinion l'auteur exprime-t-il à la fin du document ? *(1 point)*
   a Il a peur que cette situation engendre encore plus de chômage chez les jeunes.
   b Il est enthousiaste devant cette nouvelle situation de l'emploi.
   c Il critique fortement le comportement des 50 ans d'aujourd'hui.

Point DELF

Il y a à peine dix ans, on les appelait les personnes âgées. Sacrifiés sur l'autel du jeunisme et du chômage pour tous, les plus de 50 ans n'intéressaient personne. Aujourd'hui les chiffres tombent, et les rides se portent bien : 31 % des Français ont plus de 50 ans. Mais ce n'est pas tout. Outre le fait que ces adultes-là ont désormais une espérance de vie d'environ 82 ans (soit encore trente-deux ans d'achat en tous genres), le senior d'aujourd'hui détient 60 % du patrimoine moyen des ménages... et 75 % du montant des portefeuilles boursiers.

La différence fondamentale entre les « vieux d'hier » et les seniors d'aujourd'hui ne réside d'ailleurs pas forcément dans leur patrimoine, mais plutôt dans leur comportement. Plus informés, mieux soignés, plus éduqués, affichant une pêche d'enfer, ils n'entendent pas lâcher l'affaire. Au sein de la famille, au travail et dans les loisirs, les seniors nouvelle vague réinventent, à la grande stupéfaction de leur progéniture, un nouvel art de vivre leur 3e âge.

L'évolution des seniors a considérablement modifié l'équilibre de solidarité régnant entre générations. Pendant les périodes de crise, les grands-parents ont en effet dû endosser le rôle ingrat d'amortisseur social : renflouement des finances d'un petit-fils, entre deux CDD (contrat de travail à durée déterminée), garde des enfants pour cause de manque de crèche... Le senior, jusque-là largement « sous-employé », « sous-visité » par le reste de la structure familiale, s'est soudain retrouvé complètement débordé. Évidemment, mamie-gâteau et papy-porte-monnaie ont fini par se rebeller. Mami-gâteau n'est plus parce que mamie voyage. Quant à papy-porte-monnaie, pas question aujourd'hui d'en espérer des largesses. Lorsqu'il ne dilapide pas son patrimoine en loisirs en tous genres, il s'offre une nouvelle voiture, et annonce qu'il mourra peut-être un jour, mais ruiné.

Question boulot, les mentalités évoluent. La fatidique barre des 50 ans ne marque plus forcément le début de la fin. Et pour cause : à partir de 2004, le nombre de nouveaux arrivants sur le marché du travail sera de toute façon inférieur à celui des sortants ! Le directeur du cabinet Hommes et Missions (spécialisé dans le recrutement des cadres de 50 ans) dit avoir assisté, depuis la reprise économique en 1997, à un revirement complet de la situation. « Alors que l'essentiel de notre activité consistait jusque-là à "recaser" des chômeurs longue durée en CDD, le nombre des contrats en CDI (contrat à durée indéterminée) a soudain explosé. Aujourd'hui, les cadres que nous plaçons ne sont plus des chômeurs, mais plutôt des personnes à fort savoir-faire, qui ont envie de s'épanouir professionnellement. »

Côté employeur, la tendance s'est également inversée. Certaines entreprises contactent aujourd'hui ce cabinet afin d'éviter que leur personnel senior ne les quitte : comment faire pour les garder...

Le senior d'aujourd'hui s'accroche donc à son poste, pendant que le petit dernier de la famille a de la peine à intégrer le monde du travail. Si l'avenir laisse désormais sa place à la ride épanouie – et c'est tant mieux –, il semble pourtant nécessaire qu'un partage équitable des tâches puisse être renégocié entre les générations.

Ingrid Seyman, *À nous Paris*,
14 janvier 2002.

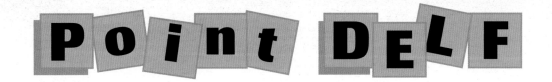

Point DELF

DELF Unité A3 – Écrit 2
Compréhension et expression écrites
Durée de l'épreuve : quarante-cinq minutes.
Coefficient 1 (noté sur 20).

Objectif : rédiger une lettre formelle d'environ 150 mots à partir d'une situation de la vie quotidienne (demande d'informations, lettre de réclamation, lettre de motivation, etc.).

Quelques conseils pour l'épreuve

- Organisez votre temps : vous disposez de quarante-cinq minutes.
- Lisez attentivement la consigne.
- Analysez le document : qui l'a publié ? pour quelles raisons ? à qui s'adresse-t-il ?
- Organisez vos idées à l'aide d'un plan (introduction, développement, conclusion et formule de politesse).
- Choisissez et respectez dans la lettre le ton et le registre de langue adaptés au destinataire et à la situation.

- Respectez la longueur demandée (150 mots).
- Selon le type de lettre, vous devez être capable de poser des questions de manière précise et variée (lettre de demande d'informations), vous devez savoir vous présenter, vous mettre en valeur et montrer votre intérêt pour convaincre (lettre de motivation), vous devez pouvoir décrire, argumenter, protester et réclamer (lettre de réclamation).
- Très important : mettez-vous à la place du rédacteur.

- **Restauration traditionnelle**
- **Restauration rapide • Accueil • Vente**
- **Attractions • Sports et loisirs**

CDI et CDD temps plein

Vous avez 18 ans minimum ?

Des notions d'une seconde langue européenne ?

L'envie de vivre une expérience différente au contact de visiteurs et de nos équipes venus du monde entier ?

Avec Disneyland® Paris, mettez de la magie dans votre parcours !

Vous pouvez nous rejoindre en contrat à durée indéterminée ou en contrat à durée déterminée (3 à 5 mois, de juin à octobre, juillet et août inclus).

Que vous soyez étudiants, débutants ou expérimentés, vous êtes les bienvenus.

Si vous correspondez au profil que nous recherchons, nous vous inviterons très vite à nous rencontrer !

Merci de nous adresser votre candidature, sous réf. PAR/0202 à,
Service Recrutement, BP 110, 77777 Marne-la-Vallée CEDEX 4.

Intéressé(e) par cette annonce, vous écrivez une lettre de motivation au service de recrutement de Disneyland® Paris pour :
- poser votre candidature à un des emplois proposés ;
- exprimer vos motivations (expérience, domaine des loisirs...) ;
- faire part de vos compétences et de vos qualités ;
- solliciter un entretien d'embauche ;
- prendre congé avec une formule de politesse.

Vous présenterez la lettre dans son intégralité (nom et adresse de l'expéditeur).
Elle doit comporter 150 mots.

Unité 7

Nouvelle donne, nouveaux défis

cent

Être ou
paraître

■ **Contenus
socioculturels**
  – Le corps idéal
  – L'attachement au soin
  du corps
  – Le surpoids dès
  l'enfance
  – Les victimes du paraître

■ **Objectifs
communicatifs**
  – Exprimer un besoin,
  une nécessité
  – Faire des
  recommandations,
  conseiller
  – Exprimer la finalité,
  le but recherché

■ **Contenus
linguistiques**
  – Le conditionnel
  – *Devoir* + infinitif,
  il faut + infinitif,
  il faut que + subjonctif...
  – La forme
  impersonnelle :
  il faut + infinitif,
  il faut que + subjonctif...
  – *Afin de* + infinitif,
  de crainte de + infinitif,
  afin que + subjonctif,
  de crainte que... (ne)
  + subjonctif, *permettre*
  – La place des adjectifs

LE CORPS

Agrippine

① **Avant la lecture de la bande dessinée p. 103, observez les dessins. Faites des hypothèses sur :**
1 l'identité des personnages ;
2 leur relation ;
3 le sujet de leur conversation.

② **Lisez la bande dessinée.**
1 Résumez en une phrase le sujet de leur conversation.
2 Interprétez la chute de l'histoire et réagissez à cette idée.
3 Choisissez un terme pour caractériser Agrippine.

③ **Relevez toutes les expressions d'Agrippine comprenant une partie du corps. Puis, essayez de mimer ces expressions pour en trouver le sens et proposez des formules équivalentes pour chacune.**

④ **Faites correspondre le mot ou l'expression et sa définition.**
1 Le narcissisme.   **a** Imaginaire.
2 Un ratage.   **b** Relatif à une phobie, à une
3 Avoir recours à   obsession.
   quelque chose.   **c** Une obstination, une ténacité.
4 Un appui   **d** Un moyen de se débarrasser
   thérapeutique.   de quelque chose.
5 Un acharnement.   **e** Un soutien médical.
6 Fantasmatique.   **f** Un échec.
7 Phobique.   **g** Admiration de soi, attention
8 Un exutoire.   exclusive portée à soi-même.
      h Faire appel à quelque chose.

Débats

⑤ **Donnez votre point de vue. Comparez vos opinions.**
1 Que pensez-vous des projets d'Agrippine ?
2 Cette bande dessinée date de 1988. Pensez-vous qu'elle soit toujours d'actualité ? Pourquoi ?

⑥ **Écoutez une première fois l'enregistrement. Repérez les questions posées par la journaliste et dites quelle est la profession de la personne interrogée.** ....

⑦ **Écoutez à nouveau l'enregistrement et faites le portrait psychologique des femmes dont la personne interrogée parle.** ....

⑧ **Réécoutez à nouveau l'enregistrement et répondez aux questions.** ....
1 Quelle part de responsabilité ont pu avoir les parents de ces femmes ?
2 Comment expliquer le fait que certaines femmes comme la chanteuse Cher recourent sans cesse à la chirurgie esthétique ?
3 Que dit la psychologue au sujet de la peur de vieillir ? Quels exemples donne-t-elle ?

Débats

⑨ **Donnez votre point de vue et comparez vos opinions.**
1 Êtes-vous plutôt favorable ou opposé(e) à la chirurgie esthétique ? Justifiez vos arguments.
2 Selon vous, la jeunesse est-elle l'âge le plus heureux de la vie ? Pourquoi ?

Agrippine

D'après *le Nouvel Observateur*, 27 mai-2 juin 1988.

L'ÉTERNELLE

Doux
comme votre peau
Prenez un nouveau départ

ELISA RAVEN
Crème anti-âge révélatrice du teint

La seconde naissance de votre peau

① **Observez la photo de cette publicité.**
  1 Quels sont les différents éléments qui composent la photo ? Que vous évoque chaque élément ?
  2 De quel produit s'agit-il dans cette publicité ? À votre avis, quelle est la finalité de ce produit ?
  3 Quel est le slogan publicitaire ?
  4 Quels seraient pour vous les éléments négatifs de cette publicité ?

② **Lisez le texte de la publicité et vérifiez vos hypothèses.**
  La finalité du produit correspond-elle à celle que vous aviez imaginée ? Quelle est-elle ?

③ **En groupes, relevez tous les adjectifs qui se rapportent à la peau et faites-les correspondre aux définitions suivantes.**
  Comparez ensuite vos réponses avec les autres groupes.
  1 Qui a la même forme, le même aspect.
  2 Qui a une surface égale, polie.
  3 Fait depuis peu, qui n'a pas ou peu servi.
  4 Qui fait face à une force extérieure.
  5 Qui a perdu son éclat.
  6 Qui est agréable au toucher.
  7 Qui émet ou réfléchit la lumière.
  8 Qui a de l'éclat, qui brille.

Partez à la découverte de la nouvelle *Crème anti-âge révélatrice du teint*, une vraie révolution pour votre peau.

Dès l'application, cet expert anti-âge révèle une peau plus douce, plus fraîche, plus lumineuse.

Chaque jour, la peau s'embellit et devient lisse, éclatante, uniforme.

Pourquoi ? Parce qu'une *Crème anti-âge révélatrice du teint*, élimine les cellules mortes et fait renaître une peau plus neuve, plus résistante, éclatante de santé.

Au final, la peau perd son voile terne, elle est fraîche, moins marquée ; elle résiste mieux à l'environnement hostile.

Offrez-vous une peau douce, douce comme du coton… une crème prodigieuse !

Elisa Raven.

www.raven.fr

④ **Transformez le texte publicitaire en remplaçant le mot *peau* (féminin) par le mot *teint* (masculin).**

▶ *Dès l'application, cet expert anti-âge révèle un teint plus **doux**, plus…*

⑤ **Faites correspondre le genre féminin et le genre masculin des adjectifs et classez-les par leur terminaison. Si possible, ajoutez d'autres adjectifs que vous connaissez déjà.**

Terminaison	Adjectif masculin	Adjectif féminin
-ant	éclatant	éclatante
	résistant	résistante
	étonnant	étonnante

⑥ **Lisez les phrases suivantes. Relevez les adjectifs et classez-les selon leur place dans la phrase (avant le nom, après le nom, avant ou après le nom). Que remarquez-vous ? Vérifiez vos hypothèses.**

1 Avec cette crème, vous aurez une peau magnifique.
2 Avec cette crème, vous aurez une belle peau.
3 Avec cette crème, vous aurez une peau lumineuse.
4 Avec cette crème, vous aurez comme une nouvelle peau.
5 Avec cette crème, vous aurez une magnifique peau.

☞ **CONNAÎTRE ET RECONNAÎTRE** p. 110–111

Écrit

⑦ **En groupes, imaginez une publicité pour un shampoing, une crème hydratante ou un autre produit de beauté. Trouvez un nom à votre produit, créez un slogan publicitaire et élaborez un argumentaire qui vante les mérites du produit.**

Débats

⑧ **Qu'en pensez-vous ?**
Réagissez et confrontez vos opinions.

1 Il y a de plus en plus de produits de beauté pour les hommes.
2 On a l'habitude de dire que les femmes vieillissent plus vite que les hommes.
3 Certaines personnes cachent leur âge.

TOUT SE JOUE

Surpoids :
tout se joue dès l'enfance

Le surpoids de l'enfant est l'une des grandes préoccupations nutritionnelles.
En France, actuellement, 1 enfant sur 10 est obèse.
Deux causes principales : déséquilibre alimentaire (les enfants mangent
trop gras, trop sucré et de façon déstructurée) et manque
d'activité physique.

Des jeunes de plus en plus obèses

On a tous besoin de repères

Quels conseils
pour les parents ?
Vous devez être vigilants et ne jamais laisser évoluer
une prise de poids progressive et lente chez votre enfant.

Pour éviter qu'un enfant ne prenne du poids ou pour l'aider à en
perdre un peu, il faut suivre quelques conseils simples d'hygiène de vie :

1- Habituez le très tôt à un rythme régulier des repas avec un bon petit déjeuner,
un déjeuner complet, un goûter équilibré et un vrai dîner en famille.

2 - Respecter cette chronologie, c'est vous donner les moyens de lui apporter
suffisamment de viande et de poisson (sans oublier les œufs) pour les protéines,
de féculents et de pain (pour l'énergie), de légumes et fruits (pour les fibres et les
vitamines), de produits laitiers (pour le calcium). Vous l'habituez non seulement
à goûter de tout mais vous limitez ainsi considérablement les risques de grignotage
entre les repas.

3 - Ne lui imposez pas de terminer son assiette ;
s'il vous dit qu'il n'a plus faim, respectez-le.

4 - Ne lui proposez pas systématiquement à
manger à la moindre contrariété.

5- Proposez lui une alimentation variée en oubliant un peu les plats en sauce, les frites,
les pâtes à tous les repas, les desserts sucrés, les sodas à table.

6 - Ne faites pas du goûter l'exclusivité des paquets de gâteaux et de biscuits, de verres
de soda à volonté. Deux à trois biscuits suffisent avec un yaourt et un fruit.

7- Sur le plan de l'activité physique, donnez lui envie de bouger, d'abord en donnant l'exemple,
ensuite en multipliant les occasions de jeux et de sorties avec ses amis et en l'inscrivant à un
club de sport qu'il aime... et n'oubliez pas non plus de contrôler le temps passé devant l'écran
de télévision ou d'ordinateur, parfois source de grignotage et surtout d'inactivité physique !

---

① **Observez le titre ci-dessus
et répondez aux questions.**
Comment pouvez-vous
expliquer cela ?
Ce phénomène existe-t-il
aussi dans votre pays ?
Pourquoi ?
Connaissez-vous d'autres
problèmes liés au poids
chez les jeunes ? Lesquels ?

② **Lisez la partie gauche de
la publicité *Surpoids : tout
se joue dès l'enfance*. En
groupes, repérez les mots
dont les définitions suivent.**
1 Un excès de poids.
2 Un souci, une inquiétude.
3 Alimentaire *(adjectif)*.
4 Désorganisation.
5 Qui fait attention, qui
est attentif.
6 Action de manger par
petites quantités, en
dehors des repas.
7 Obliger quelqu'un à faire
quelque chose.

③ **Écoutez quatre conseils d'un médecin et trouvez
pour chacun son équivalent dans le texte *Quels
conseils pour les parents ?* Notez-les et
essayez de les reformuler.** ....

☞ **CONNAÎTRE ET RECONNAÎTRE** p. 110-111

Écrit

④ **Vous êtes médecin/nutritionniste pour un
magazine et vous faites des recommandations
à un jeune pour que son alimentation soit
équilibrée.**

PUBLI-COMMUNIQUÉ

Une journée équilibrée
avec la Marque Repère

Petit déjeuner

Pain, biscottes, ou céréales de petit déjeuner, avec un produit laitier de type lait ou yaourt. Un fruit éventuellement.

Déjeuner

Crudités, plat de viande ou de poisson avec légumes verts ou féculents (riz, pâtes, pommes de terre...), yaourt ou fromage, fruit, pain.

Goûter

Pain, céréales, biscuits, gâteaux (en quantité contrôlée), un produit laitier (lait, yaourt, ou fromage), fruit frais.

Dîner

Un plat de résistance avec viande, ou poisson ou oeufs, légumes ou féculents (en alternance avec le déjeuner), un produit laitier, un fruit frais, du pain.

Boire de l'eau

entre et pendant les repas. Pas de soda ni de jus de fruit à table pendant le déjeuner et le dîner.

 LA MARQUE REPÈRE, c'est plus de 2 000 produits... et c'est le bon repère pour bien acheter dans votre Centre E.Leclerc. **CE REPÈRE GARANTIT** ■ L'assurance de la qualité ■ Des conditionnements pratiques ■ La conception des produits dans le respect des normes les plus sévères en matière de protection de l'environnement ■ La performance des prix.

En vente chez

E.LECLERC Ⓛ

Le courrier des ados

Écrit

⑤ **Lisez chaque témoignage. Vous êtes responsable de la rubrique « Ados » d'un journal et vous répondez à un de ces adolescents. Dans votre article, vous faites des recommandations, vous donnez des encouragements...**

Émilie, 17 ans, Versailles

« Je voudrais maigrir, mais je n'y arrive pas. On prétend que c'est héréditaire mais j'ai du mal à y croire. J'ai vu un spécialiste de la nutrition à l'hôpital qui m'a dit qu'il ne fallait pas me décourager, qu'en fait ça se passait aussi dans la tête. Je vais commencer un nouveau régime, si j'arrive déjà à perdre trois kilos, ça me redonnera le moral. »

Pierre, 16 ans, Bordeaux

« Il paraît que j'ai 12 kilos de trop, mes parents essaient de me rationner, de me mettre un peu au régime, mais je n'y arrive pas, j'ai toujours faim, et puis j'aime un peu trop les sucreries. Le docteur m'a dit qu'il fallait faire de la gym pour maigrir. J'ai l'impression de ne pas avoir assez de volonté pour perdre des kilos. »

Laura, 15 ans, Brest

« Pour une fille, être grosse, c'est encore pire que pour les garçons, on fait des réflexions parfois dans le dos, parfois directement, il y en a même qui se moquent de vous. J'ai l'impression de ne pas être normale surtout que je suis jeune, alors par moments c'est vraiment dur à supporter. »

SÉDUIRE :

Ce que disent les magazines...

① **En France, les magazines – principalement féminins – prônent la minceur et conseillent différents régimes alimentaires. Est-ce la même chose dans votre pays ?**

② **Lisez ces courriers de lecteurs d'un magazine féminin et imaginez un titre possible pour chacun d'eux.**

1 J'essaie toujours de ressembler aux filles de rêve que je vois dans les magazines. Mon entourage me dit pourtant que je suis bien comme je suis mais je ne peux m'empêcher de vouloir imiter ces modèles. Suis-je normale ? Qu'en pensez-vous ?

Mireille V. 18 ans.

2 J'ai pris 10 kilos en l'espace d'un an et je me rends compte que mes collègues ne me regardent plus de la même façon. Certains s'éloignent de moi. D'autres paraissent gênés en ma présence. Je me sens exclue dans ma vie professionnelle. Que dois-je faire ?

Jacqueline M. 50 ans.

3 J'ai de plus en plus de difficultés à m'habiller dans les magasins de prêt-à-porter. Les modèles, les coupes proposés sont presque tous destinés aux ados ! Alors je dis « Stop ! messieurs et mesdames les tyrans de la mode, pensez aussi aux plus âgés, aux plus gros, aux plus maigres, aux plus moches ! » Ouf ! Ça fait du bien d'écrire ce qu'on pense !

Gisèle B. 40 ans.

4 Lectrice assidue de magazines féminins, ma sœur a décidé l'an dernier de ne plus en acheter. Les conseils pour maigrir, pour ne pas vieillir, elle en avait vraiment marre ! Bilan : elle se sent bien dans sa peau, elle n'a plus l'obsession de la minceur. La vie est belle. Je crois que je vais faire comme elle. Avis aux lectrices !

Sylvie D. 35 ans.

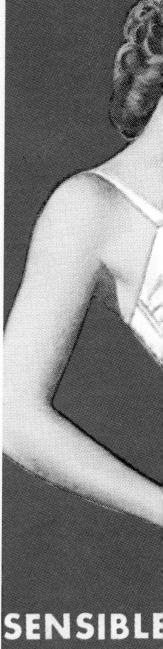

SENSIBLE

Victimes de la mode ?

③ **Écoutez le micro-trottoir une première fois et relevez les questions posées par la journaliste.** ....

④ **Répondez oralement à ces questions afin d'échanger vos idées dans la classe.**

⑤ **Réécoutez le micro-trottoir.** ....
   1 Quel est le nombre d'hommes et de femmes interrogés ?
   2 Qui sont les personnes ou les groupes d'influence accusés ? ....

⑥ **Réécoutez le micro-trottoir et résumez les réponses des différentes personnes interrogées. Vous ferez ensuite, à deux, une synthèse de tous les arguments avancés.**

⑦ **Quel est l'argument, le point de vue que vous partagez le plus ? Pourquoi ?**

⑧ **Réécoutez le micro-trottoir. Faites correspondre chaque courrier des lecteurs à ce que dit une personne interrogée. Justifiez votre choix.** ...

	Courrier	Personne interrogée
1		
2		
3		
4		

⑨ **Lisez la transcription du micro-trottoir p. 173. Trouvez dans le texte des synonymes des mots et expressions suivants.**
1 Être rejeté, mis à l'écart.
2 Effrayant.
3 Porter un vêtement trop large ou trop grand.
4 Tout à fait, totalement.
5 Une photo modifiée, corrigée.
6 Mince.

Écrit

⑩ **En groupes, à l'aide des titres d'articles suivants, imaginez l'histoire d'une « victime de la mode ». Comparez vos articles avec la classe.**
1 Entretiens d'embauche : les gros ont-ils aussi leur chance ?
2 Le facteur a été obligé de perdre 20 kilos !
3 Licencié(e) à cause de son look !
4 Elle a testé dix régimes de choc ; aucun n'a marché. Elle raconte.

Débats

⑪ **En groupes, répondez aux questions et comparez vos opinions.**
1 Que pensez-vous de l'importance du paraître dans la société actuelle ? Comment cela se manifeste-t-il ?
2 Vous-même, vous considérez-vous comme une « victime de la mode » ?
3 Faut-il être beau pour plaire ?
4 Dans le micro-trottoir que vous avez écouté, une jeune femme dire que *le corps idéal serait de ne pas en avoir, de vivre dans une vie où le corps n'existerait pas.*
Que pensez-vous de ce point de vue ?

Grammaire

La place des adjectifs

En français, la plupart des adjectifs se placent après le nom. Mais certains se placent toujours devant, et beaucoup n'ont pas de place fixe.

• Les adjectifs toujours placés après le nom sont :

les adjectifs de nationalité *(un parfum **français**)*, les adjectifs de forme *(une boîte **ronde**)*, les adjectifs de couleur *(une peau **claire**)*, les adjectifs de religion *(une cérémonie **catholique**)*, les participes passés utilisés comme adjectifs *(une peau **ridée**)*, les adjectifs suivis d'un complément *(une crème **agréable** à utiliser)*.

• Les adjectifs placés avant le nom sont, entre autres :

petit ≠ grand*   jeune* ≠ vieux   gros ≠ maigre   beau, joli ≠ laid   bon ≠ mauvais   nouveau ≠ ancien

prochain ≠ dernier (sauf quand il s'agit d'une date : *la semaine **prochaine**, l'an **dernier**)*

* Voir la rubrique suivante.

• Selon leur place avant ou après le nom, certains adjectifs changent de sens.

*Un **grand** homme* : un homme célèbre. *Un homme **grand*** : un homme grand de taille.

*Un **jeune** artiste* : un artiste qui vient de débuter. *Un artiste **jeune*** : un artiste qui n'est pas âgé.

---

① Les cosmétiques et les parfums.

Mettez le ou les adjectifs avant ou après les noms soulignés et pensez à les accorder.

1 Beaucoup de <u>parfums</u> vont sortir pour les fêtes de Noël. (nouveau)

2 En général, les consommateurs préfèrent les <u>crèmes</u>. (léger)

3 Les <u>produits de beauté</u> se vendent autant que les <u>produits</u>. (cher – abordable)

4 Le numéro 5 de Chanel reste une <u>valeur</u>. (sûr)

5 Guerlain est une <u>maison</u> de <u>renommée</u>. (prestigieux – international)

6 Les <u>conditionnements</u> et les <u>boîtes</u> sont toujours appréciés. (élégant – joli)

Conseiller, souligner un besoin, une nécessité, faire des recommandations

• Verbe conjugué + verbe à l'infinitif

*Les parents **doivent habituer** leurs enfants à bien dormir. **Essayez de** ne pas **grignoter** entre les repas !*

• Forme impersonnelle + verbe à l'infinitif

***Il faut manger** raisonnablement. **Il est obligatoire/impératif de manger** équilibré.*

*Dans la vie, **il est important/nécessaire/indispensable de** ne pas **se priver** de tout !*

***Il est conseillé/recommandé de** ne pas **fumer**.*

• Le conditionnel, utilisé avec les verbes *devoir* et *falloir*

– Tu devrais/vous devriez + verbe à l'infinitif

  *Vous trouvez votre nez trop long ? Vous **devriez** vous **faire** opérer.*

– Il faudrait que tu/vous + verbe au subjonctif

  *Il a tort de manger autant. Il **faudrait** que tu le lui **fasses** admettre.*

• À ta/votre place/Si j'étais à ta/votre place/Si j'étais toi/vous + verbe au conditionnel

***Si j'étais à votre place**, je me **reposerais** un peu.*

• Forme impersonnelle + verbe au subjonctif

***Il faut** absolument que je **fasse** un régime, j'ai tendance à grossir.*

! Forme impersonnelle + nom : *J'ai besoin d'un diététicien sérieux, **il** me **faut un bon régime**.*

---

2 **On a tous besoin de repères.**

En groupes, reformulez les conseils mentionnés dans le communiqué publicitaire p. 106. Mettez ensuite vos phrases en commun.

3 **Aider les autres.**

Formulez des conseils. Que diriez-vous à un(e) ami(e) qui ne mange pas assez de peur de grossir ?

▷ *Tu ne dois pas sauter de repas…*

4 **Le colloque.**

À l'occasion d'un colloque intitulé *Vieillir en vivant mieux*, de nombreux intervenants se sont exprimés. Écoutez trois d'entre eux.

1 Choisissez dans la liste le titre qui résume le mieux chaque intervention. Justifiez votre réponse.

  a Les dégâts de la vieillesse.

  b Aux frontières de la mort.

  c Le refus de vieillir.

  d Le meilleur âge de la vie.

  e Comment vieillir en forme.

  f La vieillesse : étape de la réalisation de soi.

2 Écoutez à nouveau le premier intervenant et précisez quels sont les cycles de la vie dont parle l'intervenant. Puis sélectionnez ce que dit exactement cette personne pour indiquer les caractéristiques, les finalités du dernier cycle.

3 Écoutez à nouveau le deuxième intervenant et sélectionnez les exemples d'intervention sur le corps dont parle la personne. Relevez ce qu'il dit précisément pour indiquer la finalité de ces modifications.

Exprimer la finalité, le but recherché

• **Pour/afin de/dans le but de/de manière à** + infinitif

*Je fais du sport **afin d'être** en forme.*

• **Pour ne pas/afin de ne pas/de peur de/ de crainte de** + infinitif

*J'évite de manger des gâteaux **de peur de grossir**.*

• **Pour que/afin que/de peur que** + subjonctif

*Il s'entraîne régulièrement **pour que** son endurance **soit** plus grande.*

• **Pour que… ne pas/afin que… ne pas/de peur que… (ne)/de crainte que… (ne)** + subjonctif

*Mme Jourdan n'achète pas de bonbons **pour que** son fils **ne soit pas** tenté d'en manger.*

• **Avec le verbe permettre de** + infinitif

*La course à pied est un sport qui **permet de perdre** du poids.*

---

5 **Une vie saine.**

En groupes, faites correspondre le but recherché et la/les conditions(s) nécessaire(s) pour y parvenir. Plusieurs réponses sont possibles.

Conditions	Buts
1 Faire du sport régulièrement.	**a** Avoir des dents saines.
2 Avoir une alimentation équilibrée.	**b** Être dynamique.
3 Ne pas manger trop de sucre.	**c** Ne pas être fatigué(e).
4 Mener une vie saine.	**d** Ne pas être gros(se).
5 Faire de la gymnastique.	**e** Être en bonne santé.
6 Dormir suffisamment.	**f** Être souple.
7 Se laver les mains.	**g** Avoir les ongles propres.

6 **Autopersuasion.**

En groupes, faites des phrases complètes à partir des éléments de l'exercice précédent en utilisant des expressions de besoin, de nécessité.

▷ *1b : « Il faut que je fasse régulièrement du sport pour être dynamique. »*

cent onze

DELF Unité A4 – Écrit 1
Pratique du fonctionnement de la langue
Durée de l'épreuve : une heure trente.
Coefficient 1 (noté sur 20).

Objectif : pratiquer la langue écrite (compréhension et expression) en utilisant des structures correctes dans des situations de communication simples et diversifiées.

Cette épreuve est constituée de quatre exercices.
Exercice 1 : comprendre et transmettre des informations à partir d'un ou plusieurs écrits courts (petites annonces, informations sur Internet…).
Exercice 2 : rédiger un texte suivi et cohérent à partir de notes.
Exercice 3 : rédiger trois brefs messages correspondant à des situations de communication diversifiées (e-mail, message…).
Exercice 4 : cet exercice peut prendre trois formes différentes :
– reconstituer un document bref ;
– reformuler un texte ou un énoncé ;
– rédiger un récit ou une description à partir d'images, de notes, etc.

Quelques conseils pour l'épreuve
- Organisez votre temps : vous disposez d'une heure trente.
- Lisez les questions de l'épreuve de manière globale avant de commencer la découverte des documents.
- Commencez par les exercices les plus faciles.

- Identifiez la difficulté et rappelez-vous les règles auxquelles elle fait appel.
- Soignez particulièrement votre expression écrite.
- Gardez un peu de temps pour vous relire !

Faites les quatre exercices. Comparez avec la classe et calculez votre score.
(Pour obtenir la note sur 20 points, il faut diviser votre score par deux.)

Exercice 1 *(10 points)*
Cette année, vous et vos amis voulez passer une semaine de vacances utile à votre santé. Ils vous ont chargé(e) de faire une première recherche pour vous mettre d'accord sur un type de séjour. Vous partagez avec eux l'amour de la nature : la mer, la montagne… l'envie de visiter des lieux inconnus. Vous souhaitez faire un peu de sport, bien sûr, mais aussi faire la fête.
Vous avez recueilli différents documents que vous avez trouvés dans des brochures de vacances.

1 Pour faire votre choix, vous avez préparé un tableau. Complétez-le en notant, pour chaque proposition, ce qui convient ou ce qui ne convient pas à vos projets. *(3 points)*

	Convient	Ne convient pas
Séjour/Randonnée		
Séjour de thalassothérapie		
Vacances actives en club		

2 Vous envoyez un message (60 mots environ) à vos amis pour les informer du résultat de vos recherches et leur dire quelle proposition vous semble la plus intéressante et pourquoi.
(7 points)

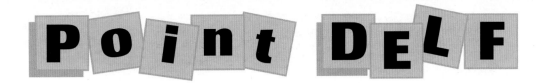

Point DELF

Séjour/Randonnée dans le parc national des Écrins, près de Briançon, dans les Alpes avec le club Tourisme et Forme.

Nuits en hôtel 3 étoiles avec piscine intérieure chauffée, sauna, hammam, salle de musculation, terrasse, solarium.

Salle de restaurant : mélange de cuisine traditionnelle et de spécialités montagnardes.

Découverte de la région avec randonnées pédestres, randonnées VTT et visite guidée de la ville fortifiée. Dans la vallée, deux lacs de montagne aux eaux limpides face à un panorama grandiose, la flore et la faune du parc national.

Randonnée d'altitude : montée régulière pour arriver à un superbe belvédère face aux massifs français et italien du mont Blanc.

À partir de 310 euros (6 nuits en demi-pension avec encadrement accompagnateur en montagne).

Vacances actives en club

à Sultan Beach en Tunisie avec Grand Sud Voyages.

Grand Sud Voyages vous propose de vous initier en toute sécurité à la voltige, au plaisir de jouer avec l'espace et de découvrir un nouveau sport-loisir d'exception… avec le trapèze volant et sans aucune préparation physique préalable !

Des moments inoubliables !

À partir de 395 euros pour 8 jours/7 nuits en pension complète.

Chambre double avec vue sur la mer.

Piscine, court de tennis, sauna, minigolf, terrain de volley-ball.

Balades possibles en compagnie d'un membre de l'équipe pour découvrir Hammamet (la médina, le centre culturel, le fort…).

Soirées animées : casino, café-théâtre et spectacles, piste de danse.

Séjour de thalassothérapie à Saint-Malo en Bretagne avec Balnéotours.

Mer et Capital Santé, séjour de remise en forme en hôtel 4 étoiles.

Restaurant panoramique.

Cuisine traditionnelle ou diététique.

Antistress : gommage des conséquences du stress avec séances de concentration, relaxation et techniques respiratoires pour une réconciliation revitalisante avec son corps.

Mais aussi course à pied et thalasso, pour le plaisir de bouger, s'aérer l'esprit en pleine nature, le sport c'est aussi le goût de l'effort mesuré, l'envie d'améliorer son potentiel avec prudence.

Week-end découverte 2 nuits en pension complète à partir de 500 euros.

cent treize

Louis Pasteur

1822	Naissance à Dole, France.
Jeunesse	Talent certain de dessinateur.
1848-1857	Brillante carrière universitaire (chimie et biologie).
1857	Direction recherches scientifiques, École normale supérieure.
1862	Membre de l'Académie des sciences.
1865-1880	Études sur les maladies du ver à soie, à l'époque grave menace : industries de la soie France et monde entier sauvée de la maladie.

Maladies infectieuses et contagieuses – mise en place des bases de l'hygiène moderne. Expériences célèbres sur l'étude des fermentations : pasteurisation utilisée pour conservation produits laitiers et jus de fruits. Recherches sur vaccination – découverte du vaccin contre le charbon.

1881	Membre de l'Académie française.
1885	Premier vaccin contre la rage.
1888	Fondation Institut Pasteur spécialisée dans la recherche et la fabrication des vaccins.
1895	Mort du savant.

Exercice 2 *(10 points)*

Une exposition va être organisée par le centre de ressources de votre école sur le célèbre biologiste français Louis Pasteur.

À cette occasion, on vous a demandé de rédiger sa biographie, information qui sera à la disposition des visiteurs.

Vous rédigez votre article au passé à partir des notes ci-dessus.

Exercice 3 *(9 points – 3 points par message)*

Rédigez pour chacune des situations suivantes un message court (40 à 50 mots), clair et précis.

1 Vous devez renvoyer par la poste un livre qu'un de vos amis vous a prêté. Vous glissez dans le paquet un petit mot pour le remercier et lui dire le plaisir que ce livre vous a procuré et pourquoi.

2 C'est le 3e jour de la semaine que vos voisins font la fête jusqu'à 2 heures du matin. Vous n'en pouvez plus. Vous décidez de leur écrire un mot que vous glisserez dans leur boîte aux lettres.

3 Votre frère/sœur doit venir passer un week-end chez vous. Malheureusement, vous devez vous absenter à la dernière minute. Vous lui laissez un mot pour vous excuser, expliquer la raison de votre absence, lui donner quelques conseils pratiques et lui demander de vous rendre un petit service.

Exercice 4 *(11 points)*

Reconstituez cet article de presse en retrouvant les mots qui conviennent (un seul mot par espace).

Aujourd'hui, presqu'un Français … trois consomme régulièrement un produit biologique. C'est … que révèle une récente étude CSA. Cette étude montre clairement une réaction massive après les crises alimentaires successives (farines carnées, produits chimiques, vache folle, poulet à la dioxine, eaux saturées … nitrates) : 29 % des personnes interrogées préfèrent désormais … tourner vers une alimentation naturelle, dénonçant une agriculture intensive souvent suspectée … pratiques dangereuses … l'environnement et la santé.

L'inquiétude est telle … 44 % des Français qui n'ont encore jamais goûté à un produit bio sont tentés de … faire, au moins une fois. Quitte à … revenir par la suite. Preuve de cette « popularité » : 40 % de ces aliments sont aujourd'hui distribués par les grandes surfaces.

Contrairement … ce qu'on peut croire, le bio ne procure pas à un aliment une saveur particulière. L'absence d'engrais chimiques ne rehausse pas le goût d'une salade. De plus, quand on achète pour la première fois un fruit ou un légume bio, on est souvent rebuté par son aspect peu engageant … diffère des produits conventionnels traités pour faire « bonne figure ». Mais, aujourd'hui, les consommateurs vont au-delà de cette apparence.

Liberté, égalité, fraternité... solidarité

■ Contenus socioculturels

– Les attitudes idéologiques des Français
– La situation des femmes dans la vie politique
– Les étrangers en France
– La solidarité face à la pauvreté

■ Objectifs communicatifs

– Expliquer, justifier des différences, des contradictions
– Argumenter
– Exprimer un ordre de grandeur, une proportion : *la plupart, un tiers...*

■ Contenus linguistiques

– Opposition et concession : *mais, malgré, au lieu de, cependant, pourtant, avoir beau, alors que, bien que, contrairement à, même si, quel que soit...*

LISTE PACS

PASSEPORT POUR L'ÉMOTION

LISTE PACS BHV

ET SI CHEZ VOUS,
LE PACS PASSAIT PAR L'ÉMOTION ?

① **En groupes, observez le document ci-dessus et décrivez-le.**

② **Faites des hypothèses sur ce document.**
1 À qui s'adresse-t-il ?
2 Qu'est-ce que le PACS ?
3 Il est question d'une *liste PACS* : de quoi s'agit-il ?
4 Qui propose cette liste PACS ?
5 Pourquoi est-il question d'*émotion* ?

③ **Lisez le titre et le chapeau de l'article p. 117. Puis, répondez à nouveau aux cinq questions de l'exercice précédent.**

④ **Lisez l'article.**
1 Que signifie le mot *PACS* ?
2 Depuis quand le PACS existe-t-il ?
3 Quelles sont les personnes concernées par le PACS ?
4 Quels droits ce contrat offre-t-il ? Quelle(s) différence(s) y a-t-il avec le mariage ?
5 Où les personnes souhaitant signer un PACS doivent-elles se rendre ?

Toujours dans la mouvance

⑤ **La journaliste du *Nouvel Observateur* se demande comment appeler le conjoint d'un pacsé et propose *copacsé*. Mais comment appelle-t-on...**
1 une personne qui loue un appartement avec une autre personne ? Un(e) **co**...
2 une personne qui forme une équipe avec d'autres personnes ? Un(e) **co**...
3 la réunion de plusieurs pays dans un but commun ? Une **co**...
4 une personne qui écrit un livre en collaboration avec une autre ? Un **co**...
5 le fait d'habiter à plusieurs sous un même toit ? Une **co**...
6 une personne qui dirige une société avec une ou plusieurs autres ? Un(e) **co**...

⑥ **Relevez dans le texte les différents éléments qui donnent un ordre de grandeur, une proportion, et observez comment ils se construisent.**
▶ *Marie-Patrice Dechelle reçoit **une dizaine de** demandes par semaine.*

Exprimer un ordre de grandeur, une proportion

✓ 40 % des Français pensent que.../20 % des personnes interrogées sont opposées à...

✓ Un Français sur deux est favorable à.../Une vingtaine de personnes est en total désaccord avec...

✓ La plupart..., les deux tiers..., les trois quarts... acceptent que...

✓ La quasi-totalité..., la majorité..., seule une minorité... approuve...

✓ Nombreux/rares sont les Français qui sont contre...

---

⑦ **Résumez chacune des lignes du tableau p. 117 par une seule phrase, en utilisant chaque fois une expression différente.**
▶ *La quasi-totalité des personnes interrogées est plutôt favorable à la mise en place de distributeurs de préservatifs dans les collèges.*

PACS, l'an I des nouveaux couples

Le gouvernement attendait 15 000 pactes civils de solidarité dans la première année suivant l'adoption du texte. Il s'en est signé 23 000. Aucun doute, le PACS a changé le regard de la société sur le couple, homo comme hétéro. Il a aussi modifié la façon dont les Français, gays ou pas, souhaitent s'unir. Pour les sociologues, c'est une vraie révolution.

Depuis la naissance du nouveau contrat, il y a près d'un an, Marie-Patrice Dechelle, greffière[1] au tribunal de Nantes, reçoit une dizaine de demandes par semaine. Aujourd'hui, elle annonce, avec une certaine fierté, les derniers résultats :
5 446 PACS signés à Nantes depuis le 16 novembre dernier. « Et on fera encore mieux l'année prochaine ! » Ici comme ailleurs, le PACS est entré dans les mœurs. 70 % des Français se disent aujourd'hui favorables au PACS. Le PACS s'est infiltré en douceur dans nos vies. On a d'abord vu fleurir
10 les petites annonces dans *Libé*, *Le Monde* et parfois même dans *Le Figaro*, puis les articles consacrés à ces nouveaux couples, avant d'apprendre que les grands magasins proposaient aujourd'hui des listes de PACS, sur le modèle des listes de mariage. On s'interroge sur le vocabulaire adéquat :
15 doit-on dire « pacser » ou « se pacser » ? Comment appeler le conjoint d'un pacsé : mon « copacsé », mon « pacsounet », ma « pacsette » ? Et que dira-t-on en cas de séparation : « dépacsage », « divorce de PACS » ? Le PACS, on s'en fout, on s'en irrite, on s'en amuse ou on s'en félicite,
20 mais plus personne n'est vraiment contre. « Être contre, c'est risquer d'apparaître ringard », note le sociologue François de Singly.

Au-delà des symboles et des anecdotes, les chiffres : plus de 46 000 pacsés ont été recensés entre le 16 novembre
25 1999 et le 30 septembre 2000. Jean-Paul Pouliquen, président du Collectif pour le contrat d'union sociale et le PACS, estime, à partir des faire-part qu'il reçoit, que le nouveau pacte concerne environ 70 % d'homosexuels à Paris, contre 40 % en province. Après avoir interrogé les greffes des

quinze tribunaux les plus importants, nous obtenons des 30 conclusions assez semblables. Beaucoup nous ont confié le même constat. « On croyait que le PACS serait réservé aux homos. Pas du tout ! » La nouvelle loi concerne aussi des milliers de couples hétéros, dans toute la France. Sa grande souplesse (le PACS permet de bénéficier de nombreux 35 droits, il est un contrat minimal, un simple engagement de solidarité dans lequel chacun peut rajouter ses clauses particulières) séduit des individus d'horizons très divers. La majorité des couples pacsent d'abord pour sceller leur union et organiser au mieux leur vie commune. Pour les homo- 40 sexuels qui ont vécu dans l'ombre pendant des décennies, le PACS a évidemment une portée considérable. Il est d'abord une reconnaissance. Beaucoup d'homos font du PACS un mariage bis. Et les hétéros, à qui tout est permis, choisissent le PACS justement parce qu'ils ne veulent pas se 45 marier. Avec le PACS, ils obtiennent des droits, en termes fiscaux notamment, et formalisent un peu plus leur relation sans la lourdeur du mariage. Les fleurs, les alliances et les faire-part, justement, eux n'en veulent pas. « Le PACS, c'est humain et sincère. Il n'y a pas tout ce tralala[2] », dit Aline, 43 50 ans, récemment pacsée avec Mathieu.

Pour François de Singly, « le PACS correspond par certains côtés aux idéaux de la vie conjugale moderne : on rêve d'une relation qui soit la moins contraignante possible et en même temps on a besoin d'engagement et de sécurité ». 55 Malgré ses nombreuses insuffisances, le PACS apporte de vrais droits en matière sociale, fiscale, et de succession.

Sophie des Déserts, *Le Nouvel Observateur*, n° 1876.

1. Fonctionnaire qui enregistre les actes de procédure dans un tribunal. 2. Luxe apparent *(familier)*.

Attitude idéologique des Français

	Plutôt favorable %	Plutôt opposé %	Ne sait pas %
• La mise en place de distributeurs de préservatifs dans les collèges	80	18	2
• La mise en place de la pilule du lendemain à l'école	66	30	4
• La possibilité d'avoir recours à l'euthanasie	65	28	7
• L'interdiction des films pornographiques à la télévision	41	52	7
• La possibilité pour les médecins de refuser de pratiquer des avortements	38	56	6
• La poursuite des recherches sur le clonage génétique	31	65	4
• L'adoption d'enfants par les couples homosexuels	30	64	6
• La légalisation des drogues douces	30	66	4

Sondage IPSOS effectué pour *Le Figaro magazine*, les 5 et 6 mai 2000 sur un échantillon national représentatif de 923 personnes âgées de 18 ans et plus.

Débats

⑧ **Observez le tableau et dites si vous êtes plutôt favorable ou plutôt opposé à ces mesures. En groupes, comparez vos opinions.**

⑨ **En groupes, comparez vos opinions sur ces différents sujets.** Parmi les points évoqués dans le sondage, quels sont ceux qui existent déjà de manière légale dans votre pays ? Certaines de ces mesures ont-elles déjà été débattues dans votre pays ? Quelles sont celles qui vous semblent impensables dans votre propre culture ?

① **Observez le titre et la signature du document ci-dessous.**

1 De quel type de document s'agit-il ?

2 Qui sont, selon vous, les Chiennes de garde ?

3 En quoi la date de publication du document est-elle importante ici ?

② **Lisez le document.**

1 Pourquoi les Chiennes de garde sont-elles en colère ? Citez au moins trois raisons.

2 Pourquoi celles-ci utilisent-elles des termes aussi vulgaires que *salope*, *putain* ou *tas* dans leur document ?

3 Que réclament-elles exactement ?

Halte à la violence sexiste
Manifeste du 8 mars 1999

Nous vivons en démocratie. Le débat est libre. Cependant, tous les arguments ne sont pas légitimes. Toute femme qui s'expose, qui s'affirme, qui s'affiche, court le risque d'être traitée de « pute ». Si elle réussit, elle est souvent suspectée d'avoir « couché ».

Ça suffit !

Nous, chiennes de garde, nous montrons les crocs.
Adresser une injure sexiste à une femme publique, c'est insulter toutes les femmes.
Nous nous engageons à manifester notre soutien aux femmes publiques attaquées
en tant que femmes.
Nous affirmons la liberté d'action et de choix de toutes les femmes.
Nous, chiennes de garde, nous gardons une valeur précieuse :
la dignité des femmes.
Ensemble, élevons le débat.

REJOIGNEZ-NOUS !

En France, toutes les femmes politiques d'aujourd'hui ont reçu des injures sexistes, inscrites sur leurs affiches, hurlées dans des lieux publics ou au téléphone : « salope », « putain », etc. Bien que notre pays soit fier de sa tradition de galanterie, toute femme qui prend des initiatives court le risque d'être traitée ainsi.

Récemment, des machos ont hurlé à la ministre Dominique Voynet d'enlever son slip. Au lieu d'être considérées pour leurs compétences, les femmes politiques – les autres aussi – sont trop souvent jugées sur leur seul aspect physique (« canon » ou « tas » *).

Dans les autres pays occidentaux, les femmes politiques ne sont pas agressées avec autant de machisme. À quoi tient cette exception française ? Serait-elle en relation avec l'exclusion des femmes par la république ? C'est seulement le 21 avril 1944 que les Françaises ont obtenu le droit de vote, alors que le suffrage dit « universel » existait depuis déjà 96 ans. Contrairement aux pays voisins, leur place dans les assemblées élues est dérisoire.

Aujourd'hui, c'est à nous, femmes et hommes agissant pour la liberté, l'égalité, la fraternité et la tolérance, de faire entendre notre voix. Nous demandons le vote d'une loi contre le sexisme. Nous demandons un ample travail de réflexion, d'éducation et de prévention. Nous voulons vivre dans une société où nous pourrons agir librement, dans le respect de l'autre et en bénéficiant nous-mêmes de respect.

Adresser une injure sexiste à une femme politique, c'est insulter toutes les femmes.
Il est temps de dire non et de montrer les crocs. Ensemble !
L'union fait la force.

Chiennes de garde et fières de l'être !

Chiennes de garde : 35, rue des Francs-Bourgeois – 75004 Paris
http://chiennesdegarde.org/

---

* Termes très familiers pour désigner une personne jolie *(canon)* ou, au contraire, laide *(tas)*.

③ **En groupes, repérez dans ce document les éléments suivants, puis retrouvez le plan.**

1 Les paragraphes qui expriment :
   a un constat ;
   b une comparaison ;
   c une revendication.
2 Les moments où les Chiennes de garde interpellent directement le lecteur de ce manifeste ;
3 Le(s) slogan(s).

Situation des femmes dans la vie politique française

⑤ **Lisez le document ci-contre et répondez aux questions.**

1 Un des constats établis par les Chiennes de garde se trouve illustré. Lequel ?
2 Qu'a changé la loi du 6 juin 2000 dans le monde de la politique ?
3 Quelle était la proportion de femmes dans la sphère politique avant la loi et maintenant ?

Débats

⑥ **En groupes, comparez vos opinions sur ces différents sujets.**

Une telle loi vous semble-t-elle nécessaire pour réaliser la parité des hommes et des femmes en politique ? Connaissez-vous la proportion de femmes dans les diverses assemblées politiques de votre pays ? Cette proportion est-elle plus importante que celle des femmes dans la vie politique française avant le vote de la loi ? Dans votre pays, une femme a-t-elle déjà occupé ou occupe-t-elle un poste important en politique ? Les femmes qui font de la politique sont-elles, comme en France, souvent victimes d'insultes de la part des hommes ?

Écrit

⑦ **En groupes, rédigez un manifeste.**

Avec l'ensemble de la classe, faites une liste de sujets autour desquels vous pourriez réaliser un manifeste. Ces sujets pourront être sérieux (la défense de l'environnement, les droits de l'enfant…) ou plus originaux (le droit à la paresse, les droits des animaux domestiques…).
Choisissez un des sujets et rédigez un manifeste sur le modèle de celui des Chiennes de garde. Avant de commencer, observez à nouveau la manière dont ce manifeste est construit.

④ **Relevez dans le texte les termes ou les constructions utilisés pour exprimer l'opposition et la concession. Dites si les phrases expriment plutôt un constat, un paradoxe, une réserve ou une substitution.**

☞ **CONNAÎTRE ET RECONNAÎTRE** p. 124-125

La parité entre les femmes et les hommes : une avancée décisive pour la démocratie.

Pour la première fois dans le monde, un pays – la France – s'est doté d'une législation pour réaliser la parité politique
5 entre les femmes et les hommes. Son objectif est qu'un nombre égal de femmes et d'hommes siègent dans les assemblées politiques. La première évaluation de la loi du 6 juin 2000 nous permet d'affirmer que cette loi constitue une avancée décisive pour la démocratie.

10 **Là où la loi s'applique, elle a des effets déterminants sur la place de la représentation des femmes dans la sphère politique.**
L'entrée massive des femmes dans les conseils municipaux est la principale avancée de cette loi.
15 • Dans les communes de 3 500 habitants et plus, cette proportion a doublé en 2001 avec 47,5 % contre 25,7 % en 1995.
• Pour les élections sénatoriales, dans les départements à la proportionnelle (dont le nombre de sénateurs est de trois
20 et plus), la progression est significative (plus de 20 %). Le pourcentage de femmes au Sénat rejoint celui de l'Assemblée nationale avec 10,9 % en 2001 contre 6,2 % en 1998.

Là où la loi ne s'applique pas, la parité a très peu d'effet
25 **d'entraînement sur la place des femmes élues et sur les fonctions électives.**
• La proportion de femmes maires illustre bien cette réserve : elle est passée de 7,5 % en 1995 à seulement 10,9 % en 2001.
30 • Pour les élections cantonales, la progression du nombre de femmes élues conseillères générales est limitée : de 6,3 % en 1998 à 9,8 % en 2001.

Observatoire de la parité entre les femmes et les hommes,
« La parité entre les femmes et les hommes : une avancée décisive pour la démocratie », mars 2002.

Entrée libre ?

Ouvert tous les soirs
de 22 h à 5 h du matin`

Le Galaxy
Club discothèque

Tenue correcte exigée

① **Comparez les deux documents présentés, puis relevez les points communs et les différences entre eux.**

② **Lisez le document de la Licra et répondez aux questions.**
  1 Quelle contradiction concernant la France le message de ce document fait-il apparaître ?
  2 Les étrangers sont-ils les seuls à être victimes de ségrégation dans la vie quotidienne ?

Débats

③ **Dans votre pays...**
  1 Le racisme est-il un phénomène répandu, plutôt rare ou très rare ?
  2 Les personnes d'origine étrangère rencontrent-elles des difficultés pour trouver un travail, un logement ou pour entrer dans une discothèque ?
  3 Quelles sont, selon vous, les principales victimes de racisme ou de discrimination ?
  4 Les mariages entre personnes d'origines ou de couleurs différentes sont-ils bien acceptés ?
  5 Avez-vous vous-même des amis étrangers ?

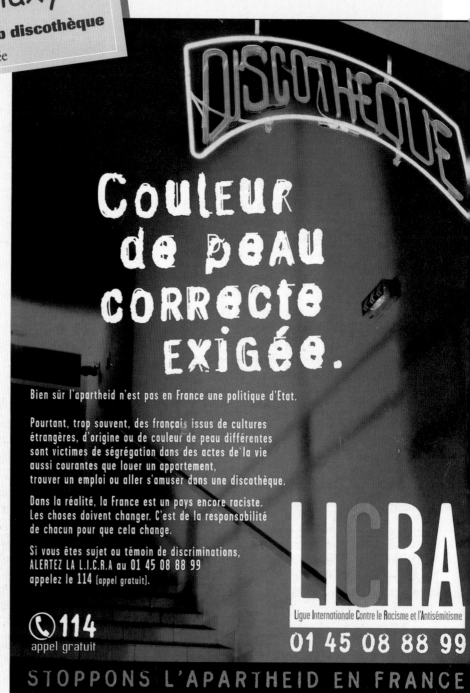

Couleur de peau correcte exigée.

Bien sûr l'apartheid n'est pas en France une politique d'État.

Pourtant, trop souvent, des français issus de cultures étrangères, d'origine ou de couleur de peau différentes sont victimes de ségrégation dans des actes de la vie aussi courantes que louer un appartement, trouver un emploi ou aller s'amuser dans une discothèque.

Dans la réalité, la France est un pays encore raciste. Les choses doivent changer. C'est de la responsabilité de chacun pour que cela change.

Si vous êtes sujet ou témoin de discriminations, ALERTEZ LA L.I.C.R.A au 01 45 08 88 99 appelez le 114 (appel gratuit).

📞 **114** appel gratuit

LICRA
Ligue Internationale Contre le Racisme et l'Antisémitisme
01 45 08 88 99

STOPPONS L'APARTHEID EN FRANCE

LIBERTÉ, ÉGALITÉ, FRATERNITÉ... SOLIDARITÉ

Unité 9

Paroles d'étrangers

④ **Écoutez la première partie du document sonore et répondez aux questions.** ....
   1 Pour quelles raisons Juan a-t-il eu du mal à trouver un emploi en France ?
   2 Quelles sont les difficultés que Juan et Miki ont rencontrées pour se procurer un logement à Paris ?

⑤ **Écoutez la deuxième partie du document sonore.** ....
   1 Quelle image Miki se faisait-elle de la France avant de s'y installer ?
   2 Cette image correspond-elle à la réalité ?

⑥ **Quelle représentation de la France et des Français se fait-on dans votre pays ? Quand on parle de la France dans les médias, quels sont les sujets abordés ?**

Comment ceux qui vivent en France nous voient-ils ?

« Vous parlez beaucoup, mais vous agissez peu. Vous espérez toujours régler vos problèmes par le haut, par la politique. »

Johnny, Chinois.

« La tolérance et le sourire, qui m'avaient tellement surpris en débarquant chez vous il y a douze ans, je ne les vois plus. J'en ai ras le bol du manque de respect qui prévaut de plus en plus en France. Pas seulement à l'égard de l'"étranger" d'ailleurs. »

Ibrahim, Iranien.

« Les Français se plaignent tout le temps. C'est hallucinant. Il y a toujours quelque chose qui ne va pas. Vous avez tellement de mal à vous satisfaire des petits bonheurs de la vie quotidienne !
Heureusement, il y a la bouffe. Voilà une chose simple qui vous satisfait. »

Isabel, Espagnole.

« Aux États-Unis, c'est grâce aux petits boulots qu'on s'en sort. Mais ici, c'est impossible de proposer ses services pour repeindre les volets du voisin. Trop de contraintes, d'interdits, pas assez de souplesse dans le système. »

Linda, Américaine.

⑦ **Lisez les témoignages. Puis complétez les deux phrases suivantes en trouvant des adjectifs ou des noms qui résument, d'après les personnes interrogées, l'attitude des Français.**
   1 Les Français sont...
   2 Les Français manquent de...

⑧ **Écoutez la troisième partie du document sonore.** ....
   Parmi les principaux défauts des Français évoqués par Juan et Miki, retrouvez ceux qui ont déjà été cités.

⑨ **Complétez vos deux réponses à l'exercice 7 en indiquant les défauts des Français qui n'ont pas encore été évoqués.**

Sud-Ouest dimanche, 18 mai 1997.

Quelle solidarité ?

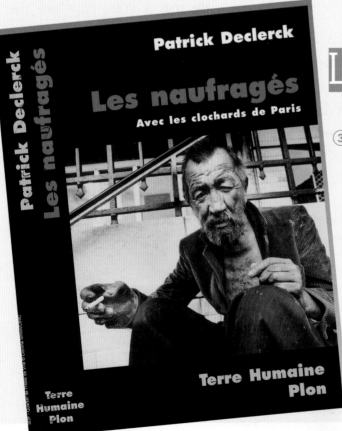

Chaval,

① **En groupes, observez le dessin ci-dessus.**
Quels commentaires ce dessin vous inspire-t-il ? Selon vous, qu'a voulu dire le dessinateur ?

Débats

② **En groupes, répondez aux questions suivantes en développant votre point de vue.**

1 Donnez-vous de l'argent aux personnes qui mendient ? Pourquoi ?

2 Faites-vous une différence entre les gens qui mendient et ceux qui jouent de la musique ou qui font quelque chose d'autre pour récolter de l'argent ?

3 Que pensez-vous de cette affirmation souvent entendue ?
Les SDF* sont des gens qui ne veulent pas travailler et qui utilisent l'argent qu'on leur donne pour boire.

4 Si vous voyiez un SDF inanimé dans la rue, que feriez-vous ?

5 Certaines villes, en France, interdisent la mendicité. Que pensez-vous de cette mesure ?

6 Avez-vous déjà discuté avec un SDF ?
Si non, qu'est-ce qui vous a empêché de le faire ?
Si oui, cette discussion a-t-elle modifié votre regard sur les sans-abri ?

7 Avez-vous déjà donné de l'argent, de la nourriture ou des vêtements à des associations qui viennent en aide aux personnes défavorisées ?

8 Y a-t-il beaucoup de SDF dans votre pays ? Quels sont les moyens mis en œuvre pour les aider ?

* Un SDF : un sans domicile fixe/un sans-abri.

Les naufragés

③ **Écoutez le document en entier et comparez, en groupes, ce que vous avez compris lors de cette première écoute.** ....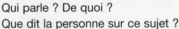
Qui parle ? De quoi ?
Que dit la personne sur ce sujet ?

④ **Écoutez à nouveau le document en entier. Dites quelles affirmations sont vraies.** ....

Patrick Declerck dit :

1 que les clochards viennent souvent de familles défavorisées ;
2 qu'ils sont, pour la plupart, alcooliques ;
3 que la société devrait leur apporter une aide permanente ;
4 que certains SDF arrivent par cargo, clandestinement, de l'étranger ;
5 qu'il est extrêmement fatigant de faire la manche ;
6 que nombreux sont ceux qui ne voient même plus les SDF dans la rue ;
7 que des passants se font parfois agresser dans la rue par des clochards ;
8 qu'il est stupide de penser qu'on choisit d'être clochard.

⑤ **Le document se compose de quatre parties. Après une nouvelle écoute, donnez un titre à chacune d'elles. Puis, en groupes, comparez vos titres en justifiant votre choix.** ....

⑥ **À partir de son expérience dans le milieu des clochards, Patrick Declerck a écrit un livre intitulé *Les Naufragés*. D'après ce que vous avez compris de son témoignage à la radio, pourquoi a-t-il choisi ce titre ?**

Écrit

⑦ **Rédigez un court article.**
On vous demande de présenter brièvement ce livre dans un magazine francophone. À partir du résumé du livre de Patrick Declerck entendu sur France Inter, rédigez un article de 80 à 100 mots puis trouvez un titre autre que *Les Naufragés*.

Quelle pauvreté ?

⑧ **Observez le document ci-contre.**
1 Quelle est la source de ce document ? Quel est le rôle de cette institution ?
2 Quel mot dans le titre confirme ce rôle ?
3 Quelle partie du titre correspond au résultat de l'enquête ?
4 Que signifie l'autre partie ? Formulez-la autrement.

> **Quel que soit le mode de calcul adopté, aujourd'hui, en France, une personne sur dix vit en dessous du seuil de pauvreté.**
>
> En 2000, le seuil de pauvreté se situe à 556 euros par mois pour une personne seule, ce qui correspond à la moitié du revenu moyen des Français.
>
> D'après l'INSEE.

Grammaire

Quelques moyens pour mettre en opposition deux faits/deux éléments

• **Alors que/tandis que** (+ indicatif)
*Les Finlandaises peuvent voter depuis 1906 **alors que** les Françaises ne peuvent le faire que depuis 1944.*

• **En revanche/par contre/mais/au contraire**
*Les femmes accèdent plus facilement à certains emplois ; **en revanche**, elles continuent à avoir un salaire souvent moins important que les hommes.*

• **Au lieu de** (+ infinitif)
***Au lieu d'**être considérées pour leurs compétences, les femmes politiques sont souvent jugées sur leur physique.*

• **Contrairement à** (+ nom ou pronom)
*En France, **contrairement aux** pays voisins, la place des femmes dans les assemblées élues était dérisoire avant juin 2000.*

---

1 Niveaux de vie.
En utilisant les conjonctions *alors que* et *tandis que*, faites des phrases qui mettent en évidence les différences de niveaux de vie entre ces deux hommes.

L'un	L'autre
– directeur commercial ;	– au chômage ;
– 3 500 € par mois ;	– moins de 300 € par mois ;
– appartement luxueux.	– SDF.

2 Les femmes changent…
Reliez les phrases en utilisant *au lieu de.*
   Aujourd'hui, la plupart des femmes préfèrent travailler ; elles ne restent plus à la maison.
▶ *Aujourd'hui, la plupart des femmes préfèrent travailler **au lieu de** rester à la maison.*

1 Elles partagent les tâches ménagères avec leur conjoint ; elles ne font plus tout toutes seules.
2 Elles réclament des droits ; elles n'acceptent plus les différences de traitements entre hommes et femmes.
3 Elles pratiquent des activités extérieures ; elles ne s'occupent plus seulement de leurs enfants.
4 Elles préfèrent travailler ; elles ne dépendent plus financièrement de leur mari.

---

3 Tout n'est pas facile !
Terminez les phrases suivantes en utilisant *en revanche* ou *par contre.*
Kentaro habite en France depuis six mois.
1 Il a trouvé facilement un appartement ; …
2 Il a quelques amis étrangers ; …
3 Il comprend assez bien le français à l'écrit ; …
4 Il va rarement voir des films français ; …

Quelques moyens pour exprimer la concession

Il y a concession quand on évoque un fait et qu'on indique qu'il est sans influence sur le résultat final.

• **Pour évoquer un fait sans influence sur le résultat final**

– **Même si** (+ indicatif)
***Même si** le débat est libre dans une démocratie, certains arguments sexistes ne sont pas tolérables.*

– **Bien que** (+ subjonctif)
***Bien que** la France soit fière de sa tradition de galanterie, de nombreuses femmes sont victimes de plaisanteries sexistes.*

– **Malgré** (+ nom)
***Malgré** ses qualités professionnelles, elle n'a pas obtenu le poste.*

• **Pour évoquer le résultat final**

– **Pourtant/quand même/tout de même**
*On parle souvent de l'égalité des sexes en France, **pourtant** on constate encore une différence entre la théorie et la réalité.*

– **Mais/cependant**
*Dans le couple, les hommes participent de plus en plus aux tâches ménagères ; **cependant**, ce n'est pas une généralité.*

! Pour renforcer l'idée de concession, on peut utiliser dans la même phrase les deux expressions :
***Malgré** l'existence de la Journée internationale de la femme depuis 1910, il reste **pourtant** de grandes inégalités entre hommes et femmes.*

D'autres moyens d'exprimer la concession

• **Quel(s)/quelle(s) que** (+ *être* au subjonctif + nom)
Quel que soit le mode de calcul adopté, une personne sur dix vit en dessous du seuil de pauvreté.

• **Avoir beau** (+ infinitif)
Les plus défavorisés **ont beau** bénéficier d'aides de l'État, ils n'ont souvent que le minimum pour survivre.

---

4 Résistances.

1 Remplacez *même si* par *bien que* et faites les changements nécessaires dans la phrase.

Même s'il y a de plus en plus de femmes actives, l'image de la femme dans la société évolue très lentement.

▶ **Bien qu'**il y ait de plus en plus de femmes actives, l'image de la femme dans la société évolue très lentement.

a Même si elles sont compétentes, les femmes obtiennent encore difficilement certains postes de travail.

b Même si les mentalités ont évolué, les Français ont encore une attitude machiste à l'égard des femmes.

c Même si le congé paternel existe, ce sont encore souvent les femmes qui arrêtent de travailler pour élever leurs enfants.

2 Reprenez les phrases de la partie précédente. Remplacez *même si* par *malgré* et faites les changements nécessaires.

5 Que faire ?

Transformez les phrases en utilisant *quel(le)(s) que*.

Les aides apportées aux sans-abri sont multiples mais elles restent insuffisantes.

▶ **Quelles que soient** les aides apportées aux sans-abri, elles restent insuffisantes.

1 Les conditions climatiques peuvent être bonnes ou mauvaises, de nombreux SDF dorment dans les rues.

2 On peut être qualifié ou non, il est difficile de trouver un travail lorsqu'on n'a plus de logement.

3 On devient SDF pour diverses raisons mais il est impossible de juger tant qu'on n'a pas vécu soi-même cette situation.

6 Une certaine impuissance.

Transformez les phrases en utilisant *avoir beau*.

Nous croisons souvent des SDF dans les rues, et pourtant nous ne faisons rien pour les aider.

▶ **Nous avons beau** croiser souvent des SDF dans les rues, nous ne faisons rien pour les aider.

1 Il y a, en France, des centres d'hébergement de nuit pour les SDF ; pourtant, ces derniers préfèrent parfois dormir dans la rue.

2 La plupart des gens sont sensibles à la misère des autres ; pourtant, seule une minorité donne régulièrement de l'argent aux œuvres caritatives.

3 Des SDF meurent de froid chaque hiver dans les rues ; pourtant, peu d'actions sont mises en place pour éviter cela.

7 Lettre au Sénégal.

Complétez la lettre suivante avec des termes d'opposition ou de concession.

Chère Birane,

Ça y est ! Nous sommes arrivés en France. Le voyage s'est déroulé sans trop de problèmes, ... (1) les interminables formalités à remplir à l'aéroport de Roissy-Charles-de-Gaulle. ... (2) l'appartement dans lequel nous sommes installés est confortable, je regrette notre maison à côté de Dakar.

Depuis notre arrivée, il pleut souvent et il fait froid. J' ... (3) me dire que ce n'est pas grave, je dois avouer qu'à cause de cela, j'ai souvent le mal du pays. En plus, ... (4) sortir, je reste la plupart du temps enfermée dans l'appartement. Babacar, ... (5), passe ses journées ici et là pour régulariser notre situation en France. ... (6) nous ayons obtenu tous les papiers nécessaires à l'ambassade de France à Dakar, il reste encore plein de formalités à remplir. Et ce n'est pas simple !

... (7), je dois dire que nos voisins de palier ont été vraiment pleins d'attentions pour nous : ils ont bien remarqué que j'étais souvent triste depuis notre arrivée, ... (8) on m'avait dit que les Français étaient froids et arrogants. Comme quoi, il ne faut jamais faire de généralités !

Si, d'habitude, je ne suis pas très courageuse pour écrire, je pense que je t'enverrai ... (9) bientôt une autre lettre, plus longue cette fois-ci. Je t'embrasse.

Calixthe

cent vingt-cinq

Point DELF

DELF Unité A4 – Oral
Pratique du fonctionnement de la langue
Durée de l'épreuve : trente minutes.
Coefficient 1 (noté sur 20).

Objectif : comprendre plusieurs documents sonores enregistrés et répondre à un questionnaire de compréhension.

Quelques conseils pour l'épreuve (voir. p. 46)

Répondez aux questions et calculez votre score.
(Le questionnaire est plus court que dans une épreuve réelle du DELF. Il est donc noté sur 13 points au lieu de 20.)

Exercice 1 *(4 points)*
Vous allez entendre quatre messages une seule fois. Il y aura dix secondes entre chaque message pour vous permettre de répondre à la question posée. ....
Message 1
Sur son répondeur, ce médecin...
   a donne les horaires de ses consultations ;
   b informe des raisons de son absence ;
   c propose de répondre plus tard aux patients.
Message 2
Cette femme appelle...
   a pour confirmer un rendez-vous ;
   b pour se plaindre d'une personne ;
   c pour expliquer un problème de plomberie.
Message 3
Mme Lebour doit...
   a téléphoner pour fixer un rendez-vous ;
   b rester chez elle le lendemain matin pour une livraison ;
   c aller chercher sa machine au service de réparation.
Message 4
Dans cette annonce, la RATP informe ses usagers...
   a d'un nouveau service de renseignements ;
   b de la mise en circulation d'une nouvelle ligne de métro ;
   c d'une grève partielle des transports.

Exercice 2 *(5 points)*
Vous allez entendre un message une seule fois. Vous avez devant vous la transcription de ce message. Quand il y a un choix, soulignez la proposition que vous entendez.
   ▶ *Bouger (sans, sain) cesse, travailler n'importe où et à n'importe quelle heure, ne jamais faire (maints, moins) de deux choses à la fois... Là est la tendance.*
   Mais sommes-nous tous voués au nomadisme ?

Nous avons interrogé le docteur Samuel Lepastier, psychiatre et psychanalyste.

« Il faut bien distinguer le nomadisme (des, de) contrainte, qui implique (qu'on, qu'en) se déplace pour aller à son travail, (de, du) nomadisme volontaire qui est un véritable mode de vie pour une minorité d'entre nous qui ne supporte pas un cadre de vie préétabli.
Pour la (majeur, majorité) des gens, le nomadisme (reste, leste) une contrainte. Dans ce cas, il a souvent tendance à être (très stabilisant, déstabilisant) pour l'individu qui perd un certain nombre de repères fixes, nécessaires à son équilibre.
C'est pour (ceux-là, cela) qu'aujourd'hui, les repères internes doivent être plus fixes qu'auparavant, (afin, avant) de ne pas (s'y, se) perdre. Il faut savoir (geler, gérer) le temps de travail et le temps pour soi. »

Exercice 3 *(4 points)*
Vous allez entendre deux enregistrements correspondant à des informations radio. Pour chacune, vous aurez dix secondes pour lire les questions et deux écoutes pour répondre en cochant la réponse exacte ou en écrivant les mots ou chiffres qui manquent. ....
Première information
1 La ville de Paris organise...
   a une vente exceptionnelle de plantes de printemps ;
   b une exposition sur les jardins municipaux ;
   c un partage de savoir-faire sur le thème de la nature.
2 Cet événement va durer...
   a 24 heures ;
   b du lundi au dimanche ;
   c le premier mois du printemps.
Deuxième information
1 Le Café show est le nom...
   a d'un salon de thé parisien ;
   b d'une exposition culturelle ;
   c d'une salle de repos du musée du Louvre.
2 Le Café show...
   a est connu dans le monde entier ;
   b a été inauguré il y a trois jours ;
   c renouvelle une expérience passée.

■ **Contenus socioculturels**

– Ville-campagne
– Les néoruraux
– Les régions françaises
– Les paysages de France

■ **Objectifs communicatifs**

– Donner des précisions sur quelqu'un ou quelque chose
– Exprimer la cause, la conséquence
– Se justifier, donner des explications
– Décrire un lieu
– Évaluer, comparer une qualité, une quantité

■ **Contenus linguistiques**

– Les pronoms relatifs simples et composés
– Cause et conséquence : *grâce à, à cause de, si bien que...*
– Comparatifs et superlatifs

LA CLÉ DES CHAMPS

formations au ☎ N°Azur 0 810 057 057 www.mercedes.fr

La Classe A est inclassable

① **En groupes, observez la photo de cette publicité et décrivez ce que vous voyez.**

② **Faites des hypothèses sur ce document, puis comparez avec les autres groupes.**

   1 Quel est l'environnement probable de cette photo (où se trouve la maison, qu'est-ce qu'il y a en face, à côté…) ?

   2 Comment est l'intérieur de la maison (son style, sa décoration, ses pièces…) ?

   3 Qui habite cette maison (âge, sexe, profession, situation familiale des personnes…) ?

   4 À qui appartient la voiture ?

③ **Lisez le texte de la publicité.**

   1 Identifiez le type de document. Est-ce un récit, une argumentation, une information, une injonction ?

   2 Délimitez les différentes parties de ce document et dites à quoi elles correspondent.

④ **Tirez des conclusions concernant :**

   1 les qualités de cette voiture ;

   2 le public visé par cette publicité.

La Classe A est la voiture idéale pour aller à la campagne. Pour aller à la ville aussi.

Aujourd'hui, on essaye de plus en plus d'échapper à son quotidien. C'est peut-être pour ça que la population des villes va de plus en plus à la campagne et que la population des champs passe ses week-ends en ville. Parce qu'elle est aussi à l'aise sur la route qu'en milieu urbain avec ses nouvelles motorisations, la Mercedes Classe A convient à tout type de terrains et à tout type de conducteurs.

La Classe A est inclassable.

Mercedes-Benz

Conso (l./100 km) urbaine de 6,8 à 11,1 ; extra-urbaine de 4,1 à 6,2 ; mixte de 4,8 à 7,9; Emission CO_2 : de 127 à 190 g/km. Selon homologation n°:e1*96/79*0073* du 21/05/01. *Coût d'un appel local sauf d'un téléphone mobile. Mercedes-Benz est une marque du groupe DaimlerChrysler.

Débats

⑤ **En groupes, cherchez plusieurs raisons pour lesquelles les citadins vont de plus en plus à la campagne et plusieurs raisons pour lesquelles les habitants de la campagne passent leurs week-ends en ville. Dans chaque groupe, variez vos réponses puis comparez vos opinions.**

▶ *C'est parce que la vie urbaine est stressante que les citadins quittent la ville…*

Unité 10

Ils ont choisi de vivre à la campagne

⑥ Lisez l'article ci-dessous.

1 Comment appelle-t-on aujourd'hui les citadins qui choisissent de vivre à la campagne ?
2 Faites leur portrait (âge, profession, situation familiale…).
3 Quelles régions les attirent le plus ?
4 Pourquoi décident-ils de s'installer à la campagne ? Relevez seulement les arguments que vous n'avez pas évoqués dans l'exercice précédent.

⑦ La journaliste qui a rédigé l'article ci-dessous a interrogé quelques néoruraux. Elle doit écrire de petits articles dont les titres reprendront une phrase de l'interviewé(e). Choisissez un des titres suivants, le profil de la personne interrogée, puis rédigez l'article (200 mots).

1 *On était enfin reconnus ; ici, les gens sont solidaires et ouverts d'esprit.*
2 *J'aime être là, incognito. Je passe mes journées en baskets, c'est un régal…*
3 *On voulait du soleil et être à côté de nos familles.*
4 *La vie y est facile, et puis, c'est un environnement sécurisant.*

Ils fuient la capitale pour le charme des villages, la tranquillité des hameaux, la verdure. Ces néoruraux privilégient un art de vivre authentique, loin du tumulte de la ville. Qui sont-ils ? Où partent-ils ?

Paris, Ville lumière ou Ville galère ? Jeunes couples, quadras[1] ou retraités, ils sont de plus en plus nombreux à prendre la clé des champs. Ils veulent une maison, un jardin, de l'espace, un cadre de vie agréable… Une lame de fond est-elle en train de bouleverser la carte démographique française ? Certaines régions qui dépérissaient en silence ont vu leur population croître de nouveau. Une tendance confirmée par les derniers chiffres du recensement. Au palmarès de ces nouveaux eldorados : les régions du Sud et de l'Ouest. Certes, la ville est restée un point d'ancrage : « 35 millions d'habitants sur 58,5 y vivent », si l'on en croit les chiffres de l'Insee. Mais pour combien de temps encore ? Les néoruraux changent de métier, délocalisent leur profession ou sont branchés télétravail. Leur but : être en accord avec leur nature profonde. « Parmi les candidats au départ, beaucoup de jeunes, avec enfants, qui ne supportent plus de sacrifier leur vie familiale et d'emmener régulièrement leurs petits chez le médecin avec des diagnostics récurrents : bronchites, bronchiolites, asthme… », commente Claire Dutray, membre d'un collectif[2] national d'aide à l'installation des citadins à la campagne.

« Quand nous avons créé ce collectif Ville Campagne, il y a sept ans, nous sentions qu'il y avait un frémissement, une prise de conscience. Aujourd'hui, c'est devenu un phénomène de société. Nous organisons régulièrement des forums en partenariat avec les collectivités locales[3] pour aider les gens qui ont des projets dans les zones rurales à les concrétiser. »

Mais qu'est-ce qui les fait courir ? « Le village véhicule des valeurs fortes. Il est le symbole de la vie harmonieuse et la base de la république. On s'y sent plus en sécurité qu'en ville, les écoles y dispensent souvent un enseignement de meilleure qualité, sans les problèmes de niveau qu'on rencontre en région parisienne », note Jean Viard, directeur de recherche au CNRS du Centre d'études de la vie politique française. Avec l'évolution des transports, les nouveaux outils de communication, sans oublier le télétravail, on peut être ici ou là et communiquer aux quatre coins de la France en un temps record. « On ne vit plus à la campagne comme il y a vingt ans. Il n'y a plus de décalage », ajoute le chercheur.

Enquête Bérengère Lauprète, *Atmosphères*, n° 47 (avril 2001).

1. Quadragénaire, personne qui a entre 40 et 49 ans.
2. Groupe de personnes qui assurent une tâche politique, sociale, de façon concertée.
3. Communes, départements, régions…

⑧ En groupes, comparez vos opinions sur ces sujets.

1 Comprenez-vous ces néoruraux ? Pourquoi ?
2 Ce phénomène existe-t-il dans votre pays ?
3 *On ne vit plus à la campagne comme il y a vingt ans. Il n'y a plus de décalage*, dit un chercheur.
   a En ce qui concerne la France, sur quels éléments s'appuie-t-il, à votre avis, pour affirmer cela ?
   b Cette phrase s'applique-t-elle à votre pays ? Pourquoi ?

4 Dans *Phèdre* de Platon, Socrate écrit :
   Les paysages et les arbres ne sauraient rien m'apprendre ; seuls peuvent le faire les hommes dans la cité.
   Dites comment vous comprenez cette phrase. Partagez-vous cet avis ?

LES NÉORURAUX

Des Parisiens qui vivent à la campagne

① **Associez les mots ou les expressions à leur définition.**

1 Un Francilien.
2 Une chauve-souris.
3 Vivre au vert.
4 Un TGViste.
5 Faire la navette.
6 Un navetteur.
7 Travailler en horaires décalés.
8 Le RER.
9 Une hirondelle.
10 Le boulot.

a Une personne qui prend régulièrement le TGV (Train à grande vitesse) pour aller au travail.
b Le Réseau express régional, prolongement du métro parisien.
c Travailler en dehors des horaires habituels de travail.
d Un mammifère volant.
e Le travail.
f Un oiseau à dos noir et ventre blanc.
g Aller et venir continuellement.
h Une personne qui prend quotidiennement un moyen de transport en commun pour aller au travail.
i Un habitant de la région Île-de-France.
j Vivre à la campagne, dans la nature.

② **Écoutez le document. Comparez, en groupes, ce que vous avez compris lors de cette première écoute.**

1 Qu'est-ce que les touristes aiment particulièrement à Paris ?
2 Qu'est-ce que les Parisiens n'apprécient pas dans la capitale ?
3 Qu'est-ce que certains Parisiens décident de faire ?
4 Qui est Pierre Raillon ?
5 Qu'a-t-il fait il y a cinq ans ?

③ **Écoutez à nouveau le document. Dites si les affirmations sont vraies ou fausses.** ....

1 Les Parisiens qui quittent Paris y laissent aussi leur famille.
2 Les gens ne comprennent pas toujours très bien la situation de Pierre Raillon.
3 Plus de 10 000 Français font régulièrement les trajets entre Paris et leur domicile à la campagne.
4 Pierre Raillon fait environ 1 000 kilomètres par semaine.
5 Chaque jour, Pierre Raillon met moins de deux heures pour se rendre au travail.
6 Il dépense 3 000 francs (450 €) par mois en trajets.
7 Il a quitté Paris principalement à cause des embouteillages.
8 Les bruits de la campagne ne dérangent pas Pierre Raillon.

④ **En groupes, comparez vos réponses et justifiez-les.**

Débats

⑥ **En groupes, donnez votre avis sur les questions suivantes puis comparez vos opinions.**
    1 Aimeriez-vous être à la place de Pierre Raillon ? Pourquoi ?
    2 Selon vous, la qualité de vie, qu'est-ce que c'est ?

À la mairie du village

Jeux de rôles

⑦ **Aujourd'hui, le maire de Bouilly-en-Gâtinais a invité tous les néoruraux récemment installés dans sa commune à prendre le « verre de l'amitié ». Les invités se souviennent des moments difficiles qui les ont poussés à quitter la ville. En groupes, faites-les parler.**

Écrit

⑧ **Vous venez juste d'arriver au village et vous envoyez un e-mail à un(e) de vos ami(e)s qui est resté(e) dans une grande ville. Vous lui expliquez les avantages et les inconvénients de votre nouvelle vie.**

⑤ **1 Écoutez à nouveau :**
- **la présentation de départ et sélectionnez :**
  - **a** les aspects de Paris principalement retenus par les touristes/et par les Franciliens ;
  - **b** la formule utilisée pour parler de la décision de certains Franciliens. Cette phrase exprime-t-elle : une cause ? une opposition ? une conséquence ? une hypothèse ?
- **la fin de l'interview de Pierre Raillon et sélectionnez les types de bruits rencontrés :**
  - **a** dans son appartement ;
  - **b** à la campagne.

2 De quel bruit particulier était-il victime dans son appartement parisien ?
Réécoutez et notez ce qu'il dit exactement à ce sujet. Dites à quoi correspondent les deux parties de la phrase.

☞ **CONNAÎTRE ET RECONNAÎTRE** p. 136–137

LE LUNDI

À la recherche du soleil

① **Lisez l'article ci-dessous. Relevez le nom des douze régions administratives françaises mentionnées.**

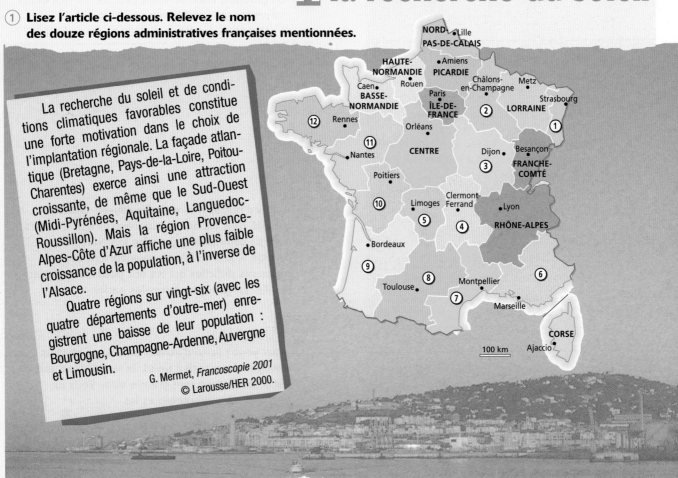

La recherche du soleil et de conditions climatiques favorables constitue une forte motivation dans le choix de l'implantation régionale. La façade atlantique (Bretagne, Pays-de-la-Loire, Poitou-Charentes) exerce ainsi une attraction croissante, de même que le Sud-Ouest (Midi-Pyrénées, Aquitaine, Languedoc-Roussillon). Mais la région Provence-Alpes-Côte d'Azur affiche une plus faible croissance de la population, à l'inverse de l'Alsace.

Quatre régions sur vingt-six (avec les quatre départements d'outre-mer) enregistrent une baisse de leur population : Bourgogne, Champagne-Ardenne, Auvergne et Limousin.

G. Mermet, *Francoscopie 2001*
© Larousse/HER 2000.

② **Savez-vous où se trouvent ces régions ? Essayez de les situer sur la carte ci-dessus et complétez la liste de régions et de villes.**

Régions	Villes principales
1 Alsace	Strasbourg
2 …	…
…	…
12 …	…

③ **Avez-vous entendu parler de ces régions ou de ces villes ? Si oui, dites ce que vous en savez.**

④ **Relisez le texte et choisissez la bonne affirmation.**

1 a La Bretagne, de même que la région Provence-Alpes-Côte d'Azur, attire peu de Français.
  b La Bretagne, comme les régions du Sud-Ouest, attire beaucoup de Français.
  c La Bretagne, les Pays-de-la-Loire et la région Poitou-Charentes attirent peu de Français.

2 a L'Alsace, contrairement à la région Provence-Alpes-Côte d'Azur, voit sa population croître.
  b Depuis le dernier recensement, la population de l'Alsace et celle de la région Provence-Alpes-Côte d'Azur sont en forte diminution.
  c L'Alsace, comme la région Provence-Alpes-Côte d'Azur, connaît une faible augmentation de sa population.

3 a Une majorité de régions, comme la Bourgogne et l'Auvergne, voient leur population diminuer.
  b Comme dans les départements d'outre-mer, quatre régions ont vu leur population baisser.
  c Seules quelques régions, dont la Bourgogne, connaissent une baisse de leur population.

⑤ **Reformulez chaque affirmation exacte énoncée ci-dessus en utilisant des comparatifs.**

☞ CONNAÎTRE ET RECONNAÎTRE p. 136–137

À la découverte de deux régions

⑥ **En groupes, lisez les informations sur les sites Internet concernant l'Auvergne et la Bourgogne. Situez ces deux régions sur la carte, puis établissez des comparaisons. Vous pouvez comparer leur population, leur superficie, leur économie…**

▶ *La densité de la population en Bourgogne est **aussi** faible **que** celle de l'Auvergne…*

tp//:www.auvergne.com

Auvergne : les grands espaces

- **Superficie :** 26 000 km^2 (4,8 % du territoire national)

- **Population :** 1 321 000 habitants (2,3 % de la population française), densité : 51 hab./km^2 pour 104 hab./km^2 en France,

- **Économie :** 7e rang français de la recherche (Michelin...) – Tourisme : deux parcs naturels nationaux du Livradois-Forez et des volcans d'Auvergne, plus de 500 églises romanes, près de 50 châteaux à visiter, 10 villes d'eaux.

http//:www.bourgogne.fr

Bourgogne : l'art de vivre

- La Bourgogne est une région vaste : 31 741 km^2 (15e rang des régions européennes)

- Sa population est estimée à 1 609 325 habitants (3 % de la population française, densité : 51 hab./km^2)

- De nombreux centres de recherche (INRA…)

- Tourisme : le parc naturel régional du Morvan situé au cœur de la région a été créé en 1970.

La Bourgogne possède un patrimoine riche et varié qui fait toute sa notoriété. De l'abbaye de Fontenay aux hospices de Beaune, du château de Saint-Fargeau au site d'Alésia, deux mille ans d'art et de culture européenne ont le cœur en Bourgogne.

← →

Jeux de rôles

⑦ **Bertrand Jourdan est un jeune médecin qui cherche à s'installer dans un cabinet médical. Il a fait ses études à Paris, sa famille y habite mais il veut exercer en province. Il hésite entre l'Auvergne et la Bourgogne ; il a des amis qui habitent à Clermont-Ferrand et à Dijon. En groupes, cherchez les avantages que présentent l'Auvergne et la Bourgogne. Essayez de convaincre Bertrand Jourdan de venir dans votre région.**

Écrit

⑧ **En groupes, rédigez une page de présentation d'un site Internet d'une région de votre choix (en France ou dans votre pays). Puis, choisissez un slogan publicitaire.**

▶ *Respirez la Bretagne… la région de France la plus iodée…*

Le village

Des rochers de Buscaillou qui dominaient, en face de la Condamine, la rive droite de la rivière, on découvrait, comme sur un plan cavalier en grisaille, la ville entière, poussées de hautes maisons
5 et traînées de ruelles.

La hauteur des bâtisses, l'étroitesse des espaces libres, l'enchevêtrement[1] des toits inégaux et des grands pans de murailles vides composaient, au-dessus des arbres, une mystérieuse solitude. La
10 campagne toujours proche ajoutait à ce mystère et donnait un prolongement infini à cette solitude. Derrière chaque arête de toit, à côté de chaque angle de muraille, au milieu du lacis des clôtures, s'amorçaient, dans un mouvement de branches
15 ou dans une ondulation d'herbes, des petits jardins ou des prairies. [...]

Au pied des rochers, contre la rivière et au sud-ouest de la ville, la Condamine se dressait comme un bloc vertigineux d'étroitesse et de
20 silence. Deux lignes noires, la Calade et la rue Haute, la traversaient en flèche, puis sans rumeurs dans lesquels se précipitaient les hirondelles. Au bas de la rue Haute, après un glacis[2] au long duquel s'accrochaient d'étroits escaliers, le
25 Pont-Vieux, arche immense, dominait la rivière.

André Chamson, *Les Hommes de la route*, Grasset.

1. Un désordre mêlé.
2. Une pente douce.

① **Classez les phrases suivantes dans le tableau ci-dessous et notez les prépositions dans la colonne du milieu.**

1 Au centre du village se trouve une fontaine.
2 Il y a des maisons autour de la place.
3 La mairie est située près du pont.
4 Dans ce village, les ruelles sont nombreuses.
5 Je me mets toujours à l'avant du bus pour contempler la route qui mène au village.
6 L'arrêt d'autobus est en bas de la rue principale.
7 À l'arrière de la mairie, il y a un petit jardin.
8 La station-service se trouve loin du village.
9 Aux alentours, on peut voir des rochers qui dominent la vallée.
10 Une chapelle a été construite au-dessus du village.
11 La rivière est située entre le village et la forêt.

Localisation	Prépositions	Phrases
a le haut		
b le centre	*au centre de*	*1*
c le bas		
d l'avant		
e l'arrière		
f l'intervalle		
g l'extérieur		
h la périphérie		
i la proximité		
j la distance		
k l'intérieur		

② **Connaissez-vous d'autres expressions pour situer un lieu ? Donnez des exemples et complétez le tableau.**

③ **Lisez cet extrait d'un texte littéraire et repérez les prépositions de localisation. En groupes, essayez de dessiner le paysage évoqué, puis comparez.**

Écrit

Normandie.

Pyrénées.

Alsace.

Bretagne.

(4) **Choisissez l'un des quatre paysages ci-dessus ou un paysage de votre pays. Imaginez que vous vous y trouvez et écrivez une lettre à un(e) ami(e) pour lui parler de l'endroit où vous passez vos vacances (200 mots). Vous lui faites la description du paysage qui s'offre à vous.**

Cher Claude,
Je suis en vacances dans les Pyrénées et je profite d'un moment de repos pour t'écrire. Je suis assis(e) dans l'herbe, pas très loin d'un vieux pont de pierre sous lequel coule une rivière...

Grammaire

① **Enquête culturelle.**

Lisez les questions suivantes et donnez les réponses.

1 Quelle est la région **dont** la ville principale est Bordeaux ?

2 Quelle est la ville **au-dessus de laquelle** se dresse le mont Blanc ?

3 Quelle est la ville **que** l'on appelle la Ville rose ?

4 Quel est le festival **grâce auquel** la ville de Cannes est si connue ?

Pour donner des précisions sur quelqu'un, quelque chose ou une idée à l'aide d'une phrase, on utilise…

Les pronoms relatifs simples

Qui sujet du verbe
*Je passe mes vacances dans un village **qui** se trouve en Corse.*

Que complément d'objet du verbe
*La montagne **que** tu vois là-bas, c'est le mont Ventoux.*

Où complément de lieu ou de temps
*C'est une plage **où** j'aime aller.*

Dont complément du nom, de l'adjectif ou du verbe construit avec *de*
*C'est une ville **dont** je suis fier.*

Les pronoms relatifs composés

• Lequel, lesquels, laquelle, lesquelles après les prépositions *avec, sur, sous, dans…*
*Le pont **sous lequel** passe la rivière est romain.*

• Auquel/duquel, auxquels/desquels, à/de laquelle, auxquelles/desquelles

– Il y a contraction entre le relatif et les prépositions *à* et *de* (*à côté de, en face de…*) sauf au féminin singulier.
*L'excursion **à laquelle** j'ai participé était très intéressante.*

– Pour les personnes, on utilise généralement *qui*.
*Le guide **à qui** je me suis adressé était compétent.*

---

② **Pour donner des précisions.**

En groupes, réfléchissez à l'emploi des pronoms relatifs de l'exercice 1 : pourquoi certains s'appellent-ils simples, d'autres composés ? Pourquoi utilise-t-on des pronoms relatifs différents selon les phrases ?
Vérifiez vos hypothèses à l'aide du tableau ci-contre.

③ **Impressions de vacances.**

Complétez les phrases suivantes avec un pronom relatif simple ou composé (il y a parfois plusieurs possibilités).

1 L'agence de voyages … j'avais contactée était très sérieuse.

2 Le village … nous passons nos vacances est très pittoresque.

3 La rivière … je me promène depuis quelques heures est calme et reposante.

4 Les montagnes … je me trouve actuellement sont impressionnantes.

5 C'est une région très touristique … on parle souvent dans la presse.

④ **Déménagements.**

Complétez les phrases suivantes avec une expression de la cause.

1 Ils ont déménagé … du manque de commerces dans leur quartier.

2 J'ai réussi à trouver un logement … Internet.

3 … chercher, il a fini par trouver un studio bon marché en plein centre de Lyon.

4 Je ne pourrai pas venir … je dois aider ma sœur à déménager à la campagne.

5 Demain 26 avril, vous êtes priés de ne pas stationner … un déménagement. Merci.

Exprimer la cause

Cause neutre	**Parce que/Puisque** + verbe à l'indicatif. **En raison de/Du fait de** + nom *Les citadins quittent la ville **parce que** la vie urbaine est stressante.*
Cause positive	**Grâce à** + nom *Il a pu acheter cette maison de campagne **grâce à** un héritage.*
Cause négative	**À cause de** + nom ***À cause de** la pollution, il a décidé de partir de Paris.*
Cause répétée avec insistance	**À force de** + verbe à l'infinitif *J'ai obtenu ma mutation en province **à force de** la demander chaque année.*
Cause manquante	**Faute de** + nom ***Faute de** centres de recherche, cette région n'arrive pas à attirer des entreprises.*
Autres moyens	• **Participe présent** *N'**ayant** pas d'argent, il n'a pas pu acheter de résidence secondaire.* • **Causer/provoquer** *Le manque d'espaces verts dans la ville **provoque** les départs massifs vers la **campagne**.*

Exprimer la conséquence

• **Entraîner/expliquer** + futur (vision d'avenir)
*Une vie parisienne trop fatigante **entraînera** le départ de nombreux Parisiens.*

• **Si bien que** + indicatif
*Pierre habite à 100 kilomètres de Paris **si bien qu'**il fait entre 800 et 900 kilomètres par semaine pour aller au travail.*

• **Alors, donc, ainsi, c'est pourquoi**
*Il ne supportait plus le bruit de la ville. **Alors**, il est parti vivre dans un village.*

• **Tellement** + adjectif + **que**,
tellement de + nom + **que** + indicatif
*Les Franciliens subissent **tellement** les inconvénients de la vie parisienne **que** certains décident de s'installer à la campagne.*

Comparer

• **Les comparatifs et les superlatifs**
– Les comparatifs avec l'insistance (bien, beaucoup…) pour comparer une qualité/une quantité
*La région PACA est **bien plus** grande **que** l'Alsace.*
*En Bourgogne, on trouve **tout autant de** vignes **que** dans le Bordelais.*
– Le comparatif progressif
***De plus en plus de** Français recherchent le soleil.*
– Le superlatif
*Parmi les sites touristiques français, c'est la tour Eiffel que les étrangers visitent **le plus**.*

• **Autres moyens pour exprimer la comparaison**
– Avec une préposition
*L'Alsace, **contrairement à** la région PACA, voit sa population croître.*
– Avec un ou des adverbes
*La Bretagne, **comme** les régions du Sud-Ouest, attire beaucoup de Français.*
– Avec une conjonction
*Le climat de l'est de la France est continental **alors que** celui de l'ouest du pays est océanique.*

5 **Quelle semaine !**
Vous êtes allés chez vos amis à la campagne. En groupes, imaginez des conséquences à ces phrases (variez les expressions de conséquence).
Il a plu toute la semaine.
▶ *Il a plu toute la semaine **si bien que** je ne suis pratiquement pas sorti(e).*
1 Le village était à 15 kilomètres de la maison.
2 La télévision ne marchait plus.
3 Je me suis enrhumé(e).

6 **Et chez vous ?**
Comparez les différentes régions de votre pays : leurs climats, leurs spécialités gastronomiques…

cent trente-sept

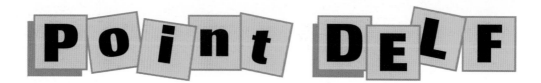

Cadres de vie

| DELF Unité A5 – Écrit | Durée des épreuves 1 et 2 : une heure trente. |
| Civilisation française et francophone | Coefficient : 1 + 1 (chaque épreuve notée sur 20). |

Épreuve 1 *(20 points)*
Objectif : comprendre et analyser le contenu d'un document écrit comportant des références précises à la réalité socioculturelle française ou francophone.

Quelques conseils pour l'épreuve
- Organisez votre temps.
- Observez le document (titre, sous-titre, chapeau, illustrations…) sans faire une lecture linéaire du texte.
- Dégagez l'idée générale du texte et aidez-vous du titre.

- Lisez la totalité du questionnaire et repérez les endroits où vous pouvez trouver des éléments de réponse.
- Répondez avec des phrases courtes et évitez de recopier le texte sauf si on vous le demande.
- Ne donnez pas votre avis.
- Gardez un peu de temps pour vous relire !

Répondez de façon précise à chaque question.
– Formulez vos réponses avec vos propres mots. Ne reprenez pas de phrases entières du document, sauf si cela vous est demandé dans la consigne.
– Concentrez-vous sur le contenu du document. N'ajoutez pas d'informations extérieures ni de commentaires personnels.

1 Donnez un titre à cet article. *(2 points)*
2 Selon les domaines analysés dans cette enquête, quels sont ceux qui donnent l'avantage à Paris, à la banlieue, ou révèlent un match nul ? (Cochez la bonne case.) *(5 points)*

	Avantage Paris	Avantage banlieue	Match nul
a Sécurité			
b Logement			
c Transports			
d Vie quotidienne			
e Loisirs			

3 Quelle est la conclusion de l'équipe qui a mené cette enquête ? *(2 points)*
4 Assiste-t-on à une augmentation de l'écart traditionnel entre Paris et la banlieue ? Pourquoi ? *(2 points)*
5 À quelle image a dû faire face pendant

longtemps la périphérie de la capitale ? Quelles en étaient les trois causes principales ? *(2 points)*
6 Répondez par vrai ou faux, puis justifiez votre réponse en citant une phrase précise du texte. *(4 points)*
  a La criminalité est moindre en banlieue par rapport à Paris.
  b Si les familles désertent la capitale, c'est essentiellement parce qu'elles souhaitent offrir un espace vert à leurs enfants.
  c C'est dans la capitale que, pour pallier les encombrements, les habitants font le plus appel à des modes de déplacement divers.
  d Les jeunes banlieusards souffrent toujours cruellement du manque d'infrastructure éducative.
7 Rédigez pour ce texte un chapeau de 30 à 40 mots (une ou deux phrases qui résument l'essentiel du contenu de l'article). *(3 points)*

Unité 10

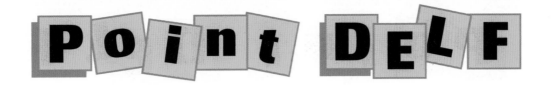

Ils se côtoient chaque jour, sans partager vraiment la même vie : d'un côté, 2,2 millions de Parisiens, de l'autre près de 9 millions de banlieusards. Ils semblent vivre chacun de leur côté et, pourtant, chaque jour, ils se croisent dans les transports, se côtoient dans leur travail ou dans leurs loisirs.

Paris ou banlieue : Transports, loisirs, emploi, logement, sécurité, vie quotidienne ont été mis au banc d'essai. Résultat :

Question sécurité

Si les chiffres globaux de la délinquance en Île-de-France ont augmenté de 5,6 % en 2001, ils concernent avant tout des petits délits : la moitié des infractions constatées dans le métro, notamment, sont des vols à la tire. En revanche, le problème des quartiers sensibles en banlieue continue de nourrir dans de nombreux départements un très fort sentiment d'insécurité.

Question logement

Habitations plus grandes, loyers plus abordables... la banlieue a de quoi séduire. Les familles en quête d'espace quittent souvent Paris où les appartements de trois chambres et plus ne représentent que 8 % du parc immobilier.

Question transports

Face aux habituelles difficultés de circulation, les Parisiens sont de plus en plus nombreux à adopter des modes de transport alternatifs (scooter, vélo, rollers...). Attention cependant : le nombre d'accidents mortels impliquant piétons et deux-roues est, dans la capitale, largement supérieur à la moyenne nationale. En banlieue, c'est train ou voiture avec toutes les contraintes que cela comporte et des coûts parfois élevés.

Question vie quotidienne

Des commerces moins chers et plus pratiques en banlieue, des magasins de proximité à Paris, chacun y trouve son compte. Le taux de réussite au baccalauréat est sensiblement le même et la surreprésentation des grands lycées dans la capitale est compensée par l'installation de nombreuses grandes écoles et de pôles technologiques en banlieue.

Question loisirs

Les Parisiens n'ont que l'embarras du choix pour la culture (musées, théâtres, concerts...). En revanche, ils sont moins bien lotis en équipements sportifs pour les activités de plein air. Quant à la banlieue, elle gagne en indépendance grâce au développement des centres culturels. Côté cinéma, les multiplexes sont en pleine expansion.

Alors, qui sont les mieux lotis ? Difficile aujourd'hui de distinguer le favori de l'outsider dans le match entre la capitale et sa périphérie.

Paris reste le pôle économique, administratif et culturel de la grande agglomération. La banlieue, et notamment la grande couronne, met en avant ses logements plus abordables et un environnement mieux protégé. Pourtant, le fossé entre les deux a tendance à se combler en même temps que les départements qui entourent Paris connaissent une urbanisation galopante.

Longtemps considérée comme le parent pauvre de Paris, la banlieue a tout de même fini par rattraper son retard : nouvelles zones d'emploi, de loisirs, universités. Aujourd'hui, ce mouvement de décentralisation devrait se poursuivre avec le développement de pôles urbains largement capables de rivaliser avec Paris.

Du coup, il est de moins en moins aisé de trancher de façon objective entre le centre-ville et la périphérie. Certes, pour l'habitat, le coût parfois exorbitant dans certains quartiers de la capitale est déterminant. Pour le reste, c'est davantage une question de choix de vie !

Le Parisien, 5 février 2002.
Dossier réalisé par des élèves du Centre de formation et de perfectionnement des journalistes (CFPJ).

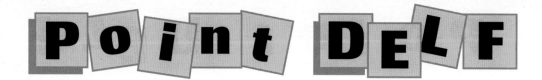

Point DELF

Épreuve 2 *(20 points)*

Expression écrite faisant suite à la compréhension écrite et reposant sur le même document.

Objectif : présenter un aspect de la réalité socioculturelle française ou francophone et formuler ses traits distinctifs par rapport à la culture maternelle du candidat.

Quelques conseils pour l'épreuve

- Organisez votre temps.
- Réfléchissez aux deux points de vue du texte (Paris/banlieue).
- Identifiez les points de comparaison avec votre pays.
- Organisez vos idées clairement.

- Argumentez, exprimez des nuances et donnez des précisions.
- Soignez votre lexique et vos phrases.
- Très important : gardez un peu de temps pour vous relire !

« Ils se côtoient chaque jour, sans partager vraiment la même vie... »

Comment comprenez-vous cette phrase du document ?

Vous-même, quelle est votre expérience en la matière (périphérie ou centre-ville) ?

La situation décrite dans le document se présente-t-elle sous le même jour dans votre pays ?

Expliquez les similitudes et les différences.

(200 mots environ)

L'argent
à tout prix

■ **Contenus
socioculturels**
– L'argent à table
– La vente coûte que
coûte
– Le jeu et le rêve
– L'attitude de chacun
face à l'argent

■ **Objectifs
communicatifs**
– Exprimer une demande
polie, un désir,
un conseil,
une suggestion
– Exprimer un regret,
un reproche
– Exprimer un fait
incertain
– Présenter des faits et
des opinions en les
hiérarchisant

■ **Contenus
linguistiques**
– Les différents emplois
du conditionnel
– Les articulateurs du
discours : *donc, puis,
enfin*...

L'ARGENT À TOUT PRIX

Les Français tels qu'ils sont

① **Lisez la bande dessinée p. 143 et répondez aux questions.**
  1 Où se déroule l'action ? À quel moment ?
  2 Quel est le problème qui semble se poser aux différentes personnes présentes ? Pourquoi ?

② **Relevez, dans la bande dessinée, deux expressions signifiant :**
  1 combien ça coûte ?
  2 l'argent.

③ **Observez les 2ᵉ et 3ᵉ vignettes de la bande dessinée. Quels sont les deux sens du verbe *convertir* ?**

④ **1 Reportez les verbes de la bande dessinée qui décrivent une opération mathématique dans le tableau ci-dessous. Puis complétez le tableau avec les noms manquants.**

+	...	*une addition*
–	soustraire	...
x	...	...
:	...	...

  2 Quels sont les autres termes ou expressions mathématiques qui figurent dans la bande dessinée ?

⑤ **1 Indiquez si les phrases ci-dessous expriment un souhait, un regret, un reproche ou une exaspération.**
  a Pour de bon, pour de bon... il y aurait à dire... (1ʳᵉ vignette)
  b Moi, c'est surtout au calcul mental qu'il aurait fallu me convertir. (3ᵉ vignette)
  c Ce qu'on voudrait, nous, c'est de l'euro en francs. (7ᵉ vignette)
  d ... on voudrait juste comparer... (7ᵉ vignette)

  2 Quels sont les deux temps utilisés ? Avec ces temps, que peut-on aussi exprimer ?

⑥ **Voici quelques bribes de conversation entendues, à table, pendant le repas. Mais comme toujours, quand tout le monde parle en même temps, il n'est pas facile de suivre les discussions.**
  Reconstituez les conversations en associant les questions et les réponses de chaque colonne.
  1 Il n'a pas des problèmes avec sa banque ?
  2 Tu crois qu'ils pourront payer ?
  3 Au fait, tu l'as achetée cette bague qui te plaisait tant ?
  4 Il vient encore de s'acheter une nouvelle voiture ! Mais comment fait-il ?
  5 Tu réussis à vivre avec un si petit salaire ?
  6 Tu n'as pas acheté cet appartement ! Mais pourquoi ?

  a C'est pas difficile ! Il vit au-dessus de ses moyens.
  b Ça m'étonnerait ! Ils n'ont plus un rond.
  c Si, il est toujours à découvert.
  d Il était hors de prix !
  e Oh non, elle coûtait les yeux de la tête !
  f Non, j'ai vraiment du mal à joindre les deux bouts.

⑦ **Vous êtes au restaurant. Imaginez ce que vous pourriez dire dans les situations suivantes.**
  1 À la fin du repas, vous demandez l'addition.
  2 Le serveur, extrêmement maladroit, a renversé du vin sur vos vêtements ; vous êtes furieux/furieuse.
  3 Vous venez souvent dans ce restaurant ; vous conseillez certains plats à vos amis.
  4 Il y a une erreur dans l'addition. C'est la troisième fois que cela arrive.
  5 Après hésitation, vous avez pris un plat ; au moment où il arrive sur la table, vous regrettez votre choix.

Jeux de rôles

⑧ **En groupes, reprenez les différentes situations et jouez la scène.**

☞ **CONNAÎTRE ET RECONNAÎTRE** p. 150–151

Unité 11

cent quarante-deux

Les Français tels qu'ils sont par Eugène Collilieux

Le français dans le monde, n° 317, 2002.

VENDRE COÛTE

Plaisir de lire

Paris, le 15 octobre...

Cher monsieur,

Nous sommes particulièrement heureux de vous faire bénéficier de cette offre exceptionnelle que vous réserve **PLAISIR DE LIRE** : deux livres au choix plus un sac de voyage pour 25 € seulement au lieu de 70 €, soit une économie de 45 €. En outre, si vous acceptez notre offre dans les dix jours qui suivent, vous recevrez un superbe stylo-plume couleur argent.

Pour recevoir vos deux livres et votre sac de voyage, il vous suffit, cher monsieur, de :
– choisir, sur la brochure d'accompagnement, les deux livres que vous préférez ;
– retourner votre bon de commande avec votre paiement.

Vous ne prenez aucun risque en acceptant cette offre absolument fantastique. En effet, si vous n'êtes pas entièrement satisfait, vous n'aurez qu'à nous retourner les deux livres et le sac de voyage dans leur emballage d'origine et vous serez intégralement remboursé. En revanche, si vous décidez de les garder, vous recevrez votre carte personnalisée de membre privilégié, ce qui vous permettra de profiter de nombreux avantages.

Par ailleurs, vous bénéficierez d'un abonnement gratuit à la revue de notre club. Dans chaque numéro, cette revue met l'accent sur la « Sélection du mois », autrement dit le livre qui a reçu le meilleur accueil de la critique et celui que notre Comité de Lecture vous recommande en premier lieu. Vous y trouverez, de plus, un large choix d'ouvrages à prix réduits : des romans, des essais, des livres d'art, des dictionnaires, etc.

Si vous désirez recevoir notre « Sélection du mois », vous n'avez rien à faire : elle vous parviendra automatiquement. Cependant, si vous souhaitez acheter un autre livre ou pas de livre du tout, il vous suffit de retourner la carte-réponse jointe à la revue. Vous commandez quand vous voulez et ce que vous désirez : la liberté de choix de nos adhérents est primordiale. Avouez que deux livres plus un sac de voyage pour 25 € seulement, tous frais d'envoi inclus, c'est une offre de bienvenue à ne pas manquer !

Enfin, **PLAISIR DE LIRE** vous propose de participer gratuitement et sans obligation d'achat au Grand Tirage de notre club en remplissant et en nous retournant tout simplement le bon de participation ci-joint. Peut-être aurez-vous ainsi la chance de gagner la fantastique somme de 15 000 € !

N'attendez pas pour recevoir vos deux livres, votre sac de voyage et votre cadeau supplémentaire : le superbe stylo-plume couleur argent.

Bien sincèrement,

ABeaufort
Alexandra Beaufort
Directrice commerciale

PLAISIR DE LIRE – 25, rue de Bercy, 75012 Paris – S.A. au capital de 150 000 €

① **Lisez le texte ci-contre. Indiquez de quel type de document il s'agit et quel est son objectif.**

② **Quel est le plan du document ? Retrouvez l'ordre des intentions en indiquant le numéro de paragraphe qui convient.**

a Rappeler les conditions de l'offre et proposer la participation à un jeu.

b Exprimer l'urgence d'une réponse et prendre congé avec une formule de politesse.

c Annoncer une offre commerciale.

d Rassurer le client sur sa liberté.

e Informer des modalités de l'offre.

f Renforcer l'idée de liberté par un exemple.

g Proposer un abonnement à une revue.

▶ *1c, …*

③ **1 Relevez les phrases, les expressions ou les mots :**

a donnant l'illusion que le destinataire est unique ;

b insistant sur la notion de simplicité et de liberté.

2 Relevez les phrases, les expressions ou les mots qui sont liés à l'argent ; quelle impression la plupart d'entre eux donnent-ils ?

④ **1 Repérez les expressions ou les mots qui structurent la lettre de manière logique *(soit, en outre…)*.**

2 Classez-les ensuite selon qu'ils permettent :

a d'expliquer quelque chose ;

b d'ajouter un argument ;

c d'apporter une preuve ;

d d'exprimer une conséquence ;

e de proposer une alternative ;

f de conclure.

👉 CONNAÎTRE ET RECONNAÎTRE p. 150-151

⑤ **Complétez le tableau ci-dessous à l'aide des mots de la même famille (il n'est pas possible de trouver un mot pour chaque case).**

Substantifs	Verbes	Adjectifs	Adverbes
une économie	économiser	économique économisé	économiquement
un paiement			
	rembourser		
			gratuitement
un prix			
		réduit	
	acheter		

Drôles d'objets !

Écrit

⑥ **Choisissez l'un des produits ci-dessous. En groupes, rédigez à votre tour une lettre commerciale sur le modèle de la p. 144. Comparez vos lettres.**

▪▪ **LE RADIO-RÉVEIL FARCEUR**
Il vous réveillera tous les matins en vous racontant des histoires drôles chaque jour différentes (il en a 15 000 en mémoire). Dimensions : 18 x 10 x 5 cm. Prix : 20 €.
TOUT ELECTRIC – 34 rue de Siam – 29100 Brest

▪▪ **LE MINI-JACUZZI**
Ce matelas disposé dans votre baignoire libère de l'air chaud, générant ainsi un hydromassage relaxant. Fonctionne sur 230 V. Dimensions : 140 x 40 cm.
Prix : 200 €.
TOKYO BAINS – 2 quai Claude-Bernard – 38000 Grenoble

▪▪ **LA TONDEUSE SOLAIRE**
Totalement autonome et très silencieuse, elle tond toute seule la pelouse de votre maison sans abîmer les fleurs ou les arbustes. Fonctionne à l'énergie solaire.
Prix : 450 €.
JARDIPRO – 105 square Max-Jacob – 13006 Marseille

▪▪ **LE MANTEAU POUR CHIEN**
Équipé d'un col et d'une ceinture, ce manteau très chic existe en plusieurs coloris. 58 % coton, 42 % polyamide. 35 cm : 40 € – 40 cm : 45 € – 45 cm : 50 €.
TOUTOU CHIC – 9 avenue Michel-Crépeau – 17000 La Rochelle

Plaisir de jouer

BANCO !

Le plaisir de jouer et la possibilité de rêver sont aussi importants que l'appât du gain.

Si les Français regrettent les dérives morales de l'argent dans le sport, les médias, le show-business, parfois la politique ou l'entreprise, ils trouvent acceptable de s'enrichir par le jeu. Ils savent que la possibilité de faire fortune avec leur seul salaire est faible. C'est pourquoi ils sont nombreux à s'en remettre à la chance. Le jeu leur apporte aussi la part de rêve dont ils ont besoin pour mieux vivre le quotidien, en imaginant sans trop y croire des lendemains dorés.

Le jeu est bien, selon la formule de Paul Guth, « la forme laïque du miracle ». Mais cette pratique païenne a aussi une dimension spirituelle. On y trouve des superstitions et des rites (habitudes d'acheter au même endroit ses billets, de procéder de la même façon pour remplir ses grilles de loto ou établir son tiercé…). Le fait de jouer peut d'ailleurs être interprété comme une prière adressée à la Providence. L'irrationnel laïque remplace le religieux ; les joueurs jouent leur date de naissance, utilisent leur horoscope ou prennent conseil d'un voyant. Le miracle tient ici à la possibilité de transformer une très petite somme en véritable fortune. On pourrait parler de transmutation, dont le but serait de transformer l'argent en or.

L'intérêt pour le jeu est un indicateur de l'anxiété sociale et de la difficulté à accepter son sort dans une société théoriquement ouverte, mais dans laquelle il est pratiquement difficile au plus grand nombre de progresser dans la pyramide sociale.

D'après G. Mermet, *Francoscopie 2001*, © Larousse/HER 2000.

① **Lisez le texte ci-dessus et répondez aux questions.**
1 Pour quelles raisons les Français sont-ils nombreux à être attirés par les jeux d'argent ?
2 Quels sont les points communs entre jeu et croyance ?
3 Pourquoi le jeu est-il associé à une forme de miracle ?
4 Que révèle cet intérêt marqué pour le jeu ?

Débats

② **Réagissez et comparez vos opinions.**
1 Participez-vous rarement, régulièrement ou très fréquemment à des jeux d'argent ? Lesquels ?
2 Avez-vous des rites particuliers ou des superstitions lorsque vous jouez ?
3 Quel est le jeu le plus populaire dans votre pays ?
4 Devrait-on, selon vous, interdire certains jeux d'argent ?

Une année sabbatique

③ **Observez la publicité et répondez aux questions.**
1 Quel est le temps utilisé dans le slogan au-dessus de la photo ? Pour quelle raison est-il employé ici ?
2 Quel est le temps utilisé dans le slogan sous la photo ? Que suggère ce changement de temps ?
3 Quel est le lot réel de ce jeu ?

④ **Reformulez la question qui se trouve au-dessus de la photo, dans la publicité, de manière à présenter le lot réel de ce jeu.**

⑤ **Répondez individuellement à la question que vous avez reformulée puis comparez vos réponses.**

⑥ **Écoutez l'enregistrement. Comparez les réponses entendues avec celles que vous avez notées précédemment. Complétez la liste des réponses si nécessaire.**

Et vous, que feriez-vous d'une année sabbatique ?

⑧ **Réécoutez le document sonore et notez tous les mots liés à l'argent.**

⑨ **À l'écrit, faites une transcription des phrases ci-dessous en supprimant les marques de l'oral *(euh, ben...)*. Vous pouvez ajouter ou supprimer des mots.**

À la question *Si vous étiez millionnaire, vous feriez quoi ?*, une personne a répondu :
Euh... la retraite. La retraite et gérer mon pognon, voilà. Et ensuite en profiter, faire la fête, voyager... euh... Monaco, Miami, euh... voilà, hein.
Une autre personne a répondu : *Faire un concert privé avec des copains pour une soirée avec... et puis on pourra chanter, jouer avec Sting, taper le bœuf. Sans doute que ça coûte cher mais si on gagne au loto, on n'est pas à un million près, hein !*

⑦ **Écoutez à nouveau le document sonore.**
1 Classez les réponses selon les thèmes suivants.
  a Épargne.
  b Dons.
  c Achats.
  d Voyages.
  e Fêtes avec famille/amis.
  f Souhaits hors du commun.
  g Autres.
2 Quelles sont les réponses qui reviennent le plus fréquemment ? Cela vous surprend-il ?

Écrit

○ Vous souhaitez participer à notre jeu télévisé *Qui veut gagner des euros ?*
Envoyez-nous un e-mail à <u>canaljeu@tv9.fr</u> et en nous disant pourquoi vous voulez gagner des euros.

⑩ **Rédigez cet e-mail.**

L'ARGENT

Qui ne veut pas gagner des millions ?

① **Lisez le texte ci-contre et relevez :**
 1 les expressions ou les mots liés à l'argent ;
 2 les adjectifs synonymes d'*étonnant* ou d'*incroyable* ;
 3 les expressions ou les mots qui s'utilisent habituellement à l'oral.

② **Quel est le ton employé par le journaliste pour décrire l'intérêt que les Français manifestent depuis peu à l'égard de l'argent ? Justifiez votre réponse en relevant des mots, des expressions ou des phrases du texte.**

Débats

③ **En groupes, répondez aux questions suivantes et comparez vos opinions.**
 1 L'argent est-il un sujet tabou dans votre pays ? Est-ce « vulgaire » de demander à une personne combien elle gagne ?
 2 Avez-vous remarqué autour de vous un intérêt grandissant pour l'argent depuis quelques années ?
 3 L'argent est-il pour vous source de plaisir, d'inquiétude ou de problème ?
 4 Y a-t-il des choses que vous aimeriez pouvoir vous offrir mais qui sont au-dessus de vos moyens ? Lesquelles ?
 5 Dans la vie, êtes-vous plutôt du genre dépensier/ dépensière ou économe ?
 6 À choisir, préféreriez-vous…
  a avoir peu de temps libre mais gagner beaucoup d'argent ?
  b avoir beaucoup de temps libre et gagner moins d'argent ?
 7 Êtes-vous choqué(e) par le fait que certains sportifs, certaines vedettes du cinéma ou de la chanson ainsi que certains patrons touchent des salaires extrêmement importants ?
 8 Que pensez-vous du célèbre proverbe *L'argent ne fait pas le bonheur* ?

Tout le monde connaît la grande question du moment, ululée[1] par la télé depuis quelques mois : « Qui veut gagner des millions ? » On en viendrait à se demander s'il ne serait pas plus simple, par les temps qui courent, de poser la question inverse : mais qui, aujourd'hui, ne veut pas gagner des millions ? Sans blague, c'est fascinant : le fric, c'est l'obsession sociale du moment, on ne parle que de ça, il en tombe de partout. Les rois de la nouvelle économie n'ont plus assez de poches pour y fourrer[2] toutes les plus-values gagnées par les reventes phénoménales de leur « n'importe quoi.com ». Les grands patrons avouent les uns après les autres des salaires mirobolants qui ne choquent personne (quoique…). On découvre que même l'État est riche, maintenant, rendez-vous compte ! Et, pis encore, les innombrables publicités pour les sociétés de bourse en ligne nous font croire que tout le monde a sa chance : vas-y gogo[3], toi aussi tu peux toucher le gros lot. Quand on pense qu'il y a encore peu on croyait la société française bloquée sur ces questions de finances ! Hé oui, l'argent était vulgaire, de ces choses-là il ne fallait pas parler. Aujourd'hui, dites donc, le phénomène doit tenir de ce que l'on appelle en psychanalyse le retour du refoulé[4].

François Reynaert dans *Le Nouvel Observateur*, n° 1876, octobre 2000.

1. Criée, en parlant des oiseaux de nuit.
2. Ranger *(familier)*.
3. Homme naïf.
4. Ce qui est retenu en soi.

Questions d'argent

4 **Écoutez le document sonore.**
Parmi les questions qui figurent dans l'exercice précédent, quelles sont celles auxquelles répondent les deux personnes interrogées ?

5 **Écoutez à nouveau l'enregistrement et indiquez quels sont l'attitude ou le point de vue par rapport à l'argent des deux personnes interrogées.**
1 Point de vue ou attitude de la femme.
2 Point de vue ou attitude de l'homme.

6 **Indiquez quelle pourrait être la devise en ce qui concerne l'argent de chacune des deux personnes interrogées. Justifiez votre choix.**
1 L'argent est fait pour être dépensé.
2 À chacun ses sous.
3 Il n'y a pas que l'argent dans la vie.
4 L'argent ne doit pas être un problème.

7 **Voici une liste de proverbes français concernant l'argent. Associez chacun d'eux à l'explication qui lui correspond.**
1 L'argent n'a pas d'odeur.
2 Les bons comptes font les bons amis.
3 Peine d'argent n'est pas mortelle.
4 Qui paye ses dettes s'enrichit.
5 La fortune vient en dormant.
6 L'argent est bon serviteur et mauvais maître.

a Les pertes d'argent peuvent toujours se réparer.
b Le plus sûr moyen de s'enrichir est d'attendre passivement un heureux coup du destin.
c Pour garder ses amis, il faut toujours rendre à ces derniers l'argent qu'on leur doit.
d L'argent rend heureux celui qui sait l'employer et malheureux celui dont c'est l'obsession.
e Peu importe la manière dont on gagne de l'argent, pourvu qu'on en gagne.
f En payant ce que l'on doit, on augmente son crédit.

8 **Existe-t-il, dans votre langue, des proverbes comparables à ceux de l'exercice 7 ? Y en a-t-il d'autres que vous pouvez traduire en français ?**

Jeux de rôles

9 **En groupes, choisissez un des deux jeux de rôles ci-dessous et imaginez le dialogue en réutilisant un ou plusieurs proverbes vus précédemment. Jouez les scènes.**
1 Un(e) de vos ami(e)s vous confie qu'il/elle a de gros problèmes d'argent depuis des mois. Vous lui reprochez de ne pas vous en avoir parlé plus tôt et essayez de lui donner des conseils.
2 Vous avez prêté une grosse somme d'argent à un(e) ami(e) qui, visiblement, ne s'en souvient plus. Lorsque vous lui en parlez, il/elle affirme vous avoir déjà rendu cet argent.

Grammaire

1 Où sommes-nous ?
Lisez les phrases ci-dessous. Indiquez, pour chacune d'elles, dans quel(s) lieu(x) il est possible de les entendre.

1 Je <u>pourrais</u> avoir l'addition s'il vous plaît ?

2 Bonjour, je <u>souhaiterais</u> déposer de l'argent sur mon compte.

3 Il y a trois jours, vous m'aviez promis que la climatisation <u>serait</u> rapidement <u>réparée</u>. Or, il se trouve qu'elle ne fonctionne toujours pas dans ma chambre. Alors, je vous préviens : il est hors de question que je paye le tarif normal !

4 Excusez-moi, j'<u>aurais dû</u> prendre plus d'argent sur moi. Est-ce qu'il <u>serait</u> possible de retirer deux ou trois articles pour que je puisse vous régler ?

5 Je <u>voudrais</u> deux entrées, s'il vous plaît. Vous faites des réductions pour les étudiants ?

6 Je n'<u>aurais</u> jamais <u>dû</u> vous donner mon costume à nettoyer ! J'espère au moins que vous allez me le rembourser !

7 Écoutez, madame, je veux bien vous vendre ce médicament mais, à mon avis, vous <u>devriez</u> quand même consulter un médecin.

8 Je suis très ennuyée parce que j'attends un chèque de mes parents et j'ai entendu à la radio ce matin qu'il y <u>aurait</u> actuellement des retards importants de courrier. Est-ce que c'est vrai ?

9 Ça vous <u>dirait</u> de commander une tournée supplémentaire ?

2 L'emploi du conditionnel en français.

1 Complétez le tableau de cette page à l'aide des phrases qui figurent dans l'exercice 1. (Une même phrase peut figurer à deux endroits différents.)

2 Indiquez, pour chaque verbe souligné de l'exercice 1, s'il est au conditionnel présent ou au conditionnel passé.

3 Que dire ?
Répondez aux phrases suivantes en respectant la consigne donnée entre parenthèses. Utilisez le conditionnel.

1 – Tu t'es fait voler tout ton argent !
(regret) – *Oui, …*

2 – Tu sais, je crois qu'il a de gros problèmes d'argent.
(fait incertain) – *Oui, d'après ce qu'on m'a dit, …*

3 – Elle ne m'a toujours pas rendu les 150 € que je lui ai prêtés !
(reproche) – …

4 – J'en ai vraiment marre de travailler pour un salaire de misère !
(conseil) – …

5 – Bonjour, monsieur, vous désirez ?
(demande polie) – …

6 – Tu avais réservé ta place de train avant de partir ?
(futur dans le passé) – *Non, tu m'avais dit que…*

7 – Vous savez déjà quel type de voiture vous souhaitez acheter ?
(désir) – *Oui, …*

8 – Qu'est-ce qu'on pourrait bien lui offrir avec cette somme-là ?
(suggestion) – …

Le conditionnel sert à exprimer…	Exemple
a une demande polie	*Phrase n° 1, …*
b un désir	…
c un conseil	…
d une suggestion	…
e un regret	…
f un reproche	…
g un fait incertain	…
h un futur dans le passé	…

☞ Pour l'emploi du conditionnel avec *si*, reportez-vous à l'unité 3 p. 44–45.

4 Les articulateurs du discours.
Voici quelques articulateurs que vous avez déjà rencontrés et utilisés. Classez-les dans le tableau p. 151 pour indiquer quelle fonction ils assurent dans le discours.

a En outre.
b Notamment.
c Donc.
d Soit.
e Car.
f Ainsi.
g Autrement dit.
h Cependant.
i En effet.
j En revanche.
k Par ailleurs.

Cet articulateur permet...

1 d'expliquer quelque chose en le
   reformulant autrement ..., ...
2 d'ajouter un argument ou une
   information supplémentaire ..., ...
3 de proposer une alternative
   ou de présenter un argument opposé ..., ...
4 d'introduire une justification ...
5 d'exprimer une conséquence ...
6 d'exprimer une manière ...
7 d'exprimer une cause ...
8 de donner un exemple ...

 Il existe beaucoup d'autres articulateurs qui permettent d'exprimer une cause ou une conséquence (unité 10), une opposition ou une concession (unité 9).

5 Revue de presse.
Complétez les titres de journaux à l'aide des articulateurs suivants : *en revanche – ainsi – en effet – par ailleurs – soit – cependant – en outre.*

Les Français se font plaisir

Finie l'épargne privation. ...(1), les Français veulent désormais « mettre de côté » mais aussi consommer.

L'ARGENT DES MÉNAGES

Si les dépenses courantes sont souvent gérées par les femmes, les loisirs et les achats importants, ... (2), se décident à deux.

À QUOI RÊVENT LES ÉTUDIANTS ?

Optimistes, la plupart imaginent que leur future existence sera plus heureuse que celle de leurs parents. ... (3), seul un étudiant sur deux pense avoir une plus grande aisance financière.

Argent et morale

Le gaspillage de l'argent public choque de plus en plus les Français. ... (4), les derniers scandales politico-économiques ont engendré une forte suspicion à l'égard de la classe politique.

PROFIL DES JOUEURS

Les ouvriers et les retraités représentent la majorité des joueurs à la Française des jeux. ... (5), 44 % de ces adeptes du jeu ont moins de 35 ans.

La rémunération des patrons a augmenté de 36 % en un an

En l'an 2000, les présidents de dix-sept grandes entreprises françaises ont touché en moyenne 498 fois le Smic annuel. ... (6) un salaire moyen de 6,5 millions d'euros.

LE FRANC DISPARAÎT

Après 641 ans d'existence, le franc laisse la place à l'euro. ... (7) disparaîtront peut-être également, avec lui, les mots populaires qui le désignent.

L'argent à tout prix

DELF Unité A6
Expression orale spécialisée
Durée de l'épreuve : trente-cinq minutes.
Temps de préparation : une heure.
Coefficient 1 + 1 (chaque partie notée sur 20).
Objectif : comprendre un document écrit et s'exprimer oralement dans un domaine impliquant des connaissances et des compétences plus spécifiques en relation avec la spécialité (par exemple : sciences humaines et sociales, sciences économiques et juridiques, mathématiques et sciences de la matière, sciences de la vie…), la profession ou les centres d'intérêt du candidat.

Descriptif de l'épreuve
– compte rendu d'un texte ;
– entretien avec le jury en relation avec le texte.

Quelques conseils pour l'épreuve
COMPTE RENDU
- Organisez votre temps de préparation : vous disposez d'une heure.
- Dégagez l'idée générale du texte et aidez-vous du titre.
- Organisez clairement vos notes.
- À la présentation, faites comme si l'examinateur ne connaissait pas le document.
- Présentez de manière cohérente votre compte rendu (plan).
- Concentrez-vous sur le contenu du texte, n'ajoutez pas d'informations ni de commentaires personnels.
- Exprimez-vous avec vos propres mots, ne vous contentez pas de lire des passages du texte !
- Très important : parlez assez fort, faites attention à la prononciation, à l'intonation et à la qualité de la langue !

ENTRETIEN
- Donnez le sujet du débat (prenez appui sur l'idée principale du texte).
- Exprimez votre opinion, argumentez et nuancez vos propos. Donnez des exemples.
- Écoutez bien les demandes de précision ou les questions de votre interlocuteur.
- N'hésitez pas à établir un échange d'opinions par des questions !

Unité 11

Les Français et les jeux d'argent : toujours plus !

L'année 1999 restera dans les annales comme un excellent cru pour les jeux d'argent autorisés. Au total, les ménages français ont dépensé 12,35 milliards d'euros (l'équivalent du quart du budget de l'Éducation nationale) en tickets à gratter, lotos, courses de chevaux et autres machines à sous, soit un budget moyen de 244 euros par an et par Français de plus de quinze ans. Cette consommation est en hausse constante depuis des années (7,93 milliards d'euros en 1989) et a permis à la Française des jeux de doubler ses ventes depuis 1990 et aux casinos de les multiplier par cinq.

Plusieurs facteurs expliquent ce succès grandissant des jeux d'argent. Si 21 % des Français jouent « pour se détendre » (selon un récent sondage de la Française des jeux), la plupart y voient une façon de « rêver » aux bienfaits de la société de consommation. Plus la précarité de l'emploi et le chômage se développent, plus la perspective de gains liés aux jeux d'argent apparaît comme la seule façon de refaire sa vie ou d'accéder à des biens matériels interdits. Même si le goût du jeu d'argent existe dans toutes les catégories sociales, il concerne plus particulièrement les populations les moins aisées.

Cette tendance est confirmée par une étude de l'Insee (Institut national de la statistique et des études économiques) selon laquelle 52 % des actifs diplômés d'un CAP (certificat d'aptitude professionnelle) ou d'un BEP (brevet d'études professionnelles) jouent aux jeux d'argent, contre moitié moins chez les diplômés d'un deuxième ou troisième cycle d'université.

Mais ce facteur d'ordre sociologique n'explique pas tout. L'engouement des Français pour les jeux tient aussi aux stratégies de communication mises au point ces dernières années par les promoteurs des jeux, c'est-à-dire la Française des jeux (44 % du marché), les chevaux du PMU (43 %) et les casinos (12,7 %). Journaux, télévision, radio : difficile d'échapper aux vertus tant vantées du dernier *Rapido* ou du célèbre *Millionnaire*.

99,999993 % de perdants !

Au total, pourtant, les heureux gagnants des gros lots se comptent sur les doigts de la main. Si le slogan choc de la Française des jeux précise que « 100 % des gagnants ont tenté leur chance », n'oublions pas que… 0,000007 % des joueurs touchent en moyenne le gros lot du loto. Le seul à être certain de gagner à tous les coups reste l'État. En 1999, les jeux d'argent lui ont rapporté la bagatelle de 3,16 milliards d'euros, soit plus que les recettes de l'impôt sur la fortune !

L'argent à tout prix

Faites un compte rendu oral de ce document en vous aidant du questionnaire suivant *(20 points)*.

a Quel est le sujet du document ?

b De 1989 à 1999, quelle a été l'évolution du phénomène ?

c Quels sont les domaines qui ont le plus participé à cette évolution ?

d Quelles sont les raisons sociales qui expliquent ce phénomène ?

e Quelles sont les catégories sociales les plus touchées et pourquoi ?

f Quel est le rôle des promoteurs de jeux ?

g Quelles sont les chances de gagner réellement ?

h Finalement, quel est le grand gagnant de cette situation ? Pourquoi ?

Préparez l'entretien qui suit le compte rendu *(20 points)*.

On vous demandera notamment...

– quel est, selon vous, l'intérêt de ce texte, et quels sont les informations ou les problèmes soulevés qui vous paraissent les plus importants ;

– quelle est votre opinion personnelle sur ces questions (vous pouvez donner d'autres informations, des exemples, comparer avec votre pays, etc.).

Unité 11

cent cinquante-quatre

Unité
12

Le français
tel qu'on le parle

■ **Contenus
socioculturel**
  – La France des
  langues
  – Le français vu par
  les étudiants
  – Le verlan et
  les registres de langue,
  l'humour
  – Le français en
  danger ?

■ **Objectifs
communicatifs**
  – Jouer avec la langue,
  inventer

■ **Contenus
linguistiques**
  – Les néologismes

Les langues régionales

XIMUN   PATXI   AMAIA

a

RUE JAUME ROUX

CARRIERO DÓU FOUR-NÒU

c

PREISS-ZIMMER
GOURMET VITICULTEUR

b

BREIZH

d

① **En groupes, associez les photos aux langues régionales suivantes. Comparez vos réponses avec la classe.**
   1 Le breton.
   2 Le basque.
   3 L'alsacien.
   4 Le corse.
   5 L'occitan.

② **Faites correspondre chacune des langues à son origine.**
   Je suis :
   a une langue qui vient de l'italien ;
   b une langue celtique ;
   c une langue germanique ;
   d une langue dont on ne connaît pas l'origine ;
   e une langue très ancienne (gallo-romane).

Unité 12

e

③ **En groupes, indiquez sur la carte de France (p. 8) où se parlent ces langues régionales.**

④ **Dans votre pays, parle-t-on des langues régionales ? Avez-vous des signalisations (rues, bâtiments, documents) bilingues, même si ces langues ne sont pas reconnues comme langues officielles ?**

⑤ **En groupes, essayez de définir les mots suivants :** *une langue, un dialecte, un patois.* **Échangez vos définitions avec la classe. Comparez-les à celles d'un dictionnaire.**

Témoignage du Sud

⑥ **Écoutez l'enregistrement : identifiez la personne interviewée et le sujet de l'entretien.**

⑦ **Comprenez-vous facilement cet homme ? Pourquoi ? Dites si, dans votre pays, il existe le même phénomène.**

⑧ **Pour vous aider, associez les mots ou les expressions utilisés par cet homme.**

1 Un papy *(familier).*
2 Un accouchement.
3 Se faire dans la douceur.
4 Être gêné(e).
5 Par pudeur.
6 Un plouc *(péjoratif).*

   a Se faire facilement, agréablement.
   b Être embarrassé(e).
   c Un grand-père.
   d Un paysan.
   e Mise au monde d'un enfant.
   f Par délicatesse.

⑨ **Écoutez à nouveau l'enregistrement et dites si les affirmations suivantes sont vraies ou fausses.**

1 Tout le monde parle le patois dans la région toulousaine.
2 L'apprentissage de la langue française pour les personnes âgées s'est déroulé sans problème.
3 Les personnes âgées sont gênées de parler le français.
4 Les parents de l'interviewé ne parlent pas l'occitan.
5 Le français est vécu comme une langue qui permet le succès.

⑩ **Avez-vous bien compris ? Complétez le résumé ci-dessous. Plusieurs réponses sont possibles.**

Dans la région de Toulouse, les ... parlent encore souvent ... . Ils/Elles parlaient cette langue tout petit(e)s dans leur famille si bien qu'ils/elles ont été ... d'apprendre le français à l'école, ce qui a été pour eux/elles très ... . La langue ... était considérée autrefois comme la langue des ..., le français étant celle de la ... . C'est la raison pour laquelle certains parents ... à/de parler uniquement français avec leurs enfants.

Débats

⑪ **Comparez vos opinions avec la classe.**

1 Chaque dialecte devrait être enseigné aux enfants de la région où ils résident pour garder leur culture.
2 Il vaut mieux apprendre un dialecte qu'une langue étrangère.
3 L'unité d'un pays passe par sa langue officielle ; enseigner les dialectes, c'est encourager le risque de séparatisme.
4 L'État n'a plus les moyens de financer l'apprentissage d'une langue régionale.

Écrit

⑫ **Vous faites partie d'une association de défense d'un dialecte. Rédigez un manifeste, à la manière de celui des Chiennes de garde p. 118, qui présente votre raison d'être, votre combat, vos objectifs.**

PARLER FRANÇAIS :

Le français vu par les étudiants

Ma première erreur fut d'apprendre le français. Quand on vient à y penser, c'est toujours une erreur d'apprendre une langue étrangère.

Ma seconde erreur fut de l'enseigner. Ce que vous enseignez devient une part de vous, et c'est déjà assez mauvais, mais vous devenez une part de ce que vous enseignez, et c'est pis.

5 J'aurais dû m'en tenir au football. […]

Si je n'avais point appris le français, je ne serais point à écrire ce que j'écris, parce que je ne serais point toujours à me poser des questions. Les Français se posent tout le temps des questions à 10 eux-mêmes, et c'est contagieux. Je pensais m'approprier l'héritage français, mais la vérité, c'est que l'héritage français s'est approprié ma personne. […]

Honnêtement, je crois que, si je n'avais pas appris le 15 français, je n'aurais pas eu de difficultés avec Sue, parce que j'aurais pris Sue à la valeur de sa face.

Je viens de relire ceci et je 20 suis horrifié par le nombre de parce que. Parce que est un mot subversif*. Il faut se méfier de parce que. Au contraire, comment est un honnête mot américain. 25 J'aurais dû m'en tenir aux comment. Comment Sue pourrait-elle respecter un homme qui utilise parce que tous les deux mots ?

Bref, si je n'avais point appris le français, je 30 n'aurais point claqué la porte il y a une semaine.

Vladimir Volkoff, *Nouvelles américaines*, éd. de l'Âge d'homme, 1986.

* Qui est de nature à troubler ou à renverser l'ordre social ou politique.

CHANCE OU MALCHANCE ?

(1) Votre point de vue nous intéresse…
1 Pourquoi apprenez-vous le français ?
2 Pour quelle(s) raison(s) avez-vous choisi cette langue ? Regrettez-vous ce choix ? Pourquoi ?
3 Comment percevez-vous cette langue ? Pour vous, est-elle belle, difficile, mystérieuse… ? Essayez de la caractériser.
4 Quelles sont les principales différences ou similitudes qui existent entre votre langue et le français ?

(2) Lisez le texte de Vladimir Volkoff p. 158 et trouvez-lui un titre.

(3) Lisez à nouveau le texte et choisissez le résumé qui convient.

Résumé 1
Vladimir Volkoff pense qu'apprendre une langue est une erreur. Lui-même n'a jamais appris de langue étrangère, ce qui lui a évité de se poser trop de questions.
De toute manière, il préfère le football.

Résumé 2
Vladimir Volkoff n'aurait jamais dû apprendre le français et l'enseigner car, comme les Français, il se pose maintenant trop de questions. Sue n'a pas supporté un homme à la recherche constante de réponses et elle l'a quitté.

Résumé 3
Vladimir Volkoff a fait deux erreurs dans sa vie : apprendre le français et l'enseigner.

(4) Quel(s) sentiment(s) exprime l'ensemble du texte ?
1 Regret.
2 Tristesse.
3 Humour.
4 Désespoir.
5 Nostalgie.
6 Joie.

(5) Sélectionnez les formules qui expriment le mieux ce(s) sentiment(s) et dites quelles formes et quels temps du verbe sont utilisés.

☞ CONNAÎTRE ET RECONNAÎTRE p. 44–45 et 150–151

Débats

(6) Réagissez à ces affirmations et discutez en classe.
1 Apprendre une langue étrangère est une erreur.
2 Apprendre et parler une langue étrangère a une influence sur la personnalité de celui ou de celle qui l'apprend/qui la parle.
3 L'auteur s'attarde sur *parce que*.
Pour vous, y a-t-il un mot, une expression en français qui retient particulièrement votre attention ?

Écrit

(7) À la manière de Vladimir Volkoff, rédigez un texte dans lequel vous expliquerez pourquoi avoir appris le français a été pour vous une erreur ou une chance.

À L'ENVERS

C'est pas grave.
Laisse béton !

Attention !
c'est auch !

L'envers du français

Tu connais sa rème ?

Vite ! Voilà les keufs !

1. En groupes, observez les bulles ci-dessus.
   Avez-vous une idée de ce qu'elles veulent dire ?
   Comparez vos hypothèses avec la classe.

2. Dans votre pays, existe-t-il une manière
   de parler parallèle à la langue officielle ?
   Qui l'utilise ? À quelle(s) occasion(s) ?

3. Écoutez l'enregistrement et résumez en
   une phrase le sujet du reportage. ....

4. Écoutez à nouveau l'enregistrement et
   choisissez la bonne réponse. ....
   1 Le verlan connaît un gros succès...
     a suite à la dictée du certificat en 1924 ;
     b dans les années 70 ;
     c dans les années 80 ;
     d actuellement.
   2 D'après Boris Séguin, le verlan est une nouvelle
     façon de parler...
     a seulement utilisée par les habitants des banlieues ;
     b utilisée aussi bien par les personnes âgées que
       par les jeunes ;
     c utilisée uniquement par les jeunes ;
     d utilisée surtout par les communautés d'immigrés.
   3 D'après B. Séguin, ce qui est très important dans
     l'élaboration d'un mot en verlan, c'est...
     a de trouver d'abord une bonne tonalité ;
     b d'inverser systématiquement les syllabes ;
     c de n'utiliser que le *veule* ;
     d d'apprendre l'argot du début du xxe siècle.
   4 Le verlan est considéré par le journaliste...
     a comme une possibilité d'intégration sociale ;
     b comme un parler uniquement utilisé en classe
       par les élèves ;
     c comme un parler facteur d'exclusion pour ceux
       qui ne parlent que cette langue ;
     d comme une langue à part entière.

cent soixante

Unité 12

⑤ **Amusez-vous maintenant à trouver le sens des mots en verlan soulignés dans ces phrases.**
1 C'est un truc de <u>ouf</u> tout ça !
2 Elle était super, la <u>teuf</u> d'hier !
3 Je ne comprends pas Antoine, il est vraiment <u>zarbi</u> !
4 Tu la connais, cette <u>meuf</u> ?

⑥ **En petits groupes, imaginez des phrases dans lesquelles vous utiliserez un mot en verlan. Vous demanderez ensuite à la classe de trouver le sens de ces phrases. Attention à la sonorité des mots que vous inventerez.**

⑦ **1 Indiquez pour chaque phrase son registre de langue (soutenu, courant ou familier).**
   a 1 J'en ai ras le bol !
      2 J'en ai assez !
      3 Je n'en puis plus !
   b 1 Élise est lasse.
      2 Élise est crevée.
      3 Élise est fatiguée.

   c 1 C'est un boulot fatigant.
      2 C'est un travail pénible.
      3 C'est un dur labeur.
   d 1 Qu'est-ce que c'est bon !
      2 C'est vachement bon !
      3 C'est exquis !
2 Imaginez qui a pu prononcer ces phrases et dans quelle situation de communication. Comparez vos réponses.

Débats

⑧ **Lisez ces phrases et réagissez. Comparez vos opinions.**
1 Les langues parallèles comme l'argot, le verlan, appauvrissent la langue académique.
2 Le langage est un facteur de discrimination sociale.

Un cri d'alarme

LE FRANÇAIS EN DANGER ?

Ce cri d'alarme, chargé de détresse et parfois de colère,
nous l'entendons chaque jour et partout :
Le français perd sa place dans le monde ! Le français est en déclin !

Est-ce une vue de l'esprit ? Les principales associations de défense et de promotion du français, réunies en mai dernier, ont dressé un bilan qui est un réquisitoire : l'anglo-américain gagne du terrain dans
5 l'économie, la publicité, la recherche, les services publics, l'armée, les institutions internationales. [...]

Si la situation se dessine aussi sombre, le XXIe siècle pourra-t-il – ou non – proposer des solutions pour inverser le mouvement que l'on dénonce ? Il y a quelques années,
10 Mario Soares, président de la République portugaise, déclara : « Ma patrie, c'est ma langue. » Ces mots m'ont touché au vif. Qui souhaiterait que l'on mît à mal sa patrie ? J'ai éprouvé le même sentiment, cette fois nuancé d'un sourire, quand Hubert Védrine, notre ministre des
15 Affaires étrangères[1], interpellé à propos des mêmes dangers, a répondu : « La langue, c'est un sujet identitaire vital, c'est notre disque dur. »

Sans s'être donné la main, l'un et l'autre nous ont rappelés à notre devoir. [...]
20 Que les conseils d'administration de firmes françaises, dont les membres sont tous français, siègent en n'utilisant que l'anglais ne peut se soutenir par aucun argument. Que la correspondance d'entreprises françaises soit rédigée exclusivement en anglais ne s'explique pas davantage.
25 Que des congrès ou des colloques, réunissant essentiellement des Français, se tiennent en anglais sur notre territoire choque même des étrangers. [...]

Le français se trouvera-t-il un jour dans la situation de ces langues indiennes d'Amérique dont Chateaubriand[2] disait que seuls les vieux perroquets de l'Orénoque[3] en
30 avaient gardé le souvenir ?

Je n'hésite pas à l'affirmer : j'attends beaucoup du XXIe siècle. »

Alain Decaux, « La survie du français, cause nationale »,
dans *Le Monde*, 17 octobre 2001.

1. Ministre de 1997 à 2002.
2. François René de Chateaubriand : écrivain français (1768-1848). Il assiste aux débuts de la Révolution française avant de chercher en Amérique la gloire de l'explorateur et la fortune du pionnier.
3. Fleuve du Venezuela, qui se jette dans l'Atlantique.

① Lisez cet extrait d'un texte écrit par l'historien français Alain Decaux et dites de quel type de document il s'agit.

② Lisez à nouveau ce texte et dites si les affirmations suivantes sont vraies ou fausses.
  1 On entend souvent dire que la langue française est en danger.
  2 On accuse l'anglais d'envahir entre autres le monde de la communication et de l'économie.
  3 Alain Decaux n'est pas sensible aux déclarations de certains hommes politiques au sujet de la langue.

4 Selon Alain Decaux, l'usage de l'anglais dans des entreprises françaises peut parfois se justifier.
5 Certains étrangers sont choqués de constater que l'anglais est utilisé lors de congrès ou de colloques s'adressant à des Français.
6 Alain Decaux ne pense pas du tout que le français puisse disparaître un jour.

Écrit

③ En groupes, dégagez les idées principales de ce texte et rédigez un résumé de cinq ou six lignes.

Do you speak franglish ?

Le franglais nous envahit ? Les mots anglais menacent plus que jamais la langue de Molière ? Rassurez-vous : outre-Manche comme 5 outre-Atlantique, on parle franglish. [...]Raymond Clarinard, responsable des traductions à l'hebdomadaire *Courrier international*, est bien placé pour le savoir. 10 « Les éditoriaux anglais sont truffés d'expressions fran-çaises. En plus, ils ne les tra-duisent pas, ils partent du principe que leurs lecteurs, 15 cultivés, vont comprendre. »

Est-ce la mode, est-ce la paresse, est-ce par snobisme ? Un peu les trois sans doute, mais aussi par 20 pragmatisme pur et simple. « Lorsqu'un mot français est plus précis et plus pratique que son équivalent en anglais, explique Robert Graham, chef du 25 bureau parisien du *Financial Times*, nous l'utilisons sans états d'âme. Une expres-sion comme *fait accompli*, par exemple,

MY FIANCÉE AND I RENDEZVOUED IN A CAFÉ À LA MODE.

exprime parfaitement le caractère irréver-sible d'un événement. »
30 « L'anglais, qui a des racines saxonnes, vieux-norroises*, normandes, latines et 40 grecques, a toujours accepté de bon cœur les emprunts aux autres langues », raconte 60 Alain Woodrow, ancien journaliste au 35 *Monde*, lui-même bilingue. [...] Bon nombre de mots d'origine française ont

ensuite été assimilés en subissant des transformations : le mot du vieux français *gentil* (noble) a par exemple donné *gen-tle* (gentil) et *gentleman*. [...]

Pour Josette Rey-Debove, linguiste et secrétaire générale des dic-tionnaires Robert, « au fil des siècles, les langues ont tou-45 jours échangé sans com-plexes mots et expressions de toutes sortes et de toutes origines. Et il est inutile de les protéger avec des lois. » [...]

50 « Vous êtes le pays [la France] qui nous a donné le ballet, et qu'avons-nous donné en échange ? Le disc-jockey... Alors que nous n'avions que de simples fleurs, vous nous avez appris à les mettre dans un 55 bouquet. Et grâce à vous, nous avons appris à distinguer ce qui est chic de ce qui est gauche », écrit Ellen Goodman dans le *Washington Post*. À l'heure d'Internet, les barrières linguistiques ont, help me... l'air plutôt démodées.

Stéphanie Cascino dans *Le Nouvel Observateur*, n° 1794, 25-31 mars 1999.
* Ancienne langue des peuples de Scandinavie.

---

④ **Décrivez la photo ci-dessus et dites comment vous comprenez le texte dans la bulle.**

⑤ **Lisez le texte puis associez les phrases ci-dessous aux personnes citées dans l'article.**
 1 Raymond Clarinard.
 2 Robert Graham.
 3 Alain Woodrow.
 4 Josette Rey-Debove.
 5 Ellen Goodman.

 a Les mots ou les expressions doivent circuler librement comme depuis toujours.
 b L'anglais est un mélange de différentes langues.
 c Chaque mot emprunté à une langue étrangère permet d'avancer.
 d Il vaut mieux utiliser un mot d'origine étrangère s'il est efficace.
 e La presse britannique emprunte largement des mots français sans leur traduction en anglais.

⑥ **Retrouvez dans le texte des synonymes pour ces mots et expressions.**
 1 Rempli de. **2** Sans complexe. **3** Origines.

⑦ **Lisez ces phrases et donnez votre point de vue. Discutez avec la classe.**
 1 En français, on utilise trop de mots qui viennent de l'anglais. Danger !
 2 La langue doit être quelque chose de pragmatique pour communiquer ; alors, n'hésitons pas à emprunter les mots étrangers si nécessaire.
 3 « Si l'anglais est la langue véhiculaire par excellence, le français demeure dans l'esprit des gens la langue de la culture, de la diplomatie et de la noblesse. » Josette Rey-Debove.

⑧ **Rédigez un article dans lequel vous exprimerez, d'un côté, le point de vue des défenseurs de la langue française à tout prix et, de l'autre, le point de vue des partisans d'un échange naturel des mots et des expressions. Votre article comprendra un titre et un chapeau (250 mots).**

Grammaire

1 Le français, ça pétille !

Erik Orsenna a écrit récemment un livre sur la langue française : *La grammaire est une chanson douce*. Lisez l'extrait ci-dessous.

> Les noms et les articles se promènent ensemble, du matin jusqu'au soir. Et du matin jusqu'au soir, leur occupation favorite est de trouver des habits ou des déguisements. À croire qu'ils se sentent tout nus, à marcher comme ça dans les rues. Peut-être qu'ils ont froid, même sous le soleil. Alors ils passent leur temps dans les magasins.
>
> 5 Les magasins sont tenus par la tribu des adjectifs.
>
> Observons la scène, sans faire de bruit (autrement, les mots vont prendre peur et voleter en tous sens, on ne les reverra plus avant longtemps).
>
> Le nom féminin « maison » pousse la porte, précédé de « la », son article à clochette.
>
> – Bonjour, je me trouve un peu simple, j'aimerais m'étoffer.
>
> 10 – Nous avons tout ce qu'il vous faut dans nos rayons, dit le directeur en se frottant déjà les mains à l'idée de la bonne affaire.
>
> Le nom « maison » commence ses essayages. Que de perplexité ! Comme la décision est difficile ! Cet adjectif-là plutôt que celui-ci ? La maison se tâte. Le choix est si vaste. Maison « bleue », maison « haute », maison « fortifiée », maison « alsacienne », maison « familiale »,
>
> 15 maison « fleurie » ? Les adjectifs tournent autour de la maison cliente avec des mines de séducteur, pour se faire adopter.

Erik Orsenna, *La grammaire est une chanson douce*,
éd. Stock, 2001.

2 Faites comme lui.

Et vous, comment vous représentez-vous la fonction, le rôle des verbes, des adverbes, des pronoms personnels ? Exprimez-vous de la même manière ludique qu'Erik Orsenna.

3 Nouveautés informatiques !

1 Voici des mots inventés avec leur définition humoristique. En groupes, retrouvez le mot d'origine se terminant par *-oir/-oire* et expliquez-en le lien avec la définition fantaisiste.

a *Aureware :* procédure de sortie d'un logiciel.

b *Baigneware :* logiciel de nettoyage du disque dur.

c *Bonsware :* logiciel d'extinction automatique.

d *Égoutware :* logiciel qui filtre les données inutiles.

e *Manware :* logiciel réservé aux personnes riches.

2 Faites la même chose pour les noms qui suivent et, cette fois, ci inventez leur définition.

a Mouchware.

b Promouware.

c Tirware.

d Trotware.

4 **Le jeu du seau d'eau.**

Lisez la règle du jeu ci-dessous inventée par l'humoriste français Pierre Dac et, en groupes, inventez-en une autre du même style.

Voilà un jeu qui va faire fureur cet été un peu partout. Il se pratique de la manière suivante :

A   Lieu : autant que possible, la salle de jeux doit être située au moins au deuxième étage.

B   Préparation : emplir d'eau propre ou polluée un bon seau d'une contenance minimum de quinze litres ; cette opération effectuée, ouvrir la fenêtre.

C   Exécution : jeter violemment l'eau contenue dans le seau dans la rue et se rejeter immédiatement en arrière.

D   Attendre et écouter. Si aucune réaction ne se produit, vous avez perdu. Recommencez alors l'opération.

E   Si la chute de l'eau est suivie d'un cri, vous marquez 10 points.

F   Si plusieurs cris se font entendre, vous marquez 15 points.

G   Si ces cris se traduisent en hurlements mêlés de qualificatifs allant de saligaud[1] à tête de lard fumé, vous marquez 50 points.

H   Et si, enfin, la police monte chez vous, vous marquez 100 points et vous êtes déclaré hors concours.

Voilà de quoi rire et s'amuser honnêtement en développant ses facultés d'observation et ses dons de balistique[2].

Pierre Dac, *L'Os à moelle*, © éd. Julliard, 1963.

1. Personne qui agit d'une façon ignoble, méprisable (*très familier*).
2. Science qui étudie les mouvements des corps lancés dans l'espace et plus spécialement des projectiles.

5 **Le fictionnaire illustré.**

1 **Observez ces mots créés par Alain Finkielkraut dans son *Petit Fictionnaire illustré (éd. du Seuil)*. Ils sont inventés à partir de deux mots français existant réellement.**

• Brigoler (de *bricoler* et *rigoler*) : éclater de rire en plantant un clou.

• Contrâleur (de *contrôleur* et *râleur*) : employé de la SNCF dont la fonction est d'empêcher les passagers de mettre leurs pieds sur les banquettes et de punir les contrevenants.

• Hebdromadaire (de *hebdomadaire* et *dromadaire*) : chameau qui rit tous les lundis.

2 **À la manière d'Alain Finkielkraut, choisissez deux mots, combinez-les afin d'en former un autre et trouvez une définition.**

6 **Vos jeux.**
Connaissez-vous d'autres jeux, activités ludiques sur la langue française ? Présentez-les à la classe.

Point DELF

DELF Unité A5 – Écrit
Civilisation française et francophone

Durée des épreuves 1 et 2 : une heure trente.
Coefficient : 1 + 1 (chaque épreuve notée sur 20).

Épreuve 1 *(20 points)*
Objectif : comprendre et analyser le contenu d'un document écrit comportant des références précises à la réalité socioculturelle française et francophone.

> **Quelques conseils pour l'épreuve**
> - Organisez votre temps.
> - Observez le document (titre, sous-titre, chapeau, illustrations…) sans faire une lecture linéaire du texte.
> - Dégagez l'idée générale du texte et aidez-vous du titre.
> - Lisez la totalité du questionnaire et repérez les endroits où vous pouvez trouver des éléments de réponse.
>
> - Répondez avec des phrases courtes et évitez de recopier le texte sauf si on vous le demande.
> - Ne donnez pas votre avis.
> - Gardez un peu de temps pour vous relire !

Répondez de façon précise à chaque question.
– Formulez vos réponses avec vos propres mots. Ne reprenez pas de phrases entières du document, sauf si cela vous est demandé dans la consigne.
– Concentrez-vous sur le contenu du document. N'ajoutez pas d'informations extérieures ni de commentaires personnels.

1 Quel est l'événement qui a poussé Sébastien Pennes à écrire cet article ? Pourquoi ? *(2 points)*

2 Pourriez-vous résumer en une phrase l'opinion de l'auteur ? *(3 points)*

3 Pour Sébastien Pennes, quelles sont les deux caractéristiques de la langue française ? S'agit-il pour lui d'un handicap ? *(2 points)*

4 Que reproche-t-il aux « retraités de la grammaire » ? (Donnez deux réponses.) *(4 points)*

5 Quelle est sa définition de la langue française ? (Relevez les mots du texte.) *(2 points)*

6 Répondez par vrai ou faux, puis justifiez votre réponse en citant une phrase précise du texte. *(4 points)*

a Pour Sébastien Pennes, la langue française est menacée par l'invasion des termes étrangers.

b Les « retraités de la grammaire » ont une vision de la langue française d'aujourd'hui faussée par l'analyse artificielle qu'ils en font.

c Pour Sébastien Pennes, le latin a marqué la science au même titre que le français la littérature.

d Sébastien Pennes prône le multilinguisme.

7 Rédigez pour ce texte un chapeau de 30 à 40 mots (une ou deux phrases qui résument l'essentiel du contenu de l'article). *(3 points)*

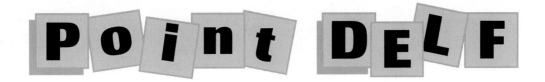

La langue irréelle
des retraités de la grammaire

Ils m'ennuyaient, tous autant qu'ils étaient ce vendredi-là, avec ce fameux génie de la langue française qui se laisserait contaminer par l'anglais. Comme si le français, pour s'apprécier, devait automatiquement se trouver un ennemi ! Si la langue française est belle, c'est parce qu'elle est un peu anarchiste. Elle a de grandes envolées rationnelles, mais elle sait dire aussi n'importe quoi qu'elle vole aux autres langues. On dit « flasher » mais ça ne veut pas du tout dire *to flash*. *Play-boy* est devenu un mot français parce qu'il n'évoque pas, à nos oreilles, le surfer californien, mais le minet de la côte en hors-bord. Le français est une langue un peu belliqueuse ; laissons-la vivre !

Tous ces retraités de la grammaire n'aiment les mots que solitaires et coiffés d'une lampe basse de bibliothèque, et encore mieux si c'est un monde irréel et abstrait comme celui du XIXe siècle. Ils sont fantastiques, tous ces classiques qui sont nos pères, mais faut-il rappeler qu'ils sont morts ? De quel droit les prendrait-on à partie pour nous imposer notre langue quotidienne ? La langue française qui vit, pas forcément la plus vulgaire mais la plus naturelle, qui s'étiole d'une collection de mots étrangers avec arrogance et légèreté, c'est cela la belle langue française d'aujourd'hui.

Évidemment, ces gens-là sont hantés d'une peur bien différente. C'est que l'anglais est la langue de l'économie, ce qu'est le latin à la médecine. On nous reprocherait, parce qu'on emploie un mot anglais, de donner du crédit à un système économique qui nous vient des États-Unis. Mais ça n'a rien à voir ! Dans le système économique que nous avons bien voulu choisir, l'anglais est la parole la plus efficace et, dans ce système-là, c'est la seule chose qui compte. Il serait logique de penser qu'au train où vont les choses, dans quelques dizaines d'années, nous parlerons tous anglais au bureau. Et alors ? Le multilinguisme n'a jamais appauvri personne, et s'il était démontré que l'italien était la vraie langue de l'amour, je m'empresserais de faire traduire mes sérénades.

Le problème, on le voit bien, est que l'on se défend d'une certaine structure économique en ne désignant que sa langue. C'est aussi très dommage car cela nous prive des immenses plaisirs littéraires de la langue anglaise, et particulièrement américaine, que l'on diabolise à souhait comme si des plans sociaux étaient nichés dans la syntaxe pas loin de la virgule.

Je ne hurlerai donc pas avec les loups sur le thème de l'exception culturelle, encore moins sur une prétendue colonisation progressive de notre langue. Quand je vais chercher du pinard au drugstore, ou flasher sur une meuf dans le rade du coin, ou bien me taper un week-end bien cool à la cambrousse, j'entends bien parler français.

Sébastien Pennes dans *Libération*,
8 juillet 2001.

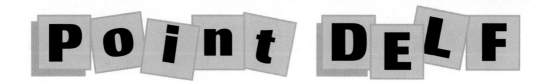
Épreuve 2 *(20 points)*

Expression écrite faisant suite à la compréhension écrite et reposant sur le même document.

Objectif : présenter un aspect de la réalité socioculturelle française ou francophone et formuler ses traits distinctifs par rapport à la culture maternelle du candidat.

Quelques conseils pour l'épreuve

- Organisez votre temps.
- Réfléchissez aux deux points de vue du texte.
- Identifiez les points de comparaison avec votre pays.
- Organisez vos idées clairement.

- Argumentez, exprimez des nuances et donnez des précisions.
- Soignez votre lexique et vos phrases.
- Très important : gardez un peu de temps pour vous relire !

Aujourd'hui, la politique éducative européenne prône le plurilinguisme grâce à diverses actions : reconnaissance et promotion de l'apprentissage des diverses langues européennes, portfolio des langues (passeport/inventaire des compétences en langues d'une personne).

Qu'en pensez-vous ?

Quelle est votre propre expérience du plurilinguisme (quelles langues parlez-vous, avantages ou inconvénients...) ?

Comment le plurilinguisme est-il vécu dans votre pays (langues étrangères, majoritaires, minoritaires...) ?

Illustrez votre réponse par des exemples concrets.

(200 mots environ)

TRANSCRIPTIONS DES ENREGISTREMENTS

dont le texte ne figure pas dans les unités

Unité 1 LE TEMPS DU PLAISIR
Temps libre p. 13

– *Et maintenant vous allez entendre un témoignage, celui de Babeth, 39 ans, conseillère commerciale dans une grande banque à Paris. La réduction du temps de travail est effective dans son entreprise depuis un an. Pour Babeth, qui habite en banlieue et qui élève seule ses trois enfants, ces jours de repos supplémentaires lui permettent de mieux s'occuper de sa famille, mais aussi de souffler.*

– C'est vrai que c'est un luxe extraordinaire de pas devoir prendre le... le train le matin ni la voiture pour aller où que ce soit et puis euh... je peux dormir un peu plus tard euh... et donc profiter peut-être un peu plus de la télé le soir parce que, bon, je sais que le lendemain j'aurai pas à me lever à la même heure. Ensuite, je peux aussi aller voir ma voisine le matin, boire un café, on discute de tout et de rien, c'est... et puis plus de problème même plus particulièrement par rapport aux enfants. C'est intéressant quoi, chose que j'ai pas l'habitude de faire ni le temps d'habitude.

– *Vous sortez plus qu'autrefois ?*

– Oui, il m'arrive d'aller peut-être plus souvent au cinéma, toujours parce que justement le lendemain j'ai pas besoin de me lever.

– *Mais alors si vous avez plus de loisirs ça vous coûte plus cher, vous êtes obligée de mettre davantage la main au porte-monnaie ?*

– Effectivement, il m'arrive de mettre davantage la main au porte-monnaie, mais quand même de façon réduite parce que mon budget n'est pas extensible, hein bien sûr, c'est pas parce que je travaille pas que j'ai plus d'argent voyez ; mais euh... bon c'est... c'est vrai que... que peut-être je me paye plus le cinéma, et euh... je vais voir les films récents et puis euh... bon, ben , toujours quand même avec mon... mon petit budget, quoi donc euh... voilà.

– *Vous lisez davantage ?*

– Je lis davantage oui, quoique les trois heures de transport par jour, généralement, je les utilise je lise, mais euh... effectivement peut-être le soir je... je... je lis peut-être un peu plus longtemps parce que j'adore lire.

– *Mais l'apport principal de ces jours de repos supplémentaires, c'est quoi au fond, c'est... vous occuper davantage de votre famille ? de vos enfants ?*

– Oui c'est tout à fait ça, oui. Je... je m'occupe de ma famille, je suis plus présente pour eux surtout et puis je peux aussi, bon, c'est... c'est parce que je suis une femme, c'est peut-être plus important pour moi, je peux nettoyer plus, donc, quand je rentre, c'est propre, c'est rangé et pour moi, c'est... c'est important quoi.

– *Et ça avant vous ne pouviez pas le faire aussi bien ?*

– Ben... disons que j'étais un peu plus fatiguée. J'avais moins le... l'envie de le faire, j'avais... c'est-à-dire... j'avais tellement d'autres choses à faire que ça passait peut-être au... au second plan, quoi. J'ai l'impression que c'est moins pénible comme tâche parce que j'ai plus de temps pour le faire.

– *À la limite, quand vous êtes en repos chez vous, est-ce que vous oubliez complètement votre travail, les rendez-vous que vous allez avoir le lendemain, les dossiers en cours, etc. ?*

– Euh... jamais totalement... parce que dans notre travail, si vous voulez, on a des dossiers en cours, on a des clients qui viennent pour des... des problèmes spécifiques et, effectivement, par exemple lorsque je suis en repos je... je laisse mon... mon numéro de portable par exemple à ma... ma collègue de travail qui est mon binôme mais qui est toujours là lorsque moi je suis absente et euh... comment dire, elle peut m'appeler à tout moment, justement pour mes clients. Euh... bon il est vrai que notre charge de travail s'est beaucoup accrue euh... avec l'arrivée des 35 heures, donc bon, ben, c'est vrai que je je... suis toujours préoccupée par ça.

Unité 2 PARLEZ-MOI D'AMOUR
L'être idéal p. 24

– *C'est quoi pour vous l'homme idéal ?*

– L'homme idéal... euh... je l'ai pas rencontré et euh... je sais pas... euh... euh... grand, beau... euh... intelligent et riche à souhait.

– *C'est tout ?*

– Ouais, j'sais pas.

– *Et vous ?*

– Moi, plutôt beau, gentil... euh... c'est vrai doux, généreux euh... on est un peu difficiles ! Ouais, non, je l'ai pas rencontré non plus mais bon, j'espère que je le rencontrerai bientôt.

– *D'accord. Mais ça existe quand même ce genre de... ?*

– Ah bah oui... oui... oui quand même ! Je pense qu'il y en a pour tout le monde.

– *C'est quoi pour vous la femme idéale ?*

– La femme idéale ! Alors là ! Active, sympa, pas trop MLF, voilà c'est tout, et mignonne évidemment.

– *MLF, ça veut dire féministe ?*

– Oui voilà, féminine mais pas féministe.

– *C'est quoi pour vous la femme idéale ?*

– Ah, la femme idéale ! Hypersexy, bien habillée, hauts talons, porte-jarretelles, et tout le tintouin. Belle petite gueule, mais surtout un beau corps.

– *Et la... et l'intelligence, c'est pas grave ?*

– Oh bah non, ça sert à rien ça ! On en a pour elles.

– *C'est quoi pour vous la femme idéale ?*

– Une femme idéale ? Une femme idéale, bah c'est une mère de famille, belle comme le soleil, voilà. Et puis ses qualités, eh bah, faire... faire de la bonne cuisine.

– L'être idéal pour moi, c'est un être gentil, intelligent, euh... bah grand, beau – j'ai de la chance – et fort.

– *C'est lui alors ?*

– Voilà, c'est lui.

– *Qu'est-ce qui représente pour vous l'être idéal ?*

– Teddy. Non, je rigole... Bah, c'est une personne déjà qui euh... qui prend soin de nous, qui fait attention et... qui nous offre plein de cadeaux... qui se prend pas la tête, gentil, adorable et... euh... sensuel et euh... mignon... et euh... le physique ne compte pas !

Leçons de séduction p. 27

– *Jérôme Godefroy, c'est donc l'événement littéraire actuellement aux États-Unis, je veux parler de ce petit manuel de séduction.*

– Oui, littéraire, c'est un bien grand mot puisqu'il s'agit d'un tout petit livre de poche qui vaut l'équivalent de 30 francs (environ 4,50 €), il s'intitule *The Rules*, les règles à suivre pour conquérir le cœur de l'homme de votre vie. Cet ouvrage s'adresse aux femmes qui veulent harponner un homme pour l'épouser. La méthode a été mise au point par deux femmes qui sont maintenant très riches car le livre s'est déjà vendu à 800 000 exemplaires.

– *Bon, vous le savez, beaucoup de femmes sont avec nous ce matin... Alors, quelles sont les... les règles qu'il faut... qu'elles suivent ?*

– Alors, je ne vais pas vous les donner toutes : il y en a trente-cinq. Le principe de base, c'est de se faire désirer. La femme ne doit jamais parler à l'homme en premier ; c'est l'homme qui doit engager la conversation. Après la première rencontre, la femme ne doit jamais rappeler l'homme au téléphone. Quand l'homme appelle, la femme doit mettre un terme à la conversation au bout de dix minutes maximum. Même chose pour les rendez-vous, la femme doit toujours s'imposer une limite dans le temps et s'en aller même si elle passe un bon moment. Pour le premier rendez-vous, acceptez un baiser sur la joue et rien de plus. S'il vous rappelle après le mercredi pour vous proposer une sortie du samedi soir, eh bien, il faut refuser ; il faut lui donner l'impression que vous êtes très demandée. C'est toujours lui qui doit payer l'addition ; n'acceptez même pas de partager la note. Ne lui racontez pas votre vie tout de suite, ne le voyez pas plus de deux fois par semaine et placquez-le immédiatement s'il oublie de vous offrir un cadeau romantique pour votre anniversaire ou pour la Saint-Valentin.

– *Ouais, tout ça, c'est un peu vieux jeu !*

– Oui, mais il paraît que ça marche, figurez-vous !

– Ah bon ! Les femmes américaines sont passionnées par ce livre qui est bien sûr vivement commenté dans des éditoriaux parfois féroces. Les féministes crient au scandale ou à l'imposture mais des groupes de discussion s'organisent dans les grandes villes, les auteurs animent des séminaires, des colloques sur la séduction féminine et il y aura bien sûr une version en images de ce petit bouquin : un producteur d'Hollywood vient d'acheter les droits d'adaptation. Il y aura donc bientôt une illustration sur grand écran de ce que les femmes doivent faire pour trouver un mari.

D'après une chronique de Jérôme Godefroy, document RTL, 1996.

Écrire à l'être aimé p. 29

– *Ça ne vous a sûrement pas échappé, aujourd'hui c'est la Saint-Valentin. Alors certains couples vont se faire des cadeaux pour célébrer la fête des Amoureux : un bijou, des fleurs, des chocolats pourquoi pas... Mais certains n'oublieront pas non plus un petit mot tendre.*

François est fleuriste ; depuis deux jours, le téléphone sonne sans arrêt pour des commandes de livraison, des livraisons de fleurs mais pas seulement. « Alors, c'est à livrer à Madame... D'accord. Le petit message ? 90 % des gens... euh... bon... envoient les fleurs avec des messages, hein. Là, on en a un... "Je pense à toi, tu me manques tellement. Je t'aime." » *Quel que soit le cadeau, pour certains, pas question d'oublier la missive qui va avec.* « C'est le petit plus, c'est l'attention en plus, quoi ! Je vais offrir euh... certainement un vêtement, un truc comme ça et puis avec le petit mot. Moi, à chaque fois que j'offre un cadeau, que ce soit pour la Saint-Valentin ou autre chose, y a toujours le petit mot de toute façon. Ça reste plus gravé. » *Écrire parce que ça reste, donc. C'est un plus indéniable pour l'écrivain Irène Frain.* « Le battement de cœur tout à fait particulier qu'on a quand on ouvre une lettre d'amour, c'est quand même unique. Celui qui écrit sa lettre d'amour, il a l'idée de

cent soixante-neuf

quelque chose qui va anéantir le temps. » *Écrire est une chose, être lu par d'autres personnes en est une autre. Comme toutes les années, le journal* Libération *propose un cahier spécial Saint-Valentin. À l'intérieur, des annonces très diverses. Béatrice Sutter, responsable du cahier :* « Alors, y en a qui sont extrêmement sexuels, d'autres qui sont beaucoup plus euh… tendres, il y a l'amant à la maîtresse, la maîtresse à sa concubine, il y a vraiment de tout quoi ! Il y a… je sais pas "Zam, je choisis confiance, patience, je le dis en secret, je l'écris en public pour que nul ne doute et que tu n'oublies pas. Je t'aime. Poupite." »

D'après une chronique d'Agnès Bonfillon (France Info), 14 février 2002.

Unité 3 AUX URNES CITOYENS
Ques aco ? p. 37

– *Vous allez voter ou pas euh… aux prochaines élections ?*

A : Oui, je vais voter. Voter pour le meilleur candidat ; je… j'ai pas encore bien reçu le message de chacun ; mais euh… je me déciderai euh… on va dire dans la semaine avant les élections.

– *Et vous pensez que votre voix peut compter ?*

A : Ah la voix de chacun compte euh… si personne ne vote, rien n'avancera, donc euh… faut que tout le monde vote.

– *Est-ce que vous allez voter aux prochaines élections ?*

B : Ouais, je vais voter aux prochaines élections ouais… faut savoir ce qu'on veut quoi, i faut exprimer… ses idées. Toutes les voix comptent et euh… donc voilà, si… si personne votait, ben, y aurait pas de… pas de parti élu donc euh… bien sûr qu'elle compte la voix !

– *Vous avez quel âge ?*

B : Dix-huit ans.

– *C'est la première fois que vous allez voter ?*

B : C'est la première fois, ben, ouais…

C : Oui, je vais voter euh… ha ha !

– *Et pourquoi ?*

C : Ben parce que c'est notre devoir de citoyen de voter !

– *C'est la première fois que vous allez voter ?*

C : Ben, non du tout ! Ça va faire ma… troisième année. On l'attend ce moment, d'avoir dix-huit ans et de pouvoir voter ! Alors une fois qu'on peut, on le fait et puis voilà quoi !

– *Est-ce que vous allez voter, vous ?*

D : Ben, je sais pas trop en fait euh… je me suis jamais vraiment posé la question… la politique, ça m'intéresse pas plus que ça donc euh… faudrait que je m'y intéresse avant et après je verrai quoi, j'aviserai. Mais je pense euh… comme… comme mon amie, que… effectivement, c'est important quand même de voter quoi ! Le… le fait d'avoir dix-huit ans, c'est… ça nous donne le droit justement de… d'affirmer nos idées, de nous exprimer… de pouvoir nous exprimer, y en a qui se sont battus pour ça ! Donc euh… je pense que c'est important en fait, même si je m'y intéresse pas trop.

E : Je viens d'avoir dix-huit ans et je sais pas si je vais voter encore ou pas.

– *Mais est-ce que vous avez conscience quand même que au moment de… de l'élection présidentielle, c'est le destin d'un pays qui se définit ?*

E : Oui oui je sais ! Mais euh… i font rien enfin j'sais pas i font rien ~~pour nous~~ quoi euh… Enfin voilà ! Hé, hé !

– *Est-ce que vous allez voter aux prochaines élections ?*

F : Non non, pas à celles-là, pas plus qu'aux autres.

– *Pourquoi ?*

F : Pourquoi ? Parce que… je ferai mon devoir de citoyen quand les hommes politiques feront leur devoir de citoyen… c'est-à-dire euh… pas de mensonge préélectoral, c'est-à-dire euh… une conduite honnête et puis voilà quoi, c'est tout, ça s'arrête là hein euh… hein…

– *Est-ce que vous allez voter aux prochaines élections ?*

G : Par devoir, je vais voter oui ; mais je ne sais pas encore pour qui.

– *Par devoir… vous considérez que c'est… un devoir, que c'est quelque chose d'un peu contraint, le vote ?*

G : Oui. Pour moi oui. Pour moi, c'est contraint.

– *Et pourquoi ?*

G : Parce que euh… on nous apprend que c'est un devoir civique, qu'on doit remplir son devoir et que… et puis j'ai des enfants, donc, vis-à-vis de mes enfants, il faut quand même que je montre que euh… je remplis mon devoir.

H : Oui, je vais voter parce que c'est un geste euh… important et euh… on peut pas se permettre euh… pour une fois qu'on a la parole autant en profiter.

– *Vous avez quel âge ?*

G : Vingt-deux ans.

– *Vous avez déjà voté plusieurs fois depuis votre majorité ?*

G : Non.

– *Et pourquoi les fois précédentes vous ne votiez pas et cette fois-ci vous votez ?*

G : L'enjeu est pas le même, je trouve que c'est… quand même un peu plus important.

I : … C'est pour faire mon devoir de citoyen, mais je sais vraiment pas… pour qui voter, bon ! parce que c'est… tous des clowns ! Je voterai ! Quitte à voter blanc, je dis franchement, je voterai. Voilà.

J : Oui, moi je vais voter, si je peux ! Moi je… j'espère que ce sera… celui que je choisirai qui passera ! Donc euh… à une voix près !

K : Oui oui, je vais voter ; les deux tours. Parce que je… j'estime que c'est mon devoir euh… de citoyenne. Je suis pas pour le… euh… pour l'abstention alors donc je vais voter.

DELF A4 p. 46
EXERCICE 1

Vous allez entendre quatre messages, une seule fois. Il y aura dix secondes entre chaque message pour vous permettre de répondre à la question posée.

Message 1

Bonjour ! société Dutour à l'appareil, euh… je vous appelle pour la deuxième fois à propos de votre livraison. La marchandise devait nous être livrée hier matin. Je… vous demande donc de nous rappeler d'urgence pour… nous informer de la situation, sinon nous nous verrons dans l'obligation d'annuler la commande. Merci.

Message 2

Euh… madame Lepoint, bonjour, euh… je vous appelle donc pour euh… vous informer que… la réunion des parents qui était prévue euh… ce soir hein a dû être reportée hein à vendredi soir prochain hein puisque le euh… le directeur de l'école euh… est… est souffrant. Voilà. Je vous prie de bien vouloir nous excuser pour ce contretemps. Puis bon, ben, voilà. Au revoir.

Message 3

Oui, monsieur Brun, bonjour. Je vous appelle pour vous demander de passer d'urgence à l'agence, s'il vous plaît. Nous souhaitons vérifier votre compte avec vous. Euh… je vous rappelle que nous sommes ouverts tous les jours sauf le dimanche, de 9 h 30 à 16 h 00. Merci. Au revoir.

Message 4

Eh bien, oui, c'est toujours la fête à Prifoux ! Et maintenant deux heures de promotion sur tous nos articles de sport ! Profitez-en pour compléter votre équipement et celui de toute votre famille !

EXERCICE 2

Vous allez entendre quatre phrases correspondant à une même situation. Pour chaque phrase, dites si la personne qui parle s'exprime dans une langue familière, standard ou soutenue, en cochant la case correspondante. Il y aura dix secondes entre chaque phrase pour vous permettre de répondre. Attention : une seule écoute.

1 Tu crois qu'il lui est arrivé quelque chose ?
2 Mais enfin… qu'est-ce qu'i fout ? !
3 Aurait-il eu… quelque ennui ?
4 Pourquoi est-ce qu'il n'appelle pas ? !

EXERCICE 3

Vous allez entendre un reportage radiophonique. Vous aurez tout d'abord deux minutes pour lire les questions. Puis vous entendrez deux fois l'enregistrement. Les questions suivent l'ordre du document. Répondez en cochant la réponse exacte ou en écrivant les mots ou les chiffres qui manquent.

– *Elles sont vraiment exceptionnelles ! Tous médecins, infirmières, parents d'enfants hospitalisés, même les petits malades, tous saluent les performances d'Hélène et Margot, deux clowns professionnels qui travaillent pour l'association* le Rire médecin. *Et les trente-quatre autres clowns de cette association, qui fête cette semaine ses dix ans, mettent en pratique la philosophie selon laquelle « il est beaucoup plus facile de soigner un enfant heureux ».*
Le Rire médecin est en plus présent dans seize services de pédiatrie à Paris et en province. Hélène et Margot commencent toujours leur journée par un point information auprès des soignantes, qui leur donnent le nom, l'âge et des précisions sur les maladies de chaque enfant. Puis toutes deux enfilent la blouse blanche réglementaire et le fameux nez rouge…
Margot parlez-nous de votre travail :

– Hum… hum un nez rouge… mais hum vous savez le ridicule ça ne tue pas hein, au contraire, il soigne : nous partons du quotidien de l'enfant, les examens, les instruments médicaux, les plateaux-repas. Rien n'est écrit parce que tout est improvisé. On essaie de partir de ce que l'enfant propose, pour le faire rire, pour le faire rêver. En tirant parti de notre propre aspect, oui, un peu ridicule, c'est vrai, on dédramatise la situation.

– *Étienne, vous êtes infirmier, qu'en pensez-vous ?*

– Au début, j'étais sceptique, cela n'existait pas dans les services où je travaillais avant. J'avais peur de la bousculade. En fait, elles… elles sont très pro, elles nous facilitent le travail en relaxant les enfants. Elles font baisser la pression, pour nous c'est inestimable !

Unité 4 À CHACUN SA FOI
La foi dans les superstitions p. 53
Enregistrement 1

Il y a une quinzaine d'années de cela maintenant… euh… l'un de mes frères s'était gravement brûlé au bras en se renversant une casserole d'eau bouillante et il se trouve que, lorsque mon père était plus jeune, il s'est retrouvé pendant la Deuxième Guerre mondiale réfugié euh… au pied du puy de Sancy, au sein d'un petit village auvergnat où l'on guérit le feu de mère en fille ; c'est quelque chose que l'on se transmet, de génération en génération. Et par le plus grand des hasards, ce… ce jour-là, le jour de cet incident, cette personne se trouvait à proximité et c'est donc elle euh… qui s'est occupée de mon frère. C'est-à-dire qu'elle s'est enfermée avec lui dans une pièce à part, en attendant que les premiers secours arrivent, et elle a euh… soulagé sa douleur en faisant une petite manipulation à partir de… à partir… de cendres qui étaient dans un… dans un cendrier et en faisant quelques phrases dont le contenu a échappé à… à mon frère et c'était un peu volontaire. Ce qui fait que, quand les secours sont arrivés pour procéder aux premiers soins, ils… ils ont été très surpris de constater que… que mon frère ne hurlait pas, ne souffrait pas. Ils ont demandé ce qui s'était passé et quand il leur a raconté, ils ont eu beaucoup de mal à le croire, mais je peux vous garantir qu'effectivement, non seulement il n'a pas souffert, mais qu'en plus il n'a aujourd'hui aucune cicatrice à la suite de cet incident. Donc, euh… voilà, c'est une expérience vécue de très près et qui peut, je pense, nous faire poser quelques questions.

Enregistrement 2

Je doute beaucoup euh… parce que euh… par le passé, encore aujourd'hui, beaucoup d'histoires se sont révélées être des escroqueries et on a réussi à déceler que euh… c'était faux, que c'était du cinéma et que… et que ça n'avait rien à voir avec du paranormal ou de l'astrologie ou de l'horoscope ou de la numérologie et un peu toutes ces sciences inexplicables pour le moment. Ensuite, je considère que tout s'explique, je pense qu'il y a mille ans il y avait des choses qu'on n'expliquait pas et qu'on explique aujourd'hui. Et je pense que les choses qu'on n'explique pas aujourd'hui, on sera sans doute capable de les expliquer dans… dans mille ans. Je reste très très sceptique quant à l'horoscope, par exemple ; quand on lit des horoscopes, ce sont des thèmes toujours généraux qui sont abordés, qui arrivent à tout le monde forcément ou qui sont arrivés ou des états d'humeur ou des choses comme ça, toujours généraux, il n'y a jamais rien de très très précis dans un horoscope. Après, la voyance, les médiums, c'est… ça semble être de la psychologie euh… un petit peu de comptoir euh… où on fait bien attention à ce que… ce que nous disent les gens quand… quand ils arrivent et puis… et puis de là on en déduit des… des choses logiques qui se passent ou qui se passent pas après par la suite.

La foi dans le bonheur p. 55

– Alors, pour vous, c'est quoi les petits bonheurs dans la vie ? Les… les petits plaisirs ?

– Bah, pour moi, mon bonheur… bah… il est simple. Il suffit d'enfiler ses bottes, de lâcher le portable, de le laisser à la maison et puis de partir comme ça à l'aventure, ou une petite aventure, de se retrouver pourquoi pas dans son jardin, de se ressourcer, d'écouter une mésange chanter tout à côté de… de… de vous et pourquoi pas d'ouvrir la porte du jardin et aller un tout petit peu plus loin, aller dans la forêt, être tranquille et puis oublier un petit peu le monde extérieur, et puis voilà, d'être bien dans la nature, le craquement des branches, les feuilles et c'est ça mon petit plaisir, d'entendre le coucou le m… tiens… le coucou… le coucou que nous entendons au printemps, qui nous annonce le printemps, la première hirondelle, le jour du printemps, ça ce sont mes petits bonheurs, mes petits plaisirs de la vie.

– Le fait de peindre, c'est une… euh… un genre de détente, quoi ! C'est un changement peut-être… On se change d'idées, euh…

– La beauté du paysage que je ressens moi. Peut-être quelqu'un d'autre ne trouvera pas ce… ce paysage magique. Mais, moi, quand tout est blanc, les arbres… les champs, je trouve ça… oui, assez magique, merveilleux.

– Un petit plaisir tout simple, c'est passer une journée à faire du tourisme dans une petite ville, une ville sympa…

– Tout ce qui correspond à la beauté en fait. Quand (il) y a n'importe quoi de… de joli qui se passe, euh… quand… les sourires aussi beaucoup, des… dans les petites choses comme ça, quand on sent qu'il y a une… une humanité qui passe entre deux personnes, ce… ce genre de choses. Ça me réchauffe le cœur, oui, parce qu'on entend parler de beaucoup de choses qui vont pas très bien et… dans ces cas-là, bah on se dit : « Il y a quand même une espèce de solidarité humaine qui peut exister » et… ça fait du bien.

Connaître et reconnaître p. 56

Personne 1

Oh là euh… ! C'est une question un peu… un peu difficile que vous me posez là mais euh… je dirais que… globalement les choses vont sans doute s'arranger. Je pense… pense que la vague terroriste a fait que les démocraties ont pris conscience de… de leur fragilité et… et… de la nécessité de s'unir pour lutter contre le terrorisme. Je crois qu'il y a eu une véritable prise de conscience et… je m'attends à ce que nous vivions des jours un peu plus paisibles ; en tout cas, c'est ce que je souhaite !

Personne 2

Euh… bon franchement euh… ça m'étonnerait beaucoup que la religion progresse en tout cas c'est pas le plus important pour moi. Ce que je souhaite par contre, c'est que d'authentiques valeurs spirituelles puissent continuer à se développer dans nos sociétés. Moi, je suis convaincue que… c'est à chacun de chercher en lui les valeurs éternelles que sont l'amour, le respect, le courage et la responsabilité. Oui, bien sûr, ces valeurs sont présentes à l'origine dans toutes les religions mais, franchement, on n'a pas besoin d'adhérer à une religion pour les reconnaître et les vivre. En tout cas, c'est ce que je pense.

Personne 3

Ha ha ! Euh… comme je ne suis pas d'un naturel très anxieux, je… je ne crois pas avoir de craintes profondes concernant l'avenir, mais… en y en réfléchissant bien, oui, finalement, j'ai peur que, par ignorance ou par inconscience stupide, l'humanité coure à sa perte, si elle continue à ne pas respecter la nature. En tout cas, j'espère bien que nos gouvernements prendront des décisions à un niveau planétaire… pour préserver notre environnement.

Unité 5 DE L'ÉCOLE AU TRAVAIL
Éducation : où en sommes-nous ? p. 65

Nadine Garson est professeur d'histoire-géographie et de français au collège Elsa-Triolet, implanté dans le quartier Saint-Antoine au nord de Marseille.

– C'est pas des élèves faciles, y a une barrière de langue aussi, y a beaucoup de parents qui parlent euh… l'arabe, le turc ; y a des Cambodgiens aussi, des Comoriens… et beaucoup d'enfants en difficulté familiale. Et ça, c'est vrai que c'est un reflet du quartier : certains enfants, quand ils arrivent euh… au mois de septembre au collège, ont passé pratiquement deux mois dans la rue et on a l'impression d'avoir tout à refaire du point de vue… des règles de vie citoyenne… La violence verbale, c'est vrai, existe… parce qu'ils utilisent des mots… courants que nous, adultes, nous considérons comme violents, mais c'est leur vocabulaire euh… normal et quotidien, donc ils ne font pas la part de ce que ça peut avoir d'agressif. La violence se manifeste par les inscriptions sur les tables… nous a… nous évitons les inscriptions sur les murs parce que notre collège… a… entrepris de couvrir les murs de fresques réalisées par les élèves et c'est vrai que ce… que c'est extraordinaire de constater combien les élèves respectent après leur propre travail.

– *Et la violence physique ?*

– La violence physique euh… on y est confronté… quelquefois ; les élèves, c'est vrai, sont très prompts à en venir aux mains… je pense que c'est le contexte de la rue qu'ils transportent à l'intérieur de… du collège. Mais, euh… l'avantage de notre euh… collège, c'est d'être un petit collège où tout le monde se connaît : les professeurs connaissent tous les enfants. Et finalement ça devient une… u… u… une sorte de euh… de… de grande famille. Et… notre collège, étant donné qu'il est… petit collège et qu'il est resté petit collège, limite les problèmes. Je dis que les choses sont difficiles, beaucoup plus difficiles pour les parents et pour les enseignants, parce que les règles de vie familiale ne sont plus les mêmes : nous avons des enfants qui… passent des soirées devant la télévision, qui souvent ne dorment pas à des heures normales pour des enfants… c'est le rythme de vie sociale qui induit le fait que quand les enfants arrivent à 8 heures, ils sont épuisés ; ils n'ont pas déjeuné ; ils ne sont pas en condition de travail…

– *Si c'était à refaire, est-ce que vous feriez le même parcours ? Est-ce que vous resteriez dans ce type d'établissement ? Dans ce quartier avec euh… ce type d'élèves ?*

– Je pense sincèrement, oui. C'est un milieu social qui me convient. C'est vrai qu'après trente ans d'enseignement, j'aurais pu changer… demander mon changement et l'obtenir euh… quel que soit le collège que j'aurais demandé, vers Aix-en-Provence… enfin ! Mais je n'ai pas voulu le faire, donc euh… c'est que le contexte me convient, que j'y suis bien ! Et ça n'empêche pas que quelquefois les bilans soient difficiles ! Mais quand on a obtenu un progrès, c'est un progrès et… et… et il est valorisant. Et donc ça valorise notre profession et notre rôle dans ce contexte.

Le travail : où en sommes-nous ? p. 69

– *Philippe, vous avez aujourd'hui trente ans, vous êtes actuellement en CDD, en contrat à durée déterminée, dans un cabinet de conseil en management. Mais, depuis le début de votre parcours professionnel, vous enchaînez les contrats temporaires. Comment tout cela a-t-il commencé ?*

– Au début, comme beaucoup d'étudiants, j'ai d'abord eu des petits boulots, saisonniers, d'hiver et… l'été. Et puis, le premier, c'est un ami qui m'a contacté pour un job de marketing téléphonique, et puis après j'ai enchaîné ce genre de mission de trois mois à six mois pour remplacer des absents, pour des contrats assez courts en fait, et limités dans le temps.

– *Et vous n'avez jamais essayé de vous faire embaucher définitivement ?*

– Au début non, en fait, c'était pas vraiment l'objectif. L'objectif, c'était d'accumuler des expériences diverses, variées, et puis le souci d'indépendance qui était là aussi.

– *Mais aujourd'hui, à trente-deux ans, vous recherchez une certaine forme de stabilité ?*

– Bah, c'est sûr qu'au bout d'un moment on n'a plus envie d'être celui qui passe dans une entreprise, d'être un peu considéré comme… comme la bête curieuse par ses collègues parce qu'on ne va pas rester longtemps, et puis on a envie d'être là… sur le long terme.

– *En enchaînant les contrats temporaires, à quelles difficultés êtes-vous confronté dans votre vie privée ?*

– D'abord, les problèmes d'argent bien sûr. On n'a… on ne peut pas toujours enchaîner un contrat juste après un autre. Ça veut dire qu'on a des rentrées financières en dents de scie, avec des mois plus fastes que d'autres, et par contre on doit toujours régler le loyer, la nourriture, de façon stable. Et puis quand on ne peut pas aligner les bulletins de salaire dans la durée, tout

cent soixante et onze

devient plus compliqué pour euh… pour trouver un appartement ou pour obtenir un prêt bancaire.

– Est-ce que vous éprouvez également des difficultés relationnelles avec votre compagne, celle qui partage votre vie ?

– Le plus compliqué, c'est de ne pas pouvoir faire des projets… des projets… des projets à deux – acheter un appartement ou avoir un enfant. Ça fait en gros cinq ans que ma compagne compense mon instabilité professionnelle, et c'est vrai que c'est pas facile de vivre avec cette impression qu'on ne peut pas se fixer, qu'on est toujours dans le changement. Et il y a aussi une autre pression qui est forte, c'est celle de la famille et celle des copains qui soit ne comprennent pas qu'à mon âge je n'ai pas une vie réglée comme la leur ou pour les parents – des gens – qui s'inquiètent un petit peu de… de l'avenir.

Connaître et reconnaître p. 70

– Et vous, madame, votre enfant a eu lui aussi des difficultés au collège ?

– Oui, oui, mon enfant était en 4e dans… le collège public de mon quartier… jusqu'à l'année dernière ; mais euh… il avait de très très mauvais résultats à peu près dans toutes les matières, sauf en éducation physique ; et… pouf, bien sûr son passage en 3e était compromis. Je savais que le directeur allait proposer le redoublement. Bon, d'un autre côté, comme c'est un garçon intelligent, son père et moi, on… on voulait pas qu'il végète, on a donc voulu briser cette spirale de l'échec et… avant même que le conseil de classe se prononce, bah on… on l'a inscrit dans une école privée hors contrat. Et je vous assure que… depuis qu'il fréquente cet établissement, ben mon fils est métamorphosé !

– Et ça (a) été facile pour vous de trouver cette école ?

– Bien sûr que non ! Ça…, avec le carnet scolaire qu'il avait, non seulement les établissements publics ne voulaient pas de lui, mais les collèges privés sous contrat non plus et… finalement… nous avons persévéré jusqu'à ce que nous ayons trouvé celui qui voulait bien l'accepter. Alors, bien sûr, c'est un collège hors contrat, ça nous coûte cher mais on n'a aucun regret.

– Mais si on se réfère à ses notes, votre enfant n'avait pas le niveau requis. Ça n'a pas posé de problème ?

– Pas du tout ; en fait dès qu'il a mis le pied dans cette école, il s'est senti bien. On lui a fait confiance, on a respecté son rythme et la motivation a été immédiate. Je crois qu'en une semaine il avait rattrapé son retard…

Unité 6 CULTURE, CULTURES
Au grand café p. 79
Au grand café

Charles Trenet

Au Grand Café, vous êtes entré par hasard
Tout ébloui par les lumières du boul'vard
Bien installé devant la grande table
Vous avez bu, quelle soif indomptable
De beaux visages fardés vous disaient bonsoir
Et la caissière se levait pour mieux vous voir
Vous étiez beau vous étiez bien coiffé
Vous avez fait beaucoup d'effet
Beaucoup d'effet au Grand Café.
Comme on croyait que vous étiez voyageur
Vous avez dit des histoires d'un ton blagueur
Bien installé devant la grande table
On écoutait cet homme intarissable
Tous les garçons jonglaient avec *Paris-Soir*
Et la caissière pleurait au fond d'son tiroir
Elle vous aimait, elle les aurait griffés
Tous ces gueulards, ces assoiffés
Ces assoiffés du Grand Café.
Par terre on avait mis d'la sciure de bois
Pour qu'les cracheurs crachassent comme il se doit
Bien installé devant la grande table
Vous invitiez des ducs, des connétables
Quand on vous présenta, soudain, l'addition
Vous avez déclaré : « Moi, j'ai pas un rond. »
Cette phrase-là produit un gros effet
On confisqua tous vos effets
Vous étiez fait au Grand Café.
Depuis ce jour, depuis bientôt soixante ans
C'est vous le chasseur, c'est vous le commis de restaurant
Vous essuyez toujours la grande table
C'est pour payer cette soirée lamentable
Ah, vous eussiez mieux fait de rester ailleurs
Que d'entrer dans ce café plein d'manilleurs
Vous étiez beau, le temps vous a défait
Les mites commencent à vous bouffer
Au Grand Café, au Grand Café.
Paroles et musique de Charles Trenet,
© éd. Raoul Breton.

Unité 7 NOUVELLE DONNE, NOUVEAUX DÉFIS
José Bové à Porto Alegre p. 93

Vous allez entendre José Bové, porte-parole de la Confédération paysanne, et François Dufour, ancien porte-parole de la même confédération.

JOSÉ BOVÉ : Voilà, on arrive sur une parcelle et, là, tout le monde se jette dessus, à la main, en arrachant. On est à peu près 600, 700, plus, ça va vite, ça va vite… Oh ! François ! C'est quoi, ça ?

FRANÇOIS DUFOUR : C'est du soja transgénique que nous sommes en train d'arracher pour faire appliquer le principe de précaution dans cette région.

JOSÉ BOVÉ : Et tout ça en musique !

– Qu'est-ce que c'est là, qu'est-ce que vous faites ?

JOSÉ BOVÉ : Écoutez, là, on ne détruit pas, on mélange les semences entre elles, ce qui fait qu'on les rend complètement impropres et que… on ne peut pas être accusés de détruire, simplement on fait de la… du mélange de semences. C'est ce que nous avons fait nous-mêmes en 98 à Neyrac quand on a mélangé du maïs classique avec des semences OGM en les rendant impropres à l'utilisation.

– Vous êtes sûr que là y a des OGM ?

JOSÉ BOVÉ : Oui, parce que les marques qui sont marquées, les […] et tout ça, c'est clairement des produits OGM.

UN MILITANT : C'est pas une destruction, c'est appliquer le principe de précaution qui consiste à ne pas semer du maïs, qui est illégal dans cette région puisque les OGM sont interdits dans cette région ; ce centre ne devrait pas exister ici.

– C'est la première fois que tu viens au Brésil ?

LE MILITANT : C'est la deuxième fois que je viens au Brésil. Je pense que c'est très très prometteur de voir et d'entendre tous ces militants en lutte pour leur… la terre mais aussi pour refuser les OGM parce que y a vraiment des similitudes avec ce que nous menons en France. Refuser les OGM et développer l'agriculture durable, c'est ce qu'on entend depuis quelques jours et je crois que ça, c'est porteur d'espoir.

D'après *Voix de Porto Alegre*, Attac, 2001.

L'Europe, les jeunes et les langues étrangères p. 95

– Aujourd'hui, Ruggero, vous nous dressez un… un bilan de l'apprentissage des langues étrangères chez les jeunes Européens.

– Pas tellement francophone, la jeunesse de l'Union européenne et ce n'est pas une surprise bien sûr, à peine 20 % des jeunes des quinze pays de l'Union affirment pouvoir s'exprimer dans la langue de Molière, alors que Shakespeare a plus de chance : selon les statistiques d'Eurobaromètre, 54 % des jeunes parlent ou croient parler anglais… Malgré tout, le français reste la deuxième langue véhiculaire parlée par la jeunesse en Europe, suivi de l'allemand, l'espagnol et l'italien.

Les Britanniques sont quand même favorisés, puisqu'ils peuvent… disons, s'en passer d'étudier les langues étrangères pour rencontrer les autres… les autres du même âge, mais d'un pays différent. Et c'est pratiquement ce qui se passe actuellement, puisque la grande majorité de la jeunesse d'outre-Manche avoue son manque d'intérêt pour les langues étrangères.

Mais c'est le sud de l'Europe à être disons plus paresseux en matière de langues étrangères, un tiers des jeunes Italiens, Espagnols et Portugais déclarent ne pas connaître l'usage d'aucune langue étrangère. Évidement, c'est surtout le fait de ne pas voyager, à ne pas susciter l'intérêt pour les langues des autres.

83 % des jeunes Grecs n'ont jamais dépassé leurs frontières, il en va de même pour 70 % des Espagnols et pour 54 % des jeunes Italiens.

L'Éducation nationale de chaque pays est bien sûr coresponsable de ce peu d'intérêt pour les langues, puisque c'est justement dans les pays « critiques » et par conséquent « critiqués » qu'on enseigne le moins de langues étrangères : à peine trois heures par semaine en Italie, en Grèce, en Irlande ou en Espagne, alors que la moyenne européenne est à peu près du double : six heures hebdomadaires.

Bien sûr, face à cette carence générale, les gouvernements semblent se réveiller et on commence à introduire l'apprentissage des langues européennes à l'école primaire. En Italie (jusque-là dernière de la classe), on va même enseigner aux tout-petits deux langues étrangères, et pas exclusivement européennes. Au programme, l'arabe et même le chinois.

D'après une chronique de Ruggero De Pas, *L'Europe au quotidien* (France Inter) du 25 février 2001.

Unité 8 ÊTRE OU PARAÎTRE
Le corps idéal p. 102

Béatrice Koeppel est psychanalyste. Elle parle des motivations qui poussent les femmes à avoir recours à la chirurgie esthétique.

– Les motivations inconscientes sont le fait d'apparaître sans défauts ou de répondre à la bonne image qu'on attend des femmes et la bonne image apparente parce que peut-être elles n'ont pas intériorisé, investi narcissiquement une bonne image d'elles-mêmes qui fait que ce qu'elles sont, ça devrait leur suffire normalement. Elles ont cette impression que, si elles ne sont pas parfaites extérieurement, eh bien, ce qu'elles sont en fait ne suffira pas.

– C'est une sorte de narcissisme à l'envers. C'est pas parce qu'on se trouve trop beau, c'est parce qu'on se trouve pas assez beau.

– Le terme est excellent. C'est le narcissisme à l'envers, parce que souvent on dit : « Mais qu'est-ce qu'elles ont à s'occuper d'elles ? » C'est souvent jugé comme des caprices. En fait, ce sont des femmes qui sont fragiles, qui n'ont pas un narcissisme suffisant pour compter sur elles-mêmes, sur leur charme, sur ce qu'elles sont, sur ce qu'elles ont à dire. Cela est souvent lié au rapport maternel où la mère a demandé beaucoup à la petite fille, et où elle n'a pas pu lui permettre, à un moment donné de son développement, de se dire que tout ce qu'elle faisait, que tout ce qu'elle disait, c'était toujours extraordinaire et qu'importe l'apparence. Ça, c'est souvent des ratages de ce côté-là.

– Est-ce que le père a eu un rôle de ce côté-là aussi ?

– Le père peut reconnaître à la petite fille par exemple le fait qu'elle est très jolie mais si ce que la mère n'a pas donné, c'est-à-dire cette image dont je parlais, elle fera justement encore plus de chirurgie esthétique que prévu parce qu'elle voudra toujours auprès des hommes retrouver ce que son père lui disait, c'est-à-dire comme elle est jolie.

En revanche, si le père a trouvé que sa fille n'était pas jolie, y aura un abandon du côté extérieur souvent et le fait que des femmes sont négligées, ce qui fera que la femme faible aura recours à la chirurgie esthétique qui peut être un appui thérapeutique relativement important. En revanche, la vedette de la chanson, Cher, je sais pas combien de recours à la chirurgie esthétique elle a eus, c'est un acharnement, une compulsion de répétition. Elles ne peuvent plus s'arrêter. Elles se considèrent elles-mêmes comme un objet qui peut se modeler, se refaire à l'image d'une poupée et qui fait qu'il y a souvent une séparation entre le moi et ce qu'on représente. Heureusement qu'il y a la chirurgie esthétique parce qu'on se demande qu'est-ce qui peut se passer si ça n'existait pas. Y a une sorte de dissociation.

– La peur de vieillir, ça existe, évidemment. Est-ce que c'est très grave, au fond ?

– C'est une peur fantasmatique. Y a des femmes qui ont peur de vieillir à vingt-cinq ans… donc ça peut être aussi phobique et la chirurgie esthétique est pour elles une forme de thérapie. Par ailleurs, y a des femmes qui sont déjà bien ridées et qui trouvent qu'elles paraissent jeunes.

– Mais est-ce que ça n'est pas normal, au fond, d'avoir peur de vieillir ?

– C'est tout à fait normal d'avoir peur de vieillir, parce que celles qui n'ont pas peur de vieillir, c'est une forme de conduite d'évitement. Simplement, la peur de vieillir a trouvé un exutoire dans la chirurgie esthétique.

Tout se joue dès l'enfance p. 106

1 Vous devriez l'encourager à ne pas rester inactif.

2 Il faudrait que vous l'accoutumiez à s'alimenter à heures régulières.

3 Évitez de le forcer à manger quand il n'en a pas envie.

4 Il est recommandé de ne pas lui offrir à manger dès qu'il a un problème.

Séduire : à quel prix ? p. 108

– Est-ce que vous croyez qu'on peut être… exclu à cause de son poids hein, parce qu'on… on est trop gros ou trop maigre… ?

Femme 1 : Je pense que oui euh… parce que quelqu'un qui est trop gros ou trop maigre, bah, quelque part dans sa tête, il est pas bien hi hi… il s'accepte pas, donc il ne, s'accepte pas, comment voulez-vous que les autres l'acceptent ?

Femme 2 : Moi, quand j'étais petite, pouf, c'était horrible, on se moquait de moi parce que j'étais trop maigre, oh oh là, c'est… c'est épouvantable parce qu'on est là : « Ah gna gna, tu flottes dans ton pantalon », « Mais c'est pas de ma faute ».

– Mais est-ce que vous trouvez qu'aujourd'hui, on… on est victime des modèles que nous imposent… la publicité, les journaux ou la mode ?

Femme 2 : Ouais, carrément ! Ah ça, c'est sûr !

– Ça se manifeste comment ?

Femme 2 : Ben, justement… enfin, c'est un peu tout ce qu'on entend, c'est qu'il y a de plus en plus de jeunes filles justement qui… qui deviennent anorexiques parce qu'elles veulent absolument ressembler à ce qu'on voit dans les magazines. Et bon, pouf… dans les magazines, on sait que les photos, en plus, elles sont de plus en plus retouchées, enfin plus ou moins, donc euh… je pense qu'y a un peu, un… enfin on veut toutes ressembler à ça, alors que ça ne correspond même pas à la réalité.

Femme 1 : Moi, c'est simple, je ne regarde plus, je n'achète plus les magazines, parce que… ça va quoi, au bout d'un moment on sait tout ce qu'i(ls) racontent.

– Ah c'est un ras-le-bol, là, alors ?

Femme 2 : Ah oui, complètement !

Femme 1 : Mais, bien sûr, on est victime, on nous impose un modèle, on nous impose un modèle auquel on doit absolument correspondre et, tant qu'on s'en rapproche pas, on est… on nous regarde bizarrement parce qu'on ne correspond pas à cette norme.

Femme 2 : C'est vrai, c'est vrai qu'on est victime. Là… là, je suis venue que pour les vacances. Là, je pense pas des choses pour moi parce que c'est… c'est très mannequin, donc… donc ils nous obligent un peu à être sveltes.

– Dans vos rêves les plus fous, comment vous imaginez le corps idéal ?

Homme 1 : Le corps idéal ? J'imagine celui de ma femme qui est déjà très très joli, hé, hé ! et qui me suffit largement, amplement.

Homme 2 : Le corps de Demi Moore…

Femme 1 : Le corps idéal, ce serait ne pas en avoir, en fait. Ce serait de vivre sans, dans, je ne sais pas moi… dans une vie où le corps n'existe pas.

Connaître et reconnaître p. 111

Personne 1

Eh bien, comme le savaient les anciens, la connaissance des cycles est une clé… pour bien conduire sa vie, ce sont… ce sont ces cycles qui permettent de comprendre les rythmes du vivant, qui donnent aux actions une direction… et… une signification. Nous devons réapprendre à assumer les cycles de la vie comme… comme autant de transformations par lesquelles il nous est nécessaire de passer. Une fois que l'impulsion de vivre s'est mise en marche et que nous avons agi dans le présent de notre temps, il faut passer au troisième stade, celui où l'on tire les leçons du vécu pour transmettre aux nouvelles générations le fruit de l'expérience accumulée, afin qu'elles puissent, à leur tour, avancer dans la vie.

Personne 2

Je crois qu'un des facteurs du vieillissement avant l'âge dans notre société d'apparence, c'est cette obsession tragicomique de paraître jeune. Alors, il faut faire retendre, suivre des régimes, se teindre les cheveux, il faut des soins esthétiques, de crainte de ne plus coïncider avec l'image déifiée de la jeunesse, amplement véhiculée par les médias.

Personne 3

Eh bien, je voulais vous parler des radicaux libres qui sont des molécules très toxiques et corrosives. Dans la nature, ils attaquent et rouillent le fer, ils brunissent une pomme coupée par exemple et, quand ils envahissent nos tissus, ils endommagent nos cellules et provoquent une rouille générale de l'organisme. Cette « rouille »… est insidieuse. Sous son action, nous vieillissons trop vite et mal. Fort heureusement, tout n'est pas perdu : nous pouvons nous en protéger. Comment ? Par un apport quotidien de ce qu'on nomme les antioxydants. Ils piègent ces molécules qui dégradent nos cellules, nos organes et nos tissus. Ils sont le… le facteur clé d'une bonne prévention et nous permettent de maintenir plus longtemps une forme optimale. On les trouve dans certains aliments d'origine végétale tels que le chou, le brocoli, la carotte et la tomate. Et aussi tels que le thé vert, le curcuma et… un bon verre de vin rouge !

Unité 9 LIBERTÉ, ÉGALITÉ, FRATERNITÉ… SOLIDARITÉ
Fraternité p. 121
Première partie

– Et vous avez eu des… des difficultés pour trouver euh… un travail ou… ou… ou un logement, enfin bon… sans être… sans entrer dans des choses trop personnelles ?

Personne 1 : Du travail, du travail… je…

– Votre nationalité, oui c'est ça alors… vous a… vous êtes en France et puis bon, ben, donc… euh…

Personne 1 : Et puis bon, on va dire : je suis cubain donc hispanophone. Déjà le travail, la difficulté je pense… c'est… ça (est) arrivé par rapport à mon français parce que je suis arrivé je ne parlais pas français du tout.

– Oui… C'est combien la baguette de pain ? Oui, c'est vrai que c'est…

Personne 1 : Oui, exactement, il faut le savoir ?

– À part dans une boulangerie, c'est pas facile de trouver du boulot, oui.

Personne 1 : Exactement, et puis euh… je parlais deux autres langues, ça… ça a été un atout pour recommencer dans le tourisme mais… mais… c'est… ça a été difficile. Tout au début, il y a eu quelques mois de… de recherches mais c'était bien… bien évident que…

– Mais c'était plus lié à la langue, à la difficulté de communiquer que juste par la nationalité différente, quoi ?

Personne 1 : Exactement… exactement… juste la… que pour la… que par la nationalité. Après, il y a des handicaps parce que vous n'avez pas toute une culture, toute… toute… une formation, une partie de vos études qui ont été fait(es) ici, donc ça… ça vous… vous empêche de… d'arriver à… quelque… quoi que ce soit mais bon, c'est à la personne qui habite dans le pays de… de faire… de faire (en) sorte de s'intégrer ou d'aller à la recherche de ce qu'elle veut.

Personne 1 : Par contre, j'ai pas répondu à la question, je n'ai pas parlé par rapport à la recherche d'un logement. Je trouve, surtout à Paris, la ville où on habite, c'est déjà très difficile en ce moment la recherche d'un logement. Je pense, que, étant étranger, parfois ça… ça fait un tout petit peu plus difficile la recherche et parfois même… dans ma dernière recherche, il y a quelques mois, je me suis vu obligé de… de aller avec des amis français pour me présenter dans certaines agences.

– Une… une caution euh… morale et physique plus que financière, alors ?

Personne 1 : Exactement. Tout à fait.

Personne 2 : Oui, je suis tout à fait d'accord avec lui. Moi-même… quand je suis arrivée pour trouver un logement, très souvent le propriétaire m'a demandé la justification de mon compte et ils m'ont demandé de présenter ma carte de séjour. Mais, pour obtenir la carte de séjour, il fallait présenter la justification domicile.

cent soixante-treize

– Ah, mon dieu !

Personne 2 : Donc, c'était une situation très contradictoire. Mais heureusement, euh… j'ai rencontré un propriétaire… un propriétaire très gentil et qui n'a pas…

– … exigé cette carte de séjour…

Personne 2 : … qui a attendu une certaine durée… délai, un certain délai pour… euh… lui montrer ma carte de séjour.

Deuxième partie

– Est-ce que… est-ce que ça a été différent quand… quand vous êtes arrivée en France de… de l'image que vous vous en faisiez même si vous commenciez à bien bien connaître ?

Personne 2 : Oui, nous… Les Japonais sont… en général francophiles. Surtout les femmes japonaises sont plutôt francophiles et on est très très admiratifs euh… de la culture française. Mais dans le(s) média(s), on ne parle pas de la vie réelle en France, on ne parle que… la mode, le parfum, la cuisine, la gastronomie et donc je pensais que, par exemple, les Français euh… boivent… prend… prennent le vin tous les jours et puis les femmes s'habillaient comme dans le… la magazine *Elle* ou quelque chose comme ça…

– Qu'on faisait les courses avec des robes de chez Dior…

Personne 2 : Oui… Oui mais la vie réelle à Paris n'était… n'est… n'est pas pareille.

– Oui, elle restait à découvrir euh… de toute façon.

Troisième partie

– Quels sont selon vous les principaux défauts des Français ?

Personne 2 : Ah… oui… euh…

– Ils sont peut-être pas typiquement français d'ailleurs mais…

Personne 1 : Tu commences, Miki.

Personne 2 : Hum, ils sont…

– Ou des petits reproches, allez peut-être pas des défauts…

Personne 2 : Oui, parfois très agressifs.

– Ah oui… ?

Personne 2 : Et… ils parlent beaucoup, c'est… c'est agréable mais quand il y a des problèmes euh… s'ils parlent sans écouter les autres, pour moi, c'est très difficile de… de trouver la solution.

– Oui ! Comment… comment ça se passe au Japon, alors ? Pas du tout comme ça ?

Personne 2 : On parle peut-être moins directement. C'est pour ça… beaucoup de Français disent que… qu'ils ont du mal à comprendre le comportement des Japonais mais, pour moi, quand ils disent « non »… point…

– C'est très dur !

Personne 2 : C'est… c'est un peu dur !

– Oui, oui… Et… et… et…

Personne 1 : Moi, je… y a…

– Des petits défauts de chez nous alors ?

Personne 1 : Le Français se plaint trop.

– Ah oui ?

Personnes 1 et 2 : Ah oui… oui… oui… oui…

Personne 1 : Le Français se plaint trop… Ils sont jamais contents… Ils sont jamais contents… C'est un très mauvais client. Alors quand vous faites un service en France, c'est très difficile de le faire. Ils sont très exigeants. C'est… c'est une qualité mais… mais ça arrive parfois à être un défaut parce qu'il… parce que le Français… arrive pas à voir parfois le bonheur qu'il a… Donc, c'est un des côtés que… que je… je… je n'aime pas, je m'y habitue pas. Même que, parfois, quand je rentre chez moi, je me dis que je deviens très…

– Un petit peu râleur ? Un petit peu bougon ?

Personne 1 : Un petit peu râleur, voilà donc, c'est un des défauts et un autre que le Français, il est un peu blasé…

– Ah oui…

Personne 1 : C'est des êtres qui… qui aiment pas s'étonner des choses pour pas faire naïf, je sais pas pourquoi mais il se sent… pas trop expressif. Il y a des expressions d'ailleurs qui m'étonnent tout le temps, c'est « pas mal » euh… quand une chose est bien ou « correcte, » quand une chose est bien aussi, *no se*. C'est… c'est des choses que je… je… je n'arrive pas à m'habituer… à des choses comme ça.

Solidarité p. 122

À la fois anthropologue et psychanalyste, Patrick Declerck a vécu parmi les SDF pendant plusieurs mois. Il est l'invité d'une émission consacrée à l'exclusion, sur France Inter.

L'exclusion est produite culturellement, économiquement. Il y a des familles dont on voit que, à travers plusieurs générations, elles vivent aux marges extrêmes de la société ; et de ces familles viennent certainement la majorité des clochards. Mais si ces populations ont un… un point commun, avant l'école, avant l'exclusion du travail, euh… c'est certainement d'avoir vécu des enfances catastrophiques, marquées par des abandons, des placements, des décès des parents, de la violence familiale, de l'alcoolisme familial, des abus divers, des abus sexuels.

Je crois que… il s'exerce vis-à-vis des populations à la rue une violence sociale, une sauvagerie sociale qui est insidieuse mais extrême euh… parce qu'au fond, la société ne veut pas prendre ses responsabilités vis-à-vis de la dimension chronique de ces gens. Ils ont besoin d'asile, ils ont besoin de pouvoir se mettre à l'abri euh… à vie, non seulement l'hiver, non seulement une ou deux nuits mais à vie. La logique de l'hébergement d'urgence euh… c'est-à-dire une nuit, deux nuits euh… et puis on repart dans la rue et on recommence est une logique absurde qu'il faut dénoncer. C'est l'absurdité d'être sur le cargo d'un navire et de voir des naufragés dans l'eau, d'arrêter le cargo, de repêcher les gens, de les sécher, de leur donner des vêtements, de leur donner de la nourriture et puis les remettre à l'eau avec un manuel de natation.

Mendier est un travail et c'est un travail épuisant. Euh… d'abord euh… on devient invisible pour la plupart des gens. Et, à partir du moment où on est dans cette position, eh bien on est euh… renvoyé à une sorte de néant. Euh… non seulement le regard se détourne mais, pire encore, c'est le regard qui transperce, c'est-à-dire qui regarde et qui ne vous voit pas. Euh… par ailleurs, on se fait injurier, on se fait bousculer, on se fait cracher dessus. Euh… et euh… euh… je crois que mendier est quelque chose d'épuisant, je n'ai personnellement jamais eu le courage physique, euh… au fond, euh… de… d'aller de rame de métro en rame de métro en racontant une euh… une petite histoire et en demandant des choses. Ça me semblait trop dur, en tout cas, ça l'était pour moi.

Et il faut dire aussi que, dans cette affaire, personne ne choisit d'être à la rue. C'est là un fantasme euh… ridicule. Euh… personne ne choisit d'être alcoolique euh… ou euh… ou clochard ou euh… toxicomane ou euh… hétérosexuel. Ça ne veut rien dire. C'est le destin du sujet, c'est la façon dont le sujet, malgré tout, vit sa vie. Il n'y a pas de choix là-dedans, il n'y a que de la souffrance.

D'après l'émission Alter Ego *(France Inter), entretien avec Patrick Declerck, 13 décembre 2001.*

DELF A4 p. 126

EXERCICE 1

Vous allez entendre quatre messages, une seule fois. Il y aura dix secondes entre chaque message pour vous permettre de répondre à la question posée.

Message 1

Bonjour, vous êtes bien au cabinet du docteur Pignon, je suis actuellement en consultation. Pour prendre rendez-vous, veuillez composer le 01 42 72 16 10 de 7 h 30 à 19 h 45 du lundi au vendredi. Si toutefois, vous souhaitez me parler directement, laissez un message avec vos coordonnées, je vous rappellerai dès que possible. Merci.

Message 2

Ici Mlle Lemoine, vous m'aviez dit que vous passeriez chez moi cet après-midi pour réparer ma fuite d'eau. Il est 20 heures et vous n'êtes toujours pas venu. C'est inadmissible ! J'ai perdu mon temps à vous attendre et l'eau coule toujours ! J'attends de vos nouvelles d'urgence. Je vous rappelle mon numéro : 01 46 18 20 77 !

Message 3

Madame Lebour… votre lave-linge est réparé. Je me tiens à votre disposition pour fixer une date et une heure de livraison. Appelez-moi après 9 h 00 demain. Merci.

Message 4

En raison d'un mouvement social du personnel, de nombreuses lignes de métro seront interrompues toute la journée de jeudi. Pour connaître les lignes en circulation et leurs fréquences, veuillez contacter les services de la RATP. Merci de votre compréhension.

EXERCICE 2

Vous allez entendre un message une seule fois. Vous avez devant vous la transcription de ce message. Quand il y a un choix, soulignez la proposition que vous entendez.

Exemple :

Bouger sans cesse, travailler n'importe où et à n'importe quelle heure, ne jamais faire moins de deux choses à la fois… Là est la tendance.

Mais sommes-nous tous voués au nomadisme ?

Nous avons interrogé le docteur Samuel Lepastier, psychiatre et psychanalyste :

« Il… Il faut bien distinguer le nomadisme de contrainte, qui implique qu'on se déplace pour aller à son travail, du nomadisme volontaire qui est un véritable mode de vie pour une minorité d'entre nous qui ne supporte pas un cadre de vie préétabli.

Pour la majorité des gens, le nomadisme reste une contrainte. Dans ce cas, il a souvent tendance à être déstabilisant pour l'individu qui perd un certain nombre de repères fixes, nécessaires à son équilibre.

C'est pour cela qu'aujourd'hui les repères internes doivent être plus fixes qu'auparavant, afin de ne pas se perdre. Il faut savoir gérer le temps de travail et le temps pour soi. »

EXERCICE 3

Vous allez entendre deux enregistrements correspondant à des informations radio. Pour chacune, vous aurez dix secondes pour lire les questions et deux écoutes pour répondre en cochant la réponse exacte ou en écrivant les mots ou chiffres qui manquent.

Première information

24 heures… à Paris : Quelques jours avant le printemps, la ville va organiser une grande fête de l'Arbre. Pendant une semaine, les Parisiens vont pouvoir découvrir la richesse du patrimoine arboré de leur ville. Bûcherons, jardiniers, ils seront tous au rendez-vous pour partager leur passion avec les habitants. Des animations auront lieu aux quatre coins de la ville : enfants et adultes pourront assister à des démonstrations de plantation et de coupe et mettre la main à la terre en participant à des ateliers.

Deuxième information

Le café fait son show. Pendant trois jours, le Carrousel du Louvre va vivre au rythme de la deuxième édition du Café show, le salon entièrement dédié au café. Trois jours pour flâner, sentir, déguster et tout savoir sur ces fameux grains noirs qui composent la boisson la plus consommée après l'eau, dans le monde entier.

Unité 10 CADRES DE VIE
Les néoruraux p. 130

– Si vous venez à Paris en touriste, vous apprécierez bien sûr la richesse de son architecture, ses parcs, ses musées, sa vie culturelle, toutes ces choses dont les Franciliens ne profitent plus parce que, eux, ne subissent au bout d'un moment que les inconvénients de la vie parisienne : les embouteillages, la pollution, le stress, la foule, ce qui fait que, un jour ou l'autre, il y en a certains qui disent : « Stop ! » Soit ils quittent définitivement Paris avec femme, enfants et boulot, soit ils décident de s'installer à la campagne tout en continuant à venir travailler tous les jours ou presque à Paris.
Ces Parisiens qui vivent au vert, notre reporter en a rencontré un spécimen.
– Si je commence à dire que j'habite à la campagne, je sens des sourires, des « ouais super ! » ; si je dis que c'est à 100 kilomètres, « Oh là là, non ! », ça devient dramatique, oui, les gens nous traitent de fous, c'est évident.
– On les appelle les TGVistes, les navetteurs. Ils sont plus de 10 000 en France. Ils travaillent à Paris mais ont choisi de vivre à la campagne. Pierre Raillon est l'un d'eux. Il y a cinq ans, avec sa femme et ses deux enfants, il a décidé d'habiter dans une ferme à Bouilly-en-Gâtinais, un petit village du Loiret, situé à cent kilomètres de Paris. Pierre Raillon est ingénieur du son et travaille en horaires décalés. Son trajet représente entre 800 et 900 kilomètres par semaine.
– Lorsqu'on fait un trajet moitié-moitié, c'est-à-dire on prend la voiture jusqu'au RER le plus… le plus proche, à savoir Saint-Martin-d'Étampes, donc il faut 45 minutes de voiture, jusqu'à Saint-Martin-d'Étampes, ensuite il faut une heure et quart de RER, ça fait deux heures, et après, j'ai encore un quart d'heure de marche, donc ça fait deux heures et quart.
– Et quel est le coût du transport dans votre budget ?
– C'est… oui, ça… c'est un peu… ça… c'est important. Par mois, ça représente, avec les pleins d'essence et tout, 3 000 francs (457,35 euros).
– En additionnant le coût de transport au remboursement de sa ferme, Pierre Raillon dépense ce que lui coûterait la location d'un appartement parisien. Pour lui, posséder une maison et un jardin est un luxe merveilleux mais un luxe qui doit s'accompagner d'une qualité de vie.
– Dans l'appartement, y a le voisinage, c'est-à-dire qu'i y a les bruits faits par ceux d'en dessus, ceux d'en dessous, ceux d'à côté, la rue, les pizzerias, le… moi, j'étais en dessus d'une banque, donc j'avais le coffre de la banque qui se fermait et qui s'ouvrait « tut tut tut tut tut tut ! » Ça, je l'avais en permanence à 4 heures du matin ; bon, faut pas être esclave de ce genre de… de bruits, sinon, ça veut plus rien dire. Le bruit à la limite assez tardif à 20 heures, c'est les tracteurs ou, pendant les moissons, ce sont effectivement des choses comme ça, mais ça reste des bruits pour nous naturels, y a les hirondelles, y a des chauves-souris, y a des choses comme ça.

Unité 11 L'ARGENT À TOUT PRIX
Banco ! p. 146

– « Le fric, le blé, le pognon ou la thune, appelez ça comme vous voulez pourvu que j'en aie plein les poches. » Telle pourrait être la devise des joueurs à la loterie ou au tiercé. Gagner de l'argent c'est bien ; le dépenser, c'est encore mieux ! Alors, et vous… que feriez-vous si vous étiez millionnaire ?
– Bah ! euh… Je crois que ça me ferait un petit peu paniquer d'avoir pas mal de sous, surtout qu'en général je suis plutôt à découvert. À côté de ça, je pense que j'en mettrais pas mal de côté et puis j'en filerais une bonne partie à des associations, je… par exemple à des associations qui s'occupent d'enfants malades, en l'occurrence des enfants malades de… bah… du cancer ou des enfants qui ont été accidentés. Voilà.
– Faire un concert privé avec des copains, pour une soirée avec… et puis on pourra chanter, jouer avec Sting, taper le bœuf. Sans doute que ça coûte cher mais, si on gagne au loto, on n'est pas à un million près, hein !
– Si j'étais millionnaire ? Euh… Je m'achèterais une grande maison, je ferais plein de voyages et…
– Alors là, j'en sais rien. Mais je pense que je le donnerais pour euh… pour des enfants qui sont malheureux, je sais pas, en Afrique ou des associations en France.
– Moi, j'aurais la possibilité de créer mon entreprise. Et puis je… j'en ferais

profiter à mes parents, à mes amis grâce à mon million quoi, on va dire.
– Changer ma voiture qui n'en peut plus. Euh… Voilà. Mon confort d'abord.
– Moi, je loue une formidable villa… euh… au soleil et j'invite tous mes amis, tous mes copains et on fait euh… une formidable fête pendant une semaine, un mois et avec une piscine, avec plein de jolies filles dans la piscine. Ouais ! Et puis après, ben, je fais un bon voyage, ah oui, oui : deux mois, trois mois, je fais le tour du monde. Ah oui, oui !
– Comme je dois me marier, je ferais un supergrand mariage. J'en profiterais pour m'acheter la plus belle robe du monde, une robe de grand couturier. Et puis ben, j'sais pas, peut-être qu'on se marierait à Notre-Dame de Paris et puis euh… bah, je sais pas, on louerait… on louerait le dernier étage de la tour Eiffel pour faire la réception. On inviterait tout le monde. Et puis on ferait une grande fête toute la nuit avec un super traiteur qui nous ferait des plats hyperélaborés et très beaux. Voilà. Je pense que je ferais ça.
– Moi, j'aiderais les gens qui n'en ont pas.
– Si vous étiez millionnaire, vous feriez quoi ?
– Euh… La retraite. La retraite et gérer mon pognon, voilà. Et ensuite en profiter, faire la fête, voyager… euh… Monaco, Miami, euh… voilà hein.

L'argent et vous p. 149

– Merci de… merci d'être là pour répondre à ces petites questions sur un domaine qui nous… qui nous préoccupe tous, hein euh… sur l'argent. Est-ce que vous pensez que l'argent est pour vous une… une source de plaisir ou alors de… d'inquiétude, c'est carrément l'angoisse, ou… ou ça vous crée pas mal de problèmes. Alors, je sais pas, on va commencer par vous, madame ?
Personne 1 : Euh… Bah, moi, évidemment, c'est une source de… une source de plaisir, du moment qu'on a… qu'on a ce qu'il faut, c'est très agréable. Pas d'inquiétude, non, pas pour l'instant.
– Et donc, pas de problèmes non plus ?
Personne 1 : Pas de problèmes. Euh… peut-être, euh… enfin si, je pense à certains problèmes par exemple dans… dans certains couples où (il) y a des… il peut y avoir certains problèmes d'argent, comme par exemple si un des conjoints gagne beaucoup moins que l'autre, etc., ou… ou quand on a des projets communs, se mettre d'accord sur quelle utilisation on va faire de l'argent, si on va utiliser cet argent pour euh… acheter un appartement, pour euh… acheter une voiture, partir en vacances, faire des beaux voyages. On peut avoir euh… certaines… certains projets différents et, à ce moment-là, c'est difficile parfois de se mettre d'accord. Voilà.
– Est-ce qu'il est important pour vous que l'homme gagne plus, la femme gagne plus ou ça n'a aucune espèce d'importance ?
Personne 1 : L'idéal, je pense que c'est… c'est que les deux gagnent la même somme d'argent. C'est plus simple, c'est plus simple…
– Au centime d'euro près ?
Personne 1 : Ouais, pourquoi pas ! Pourquoi pas !
– Oui, d'accord, et vous alors, est-ce que… est-ce que c'est une source de plaisir ou ça peut être euh… ça peut être une inquiétude l'argent ou… ou créer des problèmes ?
Personne 2 : Bah, parfois ça peut être euh… une petite source d'inquiétude. Moi, je vis avec une personne qui dépense pas mal, qui aime bien vivre, dépenser et c'est vrai, parfois, je me dis : « Oh là là, j'espère que ça va aller ! » et ça va toujours euh… parce qu'elle me dit toujours de toute façon : « Il faut pas faire de l'argent un problème. »
– Et est-ce que… il vous est arrivé de désirer quelque chose… il y a quelque chose que vous auriez aimé pouvoir vous offrir mais bon, ben, quand on fait les comptes, c'est au-dessus de ses moyens quoi ?
Personne 1 : Non, moi, en fait, j'ai des désirs qui sont dans mes moyens. Donc, pour ça que je pense que je suis pas malheureuse euh…
– Ah oui, une belle harmonie avec vous-même…
Personne 1 : J'ai pas eu euh… oui… non, mais j'ai pas… j'ai pas d'envie de choses extraordinaires, etc. Donc euh… mais le problème qu'i peut y avoir, par exemple, c'est que voilà j'ai envie de me payer un très beau voyage, de mettre de l'argent dans un beau voyage et mon conjoint, lui, il a envie de mettre de l'argent dans un ordinateur et… et… et voilà. Donc là, c'est plus ce genre de problème.
– Alors, on crée deux comptes épargne euh… conjointement… l'un pour l'ordinateur l'autre pour le voyage ?
Personne 1 : Chacun… chacun chez soi, chacun avec ses sous et voilà.
– Et dans la vie ? Bon, cette question qui arrive, j'ai l'impression d'en avoir eu déjà la réponse mais peut-être que vous la formulerez différemment : vous êtes plutôt du genre dépensière ou économe alors, vous ?
Personne 1 : Euh… économe.
– Ah oui, c'est ça.
Personne 1 : Même un peu trop économe peut-être mais euh…
– Vous avez envie de profiter de ce que peut vous offrir… bah l'argent mais en même temps euh…
Personne 1 : Non, je me prive pas mais euh… je fais… je fais pas de grosses grosses dépenses.
Personne 2 : Moi, je serais aussi plutôt économe mais il m'arrive d'avoir des envies d'achats complètement impulsifs.
– Et vous les réalisez ?

cent soixante-quinze

Personne 2 : Et je les réalise. Du style euh… il y a deux ou trois mois, nous sommes allés en week-end à Amsterdam et nous avons acheté tout… comme ça, à l'improviste, on passe devant une galerie, on achète deux tableaux. Voilà, comme ça, boum…

– *Oui, une surprise, une belle chose, de l'inattendu…*

Personne 2 : Voilà, une surprise, de l'inattendu.

Personne 1 : Moi, je… il faudrait que je passe trois fois devant la galerie, d'abord la première semaine, ensuite j'y repasse un mois après, je vérifie que le tableau est bien là et je me décide trois mois après. Voilà !

Unité 12 LE FRANÇAIS TEL QU'ON LE PARLE
Parlez-vous français ? p. 157

– *Laurent, vous êtes journaliste, vous êtes de Toulouse. Est-ce que tout le monde parle français dans cette région ?*

– Oui, je dirais que tout le monde parle français parce que tout le monde s'y est mis. À la ville, à Toulouse, bien sûr, on parle français mais quand même… Mais dans les campagnes et même… même à Toulouse, je veux dire… je veux dire, les papys, i continuent à parler en patois, quoi, vraiment, i parlent dans leur langue. Eux, il se peut quand ils étaient à l'école, is ont appris le français, comme nous on nous a fait apprendre l'anglais, je veux dire ou l'espagnol, eh ben eux, is ont appris le français, même en première langue et ils l'ont appris même dans la violence quand même aussi parce que c'est, ça s'est pas fait dans… l'accouchement du français ne s'est pas fait dans la douceur par chez nous. Ça s'est fait assez difficilement.

– Et quand on parlait ave(c) ave(c) les vieux, quand on se met à parler patois avec eux, alors souvent i sont gênés parce que nous on parle très mal, on le parle mal… bon… moi quand je parlais avec mon grand-père, je le parlais comme quelqu'un qui l'avait appris, lui, et c'était… c'était inversé et souvent les papys quand is sont entre eux, i parlent et dès que quelqu'un arrive, un jeune arrive, hop, par pudeur certainement ou je sais pas quoi, ils se mettent à leur parler français parce que aussi la langue française, c'est la langue de la réussite. La langue occitane, c'était la langue des ploucs, des paysans. On disait, quelqu'un qui parlait patois, on disait : « Oh ! c'est un paysan celui-là ! » et « paysan », c'était devenu une… une connotation péjorative, un petit peu. Donc ces gens-là, quand is ont grandi, eh ben, à leurs enfants, is ont appris le français, c'est-à-dire, moi, j'ai parlé patois avec mon grand-père mais, avec mes parents, je n'ai jamais parlé en occitan et pourtant mes parents, l'occitan, ils le connaissent et ils le parlent aussi, ils peuvent le parler mais ils me l'ont jamais parlé parce que pour avoir le baccalauréat, et tout ça, quoi…

À l'envers ou en verlan ? p. 160

Comme le rap, le verlan est toujours au goût du jour. Tout avait commencé au début des années 80 et, depuis, c'est bien plus qu'une mode, c'est un nouvel argot, une vraie gouaille qui est d'abord partie des banlieues et qui touche maintenant tout le monde et toutes les classes.

Explications de Boris Séguin, auteur du livre Les Céfrans parlent aux Français. *Il nous explique les origines du verlan, qui vont même puiser dans les langues arabes, africaines ou manouche.*

– Cette langue qu'on peut difficilement appeler une langue, c'est une manière de parler, c'est du français. Y a effectivement beaucoup de verlan, mais bon, pour parler verlan i faut déjà parler français puisque le verlan est une inversion des… des syllabes. Alors, ce n'est pas une inversion systématique. On cherche d'abord la bonne… la bonne sonorité. Y a aussi du verlan de verlan, ça s'appelle le « veule » c'est-à-dire qu'effectivement on dit « arabe », « rebe » et « beur » et puis y a aussi beaucoup d'autres mots qui ont des origines diverses. Bon, on retrouve de… d'un… un argot du XIXe siècle ou du début du siècle, par exemple « condé » pour les « flics ». Y a beaucoup de mots manouches.

C'est vrai, c'est une langue qui n'est parlée que par les jeunes. Ils font tout à fait la différence entre la langue qu'on parle dans la cour de récréation et puis celle qu'on emploie dans un cours ou quand on… dans un examen de… d'embauche.

Y a effectivement des élèves qui ne parlent que cette langue et qui donc s'excluent ou se… se trouveront exclus s'ils ne parlent que comme ça.

Réponses sondages unité 3

Chômage et insécurité

• Pour 62 % des Français, la principale cause de l'insécurité est le chômage, devant la drogue (30 %), la pauvreté (29 %), l'urbanisme et l'architecture des cités (20 %), l'immigration (20 %), l'injustice sociale (18 %), la perte des valeurs républicaines (16 %), la télévision (12 %).

• 52 % estiment que la justice doit traiter les délinquants mineurs comme des adultes (43 % en 1997), 44 % non (50 % en 1997).

Paris-Match/BVA, janvier 1999.

Valeurs idéales et valeurs perdues en France (en % de réponses)

a L'honnêteté 41, la justice 32, l'amitié 30, l'égalité 30, la famille 28, le respect de l'environnement 27, la liberté 25, les droits de l'homme 24, la tolérance 24, la générosité 22, le goût du travail 22, la politesse 20, la sincérité 17, le courage 15, la responsabilité 14, la discipline 13, la fidélité 13, l'humour 12, l'honneur 10, l'optimisme 6, la réussite matérielle 5, le patriotisme 3, ne se prononcent pas 2.

b La politesse 44, l'honnêteté 42, le respect de l'environnement 36, la tolérance 30, la justice 29, le goût du travail 27, la famille 25, la discipline 24, l'amitié 20, la générosité 20, les droits de l'homme 19, la sincérité 17, la fidélité 17, le courage 17, la responsabilité 14, l'égalité 12, l'honneur 11, la liberté 10, l'humour 7, l'optimisme 7, le patriotisme 6, la réussite matérielle 3, ne se prononcent pas 2.

Psychologies/BVA mars 2000.

Imprimé en Italie par Rotolito Lombarda
Dépôt légal n° 52750 - II/2004 - Collection n°50 - Edition n°03
15/5181/1